Coleção MELHORES CRÔNICAS

Machado de Assis

Direção Edla van Steen

Coleção MELHORES CRÔNICAS

Machado de Assis

Seleção e Prefácio Salete de Almeida Cara

global
editora

© **Global Editora, 2003**
2ª Edição, Global Editora, São Paulo 2006
2ª Reimpressão, 2019

>**Jefferson L. Alves** – diretor editorial
>**Flávio Samuel** – gerente de produção
>**Ana Cristina Teixeira** – assistente editorial e revisão
>**Saulo Krieger** – revisão
>**Victor Burton** – projeto de capa
>**Antonio Silvio Lopes** – editoração eletrônica

Obra atualizada conforme o
NOVO ACORDO ORTOGRÁFICO DA LÍNGUA PORTUGUESA

Dados Internacionais de Catalogação na Publicação (CIP)
(Câmara Brasileira do Livro, SP, Brasil)

Assis, Machado de, 1839-1908.
  Melhores crônicas / Machado de Assis ; direção de Edla van Steen ; seleção de Salete Almeida Cara. 2ª ed. – São Paulo : Global, 2006.

  ISBN 978-85-260-0798-7

  1. Crônicas brasileiras I. Steen, Edla van. II. Cara, Salete Almeida. III. Título

03-1150   CDD-869.93

Índices para catálogo sistemático:

1. Crônicas : Literatura brasileira   869.93

global
editora

Direitos Reservados

global editora e distribuidora ltda.
Rua Pirapitingui, 111 – Liberdade
CEP 01508-020 – São Paulo – SP
Tel.: (11) 3277-7999
e-mail: global@globaleditora.com.br
www.globaleditora.com.br

Colabore com a produção científica e cultural.
Proibida a reprodução total ou parcial desta obra
sem a autorização do editor.

Nº de Catálogo: **2350**

Melhores Crônicas

Machado de Assis

Nota Explicativa: Todas as crônicas de Machado de Assis foram publicadas em jornais e estão selecionadas nas publicações mencionadas na Bibliografia. (Os Editores)

PREFÁCIO

Musa da crônica, musa vária e leve, sacode essas grossas botas eleitorais, calça os sapatinhos de cetim, e dança, dança na pontinha dos pés, como as bailarinas de teatro, gira, salta, deixa-te cair de alto, com todas as tuas escumilhas e pernas postiças. Antes postiças que nenhumas. (Machado de Assis)

Quando era ainda apenas poeta e dramaturgo, no final de 1859, Machado de Assis começou a escrever algumas crônicas em *O Espelho*, onde tinha também uma coluna de crítica teatral. No fim daquele ano retoma um tema sobre o qual já tratara, nove meses antes, num texto mais longo do *Correio Mercantil*, e o faz com o mesmo entusiasmo: o jornal como sintoma maior do caminho liberal, democrático e progressista, que teria se aberto ao espírito humano com a Revolução Francesa. Tanto em "O jornal e o livro" quanto em "A reforma pelo jornal" desenha-se uma história, sem volta, da emancipação de todo o globo terrestre – a da inteligência, carregando as novas ideias econômicas ligadas à indústria e ao crédito financeiro e, por extensão, a dos povos. Uma emancipação capaz de irmanar todos os homens, todos *os membros do corpo social* chegando, pelo diálogo, também *às inteligências populares*, às *classes ínfimas*, aos *espíritos rudes*. Abrindo o campo do diálogo e da discussão, o jornal seria uma *hóstia social da comunhão pública*.

É bem verdade que essa profissão de fé igualitária tinha um alvo pontual aludido, a França, com o controle da imprensa imposto pelo regime de Napoleão III, mas é também verdade que, de uma tal aposta otimista no futuro, nunca mais ouviremos falar. Junto com os primeiros romances de enredos provincianos e conservadores, entre 1872 e 1878, o tratamento da matéria brasileira através das crônicas vai adensando seu ceticismo. Foram mais de setecentas, escritas durante quase quarenta anos, com intervalos e pseudônimos como era costume. De 1859, em *O Espelho*, passa pelo *Diário do Rio de Janeiro* e pela *Semana Ilustrada* (1860-1875), *O Futuro* (1862), *Ilustração Brasileira* (1876-1878), *O Cruzeiro* (1878) e, de 1881 até 1900, pela *Gazeta de Notícias*, jornal em que ficou mais tempo e teve várias colunas: "Balas de estalo", assinando Lélio; "A + B", como João das Regras; "Gazeta de Holanda", como Malvólio; "Bons dias", como Boas Noites, e finalmente "A semana", sem assinatura, a partir de 1892.

Nem de longe a crônica parecia poder ser um material de tão bom calibre em solo brasileiro, com sua origem no folhetim ou rodapé, seção de jornal de modelo francês, que tratava de assuntos variados do cotidiano político, social ou artístico. A primeira referência de Machado de Assis ao folhetim, na série *Aquarelas*, ainda o tinha na conta de ruído desagradável naquele ameno e conciliador diálogo entreaberto pelo jornal. Entre nós, apenas pose francesa e, nos melhores casos, o jornalista lançando *a luz séria e vigorosa, a reflexão calma, a observação profunda* ao folhetinista que, feito de *devaneio* e *leviandade*, só assim poderia tornar-se uma *fusão admirável do útil e do fútil, o parto curioso e singular do sério, consorciado com o frívolo*. Essa fórmula conciliadora, no entanto, logo se mostrará insuficiente para os rumos machadianos. E a opção de Machado de Assis será, antes, pelo *capital próprio* do folhetinista, fútil e frívolo, que lhe dá de bandeja o que precisa para compreender melhor o ritmo da vida brasileira. De modo que ele acaba por inverter, na prática, a própria máxima com que tinha encerrado a série que escrevera em *O Espelho*: "escrever folhetim e ficar brasileiro é difícil". Inversão que escancara, com radicalidade, a força de revelação de quem, como o folhetinista cheio de pose, arma uma *grossa tenda lírica no meio do deserto* ou, em chão lamacento, crê estar num *boulevard* ou num *café* parisiense ao comentar os acontecimentos da semana, como Machado tinha escrito em 1859. Escrever crônicas, como se verá, foi fundamental no processo de perda das ilusões quanto a qualquer comunhão pública pelo diálogo no jornal, levando o escritor a dar um passo adiante no que seria uma fusão feliz entre o jornalista, paladino do bem, e o folhetinista, grande vilão. A diferença simplista já não basta, e a harmonização já não lhe interessa como pressuposto, porquanto passa a lidar com o alcance moral e prático das disposições comuns a ambos, nas condições brasileiras.

Os anos de aprendizagem mostrarão seus resultados literários nos anos 1880. Mas já é possível acompanhá-la desde o momento em que Machado de Assis confere "méritos" ao folhetinista, pois o gênero lhe interessa justamente enquanto *confeito literário sem horizontes vastos* que carrega consigo seus leitores – gente "de bem" das nossas classes dominantes e letradas. Em 1859, Machado de Assis já sabia que *todos os leitores estão de posse deste traço do parasita literário*, a saber, alguém sem nenhum talento que vende e compra gato por lebre, exibindo-se no jornal, no livro e nos teatros onde recita. Com *adeptos, simpatias, aplausos*!

Machado passa então a falar do folhetim de um outro modo, não mais olhando-o de fora em busca de alguma saída minimamente honrosa, mas descobrindo nele a cara brasileira. Durante um bom tempo, só ali poderá expor os assuntos que lhe interessam cada vez mais. Pois embutido no jornal como um verdadeiro *anão de circo* e tendo o capricho como musa, o folhetim permitiria falar toda e qualquer bobagem que lhe passasse pela cabeça; *filho do acaso e da fantasia*, seria sempre uma *conversa sem assunto*, passando de chapéus e moda para indústrias parisienses, operetas, prosa clássica alemã e romance de um professor de Guaratiba, como dirá em 1869.

Mais tarde, em crônica de 1º de novembro de 1877, a imagem para o nascimento da crônica será a das duas primeiras vizinhas que, sentadas à porta depois do jantar, entabulam um papo sem eira nem beira, daquele tipo um assunto puxa o outro. Ao que ele acrescenta, fazendo pose para chamar a atenção e acentuar os termos do problema, que já não são os mesmos daquela *fusão admirável do útil e do fútil*: "Que eu, sabedor ou conjeturador de tão alta prosápia, queira repetir o meio de que lançaram mão as duas avós do cronista é realmente uma trivialidade". Nenhuma novidade, portanto, em assumir o papel de livre-atirador cultural, que tratava de tudo um pouco ao pé do ouvido do seu leitor e dava plena voz à futilidade, à frivolidade, à superficialidade e à tendência ao ócio próprios de todo o folhetinista enquanto figura social, com o aplauso admirado e identificado da dita boa sociedade, posta a seus pés.

O anão de circo cuja função é divertir a plateia, enquanto os *verdadeiros artistas* executam as tarefas mais nobres, é a *persona* confessa de Machado de Assis no seu ofício de *contar semanas*. Descartando o acatamento subserviente de uma suposta superioridade dos *verdadeiros artistas* e do *conjeturador de tão alta prosápia* (assim como do sentido corrente de *útil* e de *sério*) assume, com distanciamento irônico e muito humor, o capricho circense do anão em seus arremedos de malabarismos e, num exemplo de fertilização dos limites do gênero pela força da negatividade, expõe o ritmo da nossa vida social, que iria na contramão de um ideal de sociabilidade bem assentada em padrões burgueses. Dessa maneira, fará mais do que retomar a imagem da crônica como um colibri saltitante, tal como tinha escrito José de Alencar, pois está construindo uma visão complexa das relações sociais e do andamento histórico do Brasil, a partir do qual começava a armar um problema formal que irá tomando corpo dali para a frente, e estará exposto na sua prosa madura.[1]

Avançando pelos anos, a crônica de Machado vai-se distanciando um pouco mais da nomeação direta dos acontecimentos imediatos e, indo muito à vontade para o passado, continua ainda a dar asas a uma imaginação sempre sustentada por aquele movimento geral que vai observando, e do qual a crônica depende. Por isso mesmo é que se pode ler "A semana" dos dois últimos anos como o resultado lógico de uma experiência nacional singular, que o cronista foi capaz de perceber mais do que ninguém: é o desenrolar dessa história que vai contando até a etapa pouco feliz, mas previsível, da crise financeira dos governos Prudente de Moraes e Campos Salles. Tempo da guerra

---

1. Aqui é preciso dar o crédito aos estudos machadianos de Roberto Schwarz, que desdobraram e deslocaram as reflexões da crítica brasileira sobre o autor, sobretudo no que diz respeito ao tipo inusitado de realismo com o qual Machado de Assis foi respondendo, literariamente, aos desafios da matéria psicossocial brasileira. O crítico chega ao último romance de sua primeira fase, *Iaiá Garcia* (1878), colhendo, pela análise literária, os impasses que apontam a virada de *Memórias póstumas de Brás Cubas* (1881), quando a mudança do foco narrativo, dando voz aos homens bem formados do país, leva o escritor a lidar com um material narrativo que as crônicas já vinham lhe oferecendo há muito tempo, como podemos perceber depois da intervenção crítica de Schwarz.

dos Canudos, pouco antes do empréstimo de dois milhões de libras e da possibilidade de uma moratória, em 1898.

A exibida facilidade de passar à vontade de um assunto a outro tem a superioridade de quem encena um procedimento na medida certa do freguês. Ela traz a marca do distanciamento irônico e mordaz, e ao mesmo tempo sedutor com que trata seu leitor, posto na berlinda de modo enviesado, mas não menos contundente, como parte de nossa rica e diminuta elite (só 30% da nossa população sabe ler e só para eles existem as instituições, tinha escrito em 1876), deslumbrada com cantores líricos e exposições de quinta categoria (*na hora em que escrevo essas linhas, preparo-me para ir ver um sapatinho de cetim – o sapatinho que Dona Lucinda nos trouxe da Europa e que o Furtado Coelho vai mostrar ao público fluminense*). Uma elite recheada de observadores medíocres de questões graves como a emancipação dos escravos, passados cinco anos da Lei do Ventre Livre (*um homem do meu conhecimento suspira pelo azorrague*).

A sedução é ambígua: *Hoje posso espeitorar meia dúzia de bernardices sem que o leitor dê por elas. A razão não é outra senão a de ser o leitor um homem que se respeita, ama o belo, possui costumes elegantes: conseguintemente não tem orelhas para crônicas, nem outras coisas ínfimas*, lemos já em "Histórias de quinze dias" (1876). Retomando o motivo na crônica de 16 de junho de 1878 ("Notas semanais", em *O Cruzeiro*), o nó da ilusão é desatado com clareza, pois o leitor resoluto e manso faz críticas à coisa pública que andaria mal, estando no entanto bastante satisfeito com sua vidinha privada, que andaria muito bem, e que vai tocando com ânimo, *sem advertir que, a ser exata a primeira parte, a segunda forçosamente não o é; e a sê-lo a segunda, não o é a primeira. Um pouco mais de atenção daria ao leitor um pouco mais de equidade*.

O lado mais civilizado do país, sua sociedade mais culta (que José Veríssimo, excluindo a ironia, julgou ter sido muito bem representada pelo escritor), comparece, e nele se inclui o próprio Machado. Em 17 de maio de 1896, conta com verve o jantar promovido pela *Revista Brasileira*, dirigida justamente por José Veríssimo, no segundo andar do Hotel do Globo. Uma ação planejada de harmonia e boa convivência, que imortaliza a *Revista* em tempos violentos, de *muito tiro, muita facada, muito roubo*. Ali estavam reunidas *a literatura, a política, a medicina, a jurisprudência, a armada, a administração...* falando de letras e mais letras, de poesia e de filosofia. Três meses depois, em agosto de 1896, o cronista volta ao assunto dos jantares de poesia e alegria, enquanto a crise econômica vai brava, porque *a única falência que [a revista] teme deveras é a falência do espírito.*

    Garantida a sobrevivência espiritual, a construção cerrada de um único parágrafo traz uma avaliação sarcástica das relações entre as nossas camadas mais favorecidas e as mais pobres, numa das últimas crônicas que escreveu, em 7 de fevereiro de 1897. Resumindo: diante do pranto das mulheres dos soldados no embarque do batalhão para Canudos, a comoção de muitos podia ser menor do que a que tinham diante das feridas dos mendigos que moravam pelas ruas da cidade. Afinal, a causa da campanha contra Canudos é justa, dirá o leitor, a quem aborrece essa história de fanáticos, porque mais identificado ao drama dos mendigos, no que é referendado zelosamente pelo cronista com a ironia habitual, lembrando que o conceito de mendigo poderia mesmo abranger aqueles que tinham carro mas também altíssimas despesas! O que não é o caso dele próprio, continua o cronista, que melhor do que ser mendigo preferia ainda ser um diretor de banco, que *durante o exercício governa o mercado, ou faz que governa, que é a mesma coisa.*

O leitor não deve esperar, nem nessa crônica de 7 de fevereiro nem em nenhuma outra, uma exposição didática de todo esse movimento, pois não é isso o que o cronista faz, já desde as "Histórias de quinze dias". Aqui ele dá voz ao leitor (*Deus meu...*), cifra com rara ironia seus argumentos e, além disso, só na crônica da semana seguinte o leitor poderá ter uma melhor compreensão do significado de sua referência a Canudos, absolutamente ímpar naquele tempo: o episódio de Canudos *não tem nada fim de século* pois, mesmo à revelia, o sertanejo Antônio Conselheiro, misturando sertão e mar, andava a fazer baixar os títulos brasileiros no mercado de Nova York. Além do que, gravado no imaginário popular, o Conselheiro poderia ser incorporado (e retalhado) pelo próprio mercado nacional, à imitação de Londres. Se o mercado de Londres podia dar-se ao luxo de comemorar um modelo de chapéu, o *chapéu alto*, entre tantos modelos mais fugazes, nada impedia que, num nível mais rebaixado, ele passasse a se chamar por aqui *chapéu canudo*.

A partir das próprias crônicas de Machado, é possível ao menos conjeturar de que modo o leitor da época entendia suas referências. Nas "Histórias de quinze dias" (1876), por exemplo, ele tinha construído com digressões bem armadas, que cruzavam o Rio de Janeiro com o Império Otomano, uma espécie de ópera-bufa como alegoria do ridículo da vida mundana fluminense, durante o tempo de moratórias bancárias, especulação desenfreada e crescimento da dívida externa no Segundo Reinado. Ao contrário do cronista, o leitor preferia acreditar mais em tesouros escondidos no Morro do Castelo do que na existência da África, da guerra na Sérvia ou da queda do império turco, assunto que atravessa muitas crônicas como exemplo de modernização periférica. Um império feito de gato e sapato pelos países europeus, que lhe impõem suas regras liberais, a tal ponto que a um diplomata patriota, que participara de uma rodada de conversações em defesa da soberania nacional, coube a demissão por conspiração... contra o Estado!

De maneira absolutamente inédita, como se vê, a inserção do país no mundo moderno e o nível rebaixado de nossa vida social dependem um do outro e, por isso, o cronista parece ir tomando gosto no retrato dos nossos estimados cavalheiros, que a compõem juntamente com os escravos libertos e os homens livres. Mas a reflexão machadiana sobre as peculiaridades brasileiras passa também por uma compreensão bem pouco reverencial das coisas europeias.

Em 1894, esse leitor muito brasileiro de Montaigne estabelece preciso e irônico juízo histórico de um tópico de larga tradição humanista e liberal, a *liberdade*, com uma penada aparentemente casual que lhe serve, todavia, para comparar os fundamentos de uma antiga cena europeia com os da cena contemporânea brasileira: *A liberdade é um mistério, escreveu Montaigne, e eu acrescento que o monopólio é outro mistério, e, se tudo são mistérios neste mundo, como no outro, fiquem-se com seus mistérios que eu vou aos meus espinafres.* Pois logo após a Abolição e com a modernização dos bondes elétricos, como lemos em outras crônicas, os burros também tiveram a *liberdade de morrer* de fraqueza e de fome, os escravos tiveram a *liberdade* de continuar recebendo petelecos, pontapés e salário irrisório (em mais uma referência à relação entre escravos e burros, que foi um achado interpretativo de John Gledson), e homens livres como a engomadeira da Rua Senhor dos Passos, a *liberdade* de se *oferecer em aluguel* ou, como aquele empregado doméstico, a "liberdade" de pronunciar ou não corretamente *debêntures*, sempre perdendo todas as suas parcas economias e, como consolo, traduzir transações financeiras por *desventuras e patifarias*.

Em 1859 ele dizia com ironia que Paris, mais à nossa frente e mais avançada, se sairia melhor do que o Rio em *fazer do talento uma máquina, e uma máquina de obra grossa, movida pelas probabilidades financeiras do resultado.* A altivez do olhar, que ainda contava com a nossa diferença para melhor dará lugar, 35 anos mais tarde, a um ângulo mais rebaixado, mais peculiar e mais realista – o mesmo reservado ao punhal de Martinha, que ameaça e "fura" João Limeira em Cachoeira e, condenada ao esquecimento, jamais alcançará a glória do punhal com que Lucrécia teria se matado, segundo Tito Lívio.

O tom menor dos malabarismos do ano de circo nos cai bem, mesmo como registro dos momentos mais ilustres, como se vê com contundência nos anos 1890, em "A semana", que tem como um de seus grandes momentos o dia 29 de outubro de 1895. Ali Machado comenta o que poderia ser a visita da anarquista francesa Luísa Michel ao Rio quando, assediada pela União dos Proprietários, fica sabendo comovida que no Brasil, ao contrário da França, os proprietários transformaram-se em verdadeiros servos, explorados pelos locatários opressores, que não honram seus compromissos e não lhes pagam em dia! Para Michel, eis um exemplo acabado de anarquismo e comunismo, a exigir até mesmo uma verdadeira organização sindical! Assim armado pela matéria que as crônicas foram expondo, Machado de Assis saberá avaliar, sem deslumbramentos, seus contemporâneos da cena internacional. Dentre eles, o escritor de molde realista-naturalista, e o diletante europeu, dado a banhar a vida e a arte em esteticismos. De todos eles Machado de Assis se distanciará com garra, como bem sabe o leitor dos seus romances e contos.

Salete de Almeida Cara

CRÔNICAS

AQUARELAS*

(1859)

* *O Espelho*, 11 e 18 set. e 9, 16 e 30 out. 1859.

OS FANQUEIROS LITERÁRIOS

Não é isto uma sátira em prosa. Esboço literário apanhado nas projeções sutis dos caracteres, dou aqui apenas uma reprodução do tipo a que chamo em meu falar seco de prosador novato – fanqueiro literário.

A fancaria literária é a pior de todas as fancarias. É a obra grossa, por vezes mofada, que se acomoda à ondulação das espáduas do paciente freguês. Há de tudo nessa loja manufatora do talento – apesar da raridade da tela fina; e as vaidades sociais mais exigentes podem vazar-se, segundo as suas aspirações, em uma ode ou discurso parvamente retumbantes.

A fancaria literária poderá perder pela elegância suspeita da roupa feita, mas nunca pela exiguidade dos gêneros. Tomando a tabuleta por base do silogismo comercial é infalível chegar logo à proposição menor, que é a prateleira guapamente atacada a fazer cobiça às modéstias mais insuspeitas.

É lindo comércio. Desde José Daniel, o apóstolo da classe – esse modo de vida tem alargado a sua esfera – e, por mal de pecados, não promete ficar aqui.

O fanqueiro literário é um tipo curioso.

Falei em José Daniel. Conheceis esse vulto histórico?

Era uma excelente organização que se prestava perfeitamente a autópsia. Adelo ambulante da inteligência, ia *farto como um ovo*, de feira em feira, trocar pela enzinhavrada moeda o pratinho enfezado de suas lucubrações literárias. Não se cultivava impunemente aquela amizade; o folheto esperava sempre os incautos, como a Farsália hebdomadária das bolsas mal avisadas.

A audácia ia mais longe. Não contente de suas especulações pouco airosas, levava o atrevimento a ponto de satirizar os próprios fregueses – como em uma obra em que embarcava, diz ele, os tolos de Lisboa, para uma certa ilha; a ilha era, nem mais nem menos, a algibeira do *poeta*. É positiva a aplicação.

Os fanqueiros modernos não vão à feira; é um pudor. Mas que de compensações! Não se prepara hoje o folheto de aplicação moral contra os costumes. A vereda é outra; exploram-se as folhinhas e os pregões matrimoniais e as odes deste natalício ou daqueles desposórios. Nos desposórios é então um perigo; os noivos tropeçam no intempestivo de uma rocha tarpeia antes mesmo de entrar no Capitólio.

Desposório, natalício ou batizado, todos esses marcos da vida são pretextos de inspiração às musas fanqueiras. É um eterno *gênesis* a referver por todas aquelas almas (almas!) recendentes de zuarte.

Entretanto, esta calamidade literária não é tão dura para uma parte da sociedade. Há quem se julgue motivo de cuidados no Pindo – assim como pretensões a semideus da antiguidade; é um soneto ou uma alocução recheadinha de divagações acerca do *gênesis* de uma raça – sempre eriça os colarinhos a certas vaidades que por aí pululam – sem tom nem som.

Mas entretanto – fatalidade! – por muito consistentes que sejam essas ilusões, caem sempre diante das consequências pecuniárias; o fanqueiro literário justifica plenamente o verso do poeta: *não arma do louvor, arma do dinheiro*. O entusiasmo da ode mede-o pelas possibilidades econômicas do elogiado. Os banqueiros são então os arquétipos da virtude sobre a terra; tese difícil de provar.

Querendo imitar os espíritos sérios, lembra-se ele de colecionar os seus disparates, e ei-lo que vai de carrinho e almanaques na mão – em busca de notabilidades sociais. Ninguém se nega a um homem que lhe sobe as escadas convenientemente vestido, e discurso na ponta dos lábios. Chovem-lhe assim as assinaturas. O livrinho é prontificado e sai a lume. A teoria do embarcamento dos tolos é então posta em execução; os nomes das vítimas subscritoras vêm sempre em ar de escárnio no pelourinho de uma lista-epílogo. É, sobre queda, coice.

Mas tudo isso é causado pela falta sensível de uma inquisição literária! Que espetáculo não seria ver evaporar-se em uma fogueira inquisitorial tanto ópio encadernado que por aí anda enchendo as livrarias!

Acontece com o talento o mesmo que acontece com as estrelas. O poeta canta, endeusa, namora esses pregos de diamante do dossel azul que nos cerca o planeta; mas lá vem o astrônomo que diz muito friamente: – Nada! isto que parece flores debruçadas em mar anilado, ou anjos esquecidos no transparente de uma camada etérea – são simples globos luminosos e parecem-se tanto com flores, como vinho com água.

Até aqui as massas tinham o talento como uma faculdade caprichosa, operando ao impulso da inspiração, santa sobretudo em todo o seu poder moral.

Mas cá as espera o fanqueiro. Nada! o talento é uma simples máquina em que não falta o menor parafuso, e que se move ao impulso de uma válvula onipotente.

É de desesperar de todas as ilusões!

Em Paris, onde esta classe é numerosa, há uma especialidade que ataca o teatro. Reúnem-se meia dúzia em um café e aí vão eles de colaboração alinhavar o seu *vaudeville* quotidiano. A esses milagres de faculdade produtiva se devem tantas banalidades que por lá rolam no meio de tanto e tão fino espírito.

Aqui o fanqueiro não tem por ora lugar certo. Divaga como a abelha de flor em flor em busca de seu *mel* e quase sempre, mal ou bem, vai tirando suculento resultado.

Conhece-se o fanqueiro literário entre muitas cabeças pela extrema cortesia. É um tique. Não há homem de cabeça mais móbil, e espinha dorsal mais flexível; cumprimentar para ele é um preceito eterno; e ei-lo que o faz à direita e à esquerda; e, coisa natural! sempre lhe cai um freguês nessas cortesias.

O fanqueiro literário tem em si o termômetro das suas alterações financeiras; é a elegância das roupas. Ele vive e trabalha para comer bem e ostentar. Bolsa florescente, ei-lo dândi apavoneado – mas sem vaidade; lá protesta o chapéu contra uma asserção que se lhe possa fazer nesse sentido.

A Buffon escapou esse animal interessante; nem Cuvier lhe encontrou osso ou fibra perdidos em terra antediluviana. Por mim, que não faço mais que reproduzir em aquarelas as formas grotescas e *sui generis* do tipo, deixo ao leitor curioso essa enfadonha investigação.

Uma última palavra.

O fanqueiro literário é uma individualidade social e marca uma das aberrações dos tempos modernos. Esse moer contínuo do espírito, que faz da inteligência uma fábrica de Manchester, repugna à natureza da própria intelectualidade. Fazer do talento uma máquina, e uma máquina de obra grossa, movida pelas probabilidades financeiras do resultado, é perder a dignidade do talento, e o pudor da consciência.

Procurem os caracteres sérios abafar esse *estado no estado* que compromete a sua posição e o seu futuro.

O PARASITA

I

Sabem de uma certa erva, que desdenha a terra para enroscar-se, identificar-se com as altas árvores? É a parasita.

Ora, a sociedade, que tem mais de uma afinidade com as florestas, não podia deixar de ter em si uma porção, ainda que pequena, de parasitas. Pois tem, e tão perfeita, tão igual, que nem mesmo mudou de nome.

É uma longa e curiosa família, a dos parasitas sociais; e fora difícil assinalar na estreita esfera das aquarelas – uma relação sinótica das diferentes variedades do tipo. Antes sobre a torre, agarro apenas na passagem as mais salientes e não vou mergulhar-me no fundo e em todos os recantos do oceano social.

Há, como disse, diferentes espécies de parasitas.

O mais vulgar e o mais conhecido é o da mesa; mas há-os também em literatura, em política e na igreja. É praga antiga, e raça cuja origem se prende à noite dos tempos, como diria qualquer historiador *en herbe*. Da Índia, essa avó das nações, como diz um escritor moderno, são poucas as noções a respeito; e não posso marcar aqui com precisão o desenvolvimento dessa casta curiosa no velho país. Em Roma, onde lemos como num livro, já Horácio comia as sopas de Mecenas, e banqueteava alegremente no *triclinium*. É verdade que lhe pagava em longa poesia; mas, nesse tempo, como ainda hoje, a poesia não era ouro em pó, e este é grande estrofe de todos os tempos.

Mas, tréguas à história.

Tenho aqui como alvo esboçar em traços ligeiros as formas mais proeminentes da individualidade; entremos pois no estudo – sem mais preâmbulo.

Devo começar pelo parasita da mesa, o mais vulgar? Há talvez pouco a dizer – mas esse pouco mesmo revela altamente os traços arrojados desta fisionomia social.

Debalde se procuraria conhecer as regiões mais adaptadas à economia vital deste animal perigoso. Inútil. Ele vive por toda parte em que há ambiente de porco assado.

Também é aí onde ele desenvolve melhor todas as suas faculdades; – onde se sente a *son aise*, como diria qualquer label encadernado em paletó de inverno.

Perfeito parasita deve ser perfeito gastrônomo; mesmo quando não goze esta faculdade por vocação do berço, é um resultado da prática, pela razão de que o *uso do cachimbo faz a boca torta.*

Assim, o parasita jubilado, o bom parasita, está muito acima dos outros animais. Olfato delicado, adivinha a duas léguas de distância a qualidade de um bom prato; paladar suscetível, – sabe absorver com todas as regras de arte – e não educa o seu estômago como qualquer aldeão.

E como não ser assim, se ele não tem outro cuidado nesta vida? e se os limites da mesa redonda são os horizontes das suas aspirações?

É curioso vê-lo na mesa, mas não menos curioso é vê-lo nas horas que precedem às seções gastronômicas. Entra em uma casa ou por costume ou *per accidens*, o que aqui quer dizer intenção formada com todas as circunstâncias agravantes da premeditação, e superioridade das armas. Mas suponhamos que vai a uma casa por costume.

    Ei-lo que entra, riso nos lábios, chapéu na mão, o vácuo no estômago. O dono da casa, a quem já fatiga aquela visita diária, saúda-o constrangido e com um riso amarelo. Mas isso não é decepção; tão pouco não desarma um bravo daquela ordem. Senta-se e começa a relatar notícias do dia, entremeadas de algumas da própria lavra, e curiosas – a atrair a feição vacilante do hóspede. Daqui um criado que vem dar o sinal de combate. É o alvo a que visava o alarme, e ei-lo que vai imediatamente pagar-se de uma tarefa de almanaque, tão custosamente exercida.

    Se porém ele entra *per accidens*, não é menos curiosa a cena. Começa por um pretexto que deve lisonjear as pessoas da casa conforme os seus fracos. Assim, se há aí um autor dramático, o pretexto é dar um parabém sobre a última peça representada dias antes. Sobre este molde, tudo o mais.

    Se às vezes não há um pretexto sério, não trepida ainda o parasita; há sempre um de lado, como substantivo: *saber da saúde do amigo*.

    Mas, entra ele; dado o pretexto, senta-se e começa a desenrolar toda a retórica que pode inspirar um estômago vazio, um Jeremias interno. Segue-se depois, pouco mais ou menos, a mesma cena. No fim está sempre como orla de horizonte uma mesa mais ou menos apetitosa, onde a reação se opera largamente.

    Há, porém, pequenas desgraças, acidentes inesperados na vida do parasita da mesa.

    Entra ele em uma casa onde espera almoçar folgado; – faz as primeiras saudações e vai corar a pílula ao seu caro hóspede. Um certo ranger de dentes, porém, começa a agitá-lo, um ranger particular que indica um estado mais calmo aos estômagos da casa.

– Então como vai? Sinto que chegasse agora; se mais cedo viesse, almoçava comigo.

O parasita fica de cara à banda; mas não há remédio; é necessário sair com decência e não dar a entender o fim que o levou ali.

Estas eventualidades, estas pequenas misérias, longe de serem decepções, são como o cheiro da pólvora inimiga para os soldados, um incentivo na ação. É uma índole miserável a desse corpo leviano em que só há animalidade e estômago; mas, entretanto, é necessário aceitar essas criaturas tais como são – para aceitarmos a sociedade tal como ela é. A sociedade não é um grupo de que uma parte devora a outra? Eterno antagonismo das condições humanas.

O parasita da mesa uniformiza o exterior com a importância do hóspede; um cargo elevado pede uma luva de pelica, e uma botina de polimento. À mesa não há ninguém mais atencioso; – e como um conviva alegre, aduba os guisados com punhados de sal mais ou menos saborosos.

É uma retribuição razoável – dar de comer ao espírito de quem dá de comer ao corpo.

Aqui não há desaire, há uma troca recíproca que prova que o parasita tem suscetibilidades em alto grau.

Estes traços, mais ou menos exatos, mais ou menos distintos, dão aqui uma pequena ideia do parasita da mesa; mas esta variedade do tipo é absorvida por outras de uma importância mais alta. Aqui é o parasita do corpo, os outros são os do espírito e da consciência; – aqui são os epicuristas à custa alheia, os outros são as nulidades intelectuais que se agarram à primeira tela de propriedades suculentas que lhe vai ao encontro.

São imperceptíveis talvez estes lineamentos – e acusam a aceleração do pincel; passemos às outras variedades do tipo onde achamos formas mais amplas e proeminências mais distintas.

II

O parasita literário tem os mesmos traços psicológicos do outro parasita, mas não deixa de ter uma afinidade latente com o fanqueiro literário. A única diferença está nos fins, de que se afastam léguas; aquele é porventura mais casto e não tem mira no resultado pecuniário, – que, parece, inspirou o fanqueiro. Justiça seja feita.

A imprensa é a mesa do parasita literário; senta-se a ela com toda a sem-cerimônia; come e distribui pratos com o sangue-frio mais alemão deste mundo – diante da paciência pública – que vacila sobre os seus eixos. Um amigo meu define perfeitamente este curioso animal; chama-o *Vieirinha da literatura*. Vieirinha, lembro ao leitor, é aquele personagem que todos têm visto em um drama nosso.

De feito, este parasita é um Vieirinha sem tirar nem pôr; cortesão das letras, cerca-as de cuidados, sem alcançar o menor favor das musas.

Segue-as por toda a parte, mas sem poder tocá-las. Só não sobe ao monte sagrado, porque é uma excursão difícil, e só dada a pés mais de ferro, e a vontades mais sérias. Ali, ficam eles nas fraldas, soltando uma orquestra de gemidos, até que o velho cavalo os vem despedir com uma amabilidade de pata sofrivelmente acerba.

Um coice é sempre uma resposta às suas súplicas... Represália no caso.

Eterna lei das compensações!

Entre nós o parasita literário é uma individualidade que se encontra a cada canto. É fácil verificá-lo. Pegais em um jornal; o que vedes de mais saliente? uma fila de parasitas que deitam sobre aquela mesa intelectual um chuveiro de prosa ou verso, sem dizer – água vai!

Verificai-o!

O jornal aqui não é propriedade, nem da redação nem do público, mas do parasita. Tem também o livro, mas o jornal é mais fácil de contê-los.

Às vezes o parasita associa-se e cria um jornal próprio.

Aqui é que não há de escapar-lhe.

Um jornal todo entregue ao parasita, isto é, um campo vasto todo entregue ao disparate! É o rei Sancho na sua ilha!

Ele pode parodiar o dito histórico *l'état c'est moi*! porque as quatro ou seis páginas, na verdade, são dele, todas dele. Ele pode gritar ali, ninguém lho impedirá, ninguém; uma vez que não ofenda a moral pública. A polícia para onde começa o intelectual e o senso comum; não são crimes no código as ofensas a esses dois elementos da sociedade constituída.

Ora, sustentado assim pelos poderes, o parasita literário invade, como o Huno moderno, a Roma da intelectualidade, com a decência moral nos lábios, mas sem a decência intelectual.

Tem pois o jornal, próprio ou não próprio, onde pode sacudir-se a gosto, garantido pelas leis. Se desdenha o jornal tem ainda o livro.

O livro!

Tem ainda o livro, sim. Meia dúzia de folhas de papel dobradas, encadernadas e numeradas é um livro; todos têm direito a esta operação simples, e o parasita por conseguinte.

Abrir esse livro e compulsá-lo é que é heroico e digno de pasmo. O que há por aí, santo Deus! Se é um volume de versos, temos nada menos que uma coleção de *pensamentos* e de notas arranhadas laboriosamente em harpas selvagens como um tamoio. Se é prosa – temos um amontoado de frases descabeladas entre si, segundo a opinião do autor. É muitas vezes um drama, um romance misterioso, de que o leitor não entende pitada. Se eu quisesse ferir individualidades, tocar em suscetibilidades, desenrolaria aqui um sudário dessas invasões na literatura; mas o meu fim é o indivíduo, e não um indivíduo.

O parasita literário vai ainda aos teatros. Esta invenção de recitar nos teatros, tirada da antiguidade grega, que levanta um bardo em um festim, como nos mostra a *Odisseia*, abriu um precedente e deu azo ao abuso. A autoridade, que é ainda a polícia, não indaga do mérito da obra, e quer apenas saber se há alguma coisa que fira a moral. Se não, pode invadir a paciência pública.

Todos os leitores estão de posse deste traço do parasita literário. As salas dos nossos teatros têm repercutido imensas vezes com esses arranhamentos de lira. Basta bater palmas de um camarote e ter alguns exemplares para distribuição; a plateia deve receber aquele aguaceiro intelectual.

O parasita está debaixo do código.

Ora, o que admira no meio de tudo isso, é que sendo o parasita literário o vampiro da paciência humana, e o primeiro inimigo nacional, acha leitores, – que digo? adeptos, simpatias, aplausos!

Há quem lhes faça crer que alguma coisa lhes rumina na cabeça como a André Chénier; eles, a quem já não faltava vontade de crer, aceitam, como princípio evidente, essa solução do impossível, que a parvoíce lhe dá de boa vontade.

Que gente!

Os traços fisiológicos do parasita são especiais e característicos. Não podendo imitar os grandes homens pelo talento, copiam na postura e nas maneiras o que acham pelas gravuras e fotografias. Assumem um certo ar pedantesco, tomam um timbre dogmático nas palavras; e, ao contrário do fanqueiro, que tem a espinha dorsal mole e flexível, – ele não se curva nem se torce; a vaidade é o seu espartilho.

Mas, por compensação, há a modéstia nas palavras ou certo abatimento, que faz lembrar esse *ninguém elogiado* da comédia. Mas ainda assim vem a afetação; o parasita é o primeiro que está cônscio de que é alguma coisa, apesar da sinceridade com que procura pôr-se abaixo de zero.

Pobre gente!

Podiam ser homens de bem, fazer alguma coisa para a sociedade, honrar a musa nacional, contendo-se na sua esfera própria; mas nada, saem uma noite da sua nulidade e vão por aí matando a ferro frio...

É que têm o evangelho diante dos olhos...

Bem-aventurados os pobres de espírito.

O parasita ramifica-se e enrosca-se ainda por todas as vértebras da sociedade. Entra na Igreja, na política e na diplomacia; há laivos dele por toda a parte.

Na Igreja, sob o pretexto do dogma, estabelece a especulação contra a piedade dos incautos, e das turbas. Transforma o altar em balcão e a âmbula em balança. Regala-se à custa de crenças e superstições, de dogmas ou preconceitos, e lá vai passando uma vida de rosas.

A história é uma larga tela dessas torpezas cometidas à sombra do culto.

O parasita da Igreja, toda a Idade Média o viu, transformado em papa vendeu as absolvições, mercadejou as concessões, lavrou as bulas. Mediante o ouro, aplanou as dificuldades do matrimônio quando existiam; depois levantou a abstinência alimentar, quando o crente lhe dava em troca uma bolsa.

É um desmoronamento social. O parasita teve uma famosa ideia em embrenhar-se pela Igreja. A dignidade sacerdotal é uma capa magnífica para a estupidez, que toma o altar como um canal de absorver ouro e regalias.

Assim colocado no centro da sociedade, desmoraliza a Igreja, polui a fé, rasga as crenças do povo. Entra, todos o consentem, no centro das famílias, sem haver sacudido o pó das torpezas que lhe nodoa as sandálias. Dominou imoralmente as massas, os espíritos fracos, as consciências virgens.

Esta transformação do parasita não tende por ora a desaparecer; a fogueira de J. Huss não queimou só o grande apóstolo, devorou também o vestíbulo desse edifício de miséria levantado por uma turba de parasitas, parasitas da fé, da moralidade e do futuro.

Em política, galga, não sei como, as escadas do poder, tomando uma opinião ao grado das circunstâncias, deixando-a ao paladar das situações, como uma verdadeira maromba de arlequim. Entra no parlamento com a fronte levantada, votado pela fraude, e escolhido pelo escândalo.

Exíguo de luz intelectual, – toma lá o seu assento e trata de palpar para apoiar as maiorias. Não pensa mal: quem a boa árvore se encosta...

Alguns sobem assim; e todos os povos têm sentido mais ou menos o peso do domínio desses boêmios de ontem.

Deixá-los subir às mesas supremas do festim público. Mas tenham cuidado na solidez das cadeiras em que se sentarem.

Na diplomacia, é mais fácil o ingresso ao parasita. Encarta-se aí em qualquer legação ou embaixada, e vai saltitar em Paris ou em Viena. Lá representam tristemente a pátria que os viu nascer, na massa coletiva da embaixada ou da legação. O que faz de melhor, esse *parvenu* sem gosto, é brilhar na arte das roupas, como corifeu da moda que é. Já é muito.

Podia, se não temesse fatigar, fazer uma enumeração mais longa das famílias de parasitas que irradiam destas espécies cardeais. Seria, entretanto, uma longa história que demandaria mais largo espaço; e não caberia nestas ligeiras aquarelas.

O parasita é tão antigo, creio eu, como o mundo, ou pelo menos quase.

Em economia política é um elemento para estacionar o enriquecimento social; consumidor que não produz, e que faz exatamente a mesma figura que um zangão na república das abelhas.

Extinguir o parasita não é uma operação de dias, mas um trabalho de séculos. Os meios não os darei aqui. Reproduzo, não moralizo.

O EMPREGADO
PÚBLICO
APOSENTADO

Os egípcios inventaram a múmia para conservarem o cadáver através dos séculos. Assim a matéria não desapareceria na morte; triunfava dela, do que temos alguns exemplos ainda.

Mas não existiu só lá esse fato. O empregado público não se aniquila de todo na aposentadoria; vai além, sob uma forma curiosa, antediluviana, indefinível; o que chamamos empregado público aposentado.

Espelho *à rebours*, só reflete o passado, e por ele chora como uma criança. É a elegia viva do que foi, salgueiro do carrancismo, carpideira dos velhos sistemas.

Reforma, é uma palavra que não se diz diante do empregado público aposentado. Há lá nada mais revoltante do que reformar o que está feito? abolir o método! desmoronar a ordem!

Atado assim ao poste do carrancismo, eterno lábaro do que é moderno, o empregado público aposentado é um dos mais curiosos tipos da sociedade. Representa o lado cômico das forças retroativas que equilibram os avanços da civilização nos povos.

É o tipo que hoje trago à minha tela. São variáveis o caráter e a feição desta individualidade, mas eu procurarei dar-lhe os traços mais finos, os mais vivos.

Conceber um aposentado sem caixa de rapé é conceber o sol sem luz, o oceano sem água. Um pertence ao outro, como a alma pertence ao corpo; são inseparáveis. E têm razão! O que vale uma caixa de rapé, não o compreende qualquer profano. É o adubo oportuno de uma conversa árida e suada sobre qualquer reforma de governo. É o meio de conhecimento com um potentado de quem se espera alguma coisa. É a boceta de Pandora. É tudo, quase tudo.

E não parece. Aquele utensílio tão mesquinho, em um outro qualquer, está circunscrito na estreita esfera do nariz; nas mãos do aposentado, transforma-se; em vez de se transformar o depósito de um vício, torna-se o instrumento de certos fatos políticos que muitas vezes parecem nascer de causas mais altas.

Este prestígio do empregado público aposentado não para só na boceta, estende-se por todos os acessórios daquele curioso indivíduo. Na gravata, na presilha, na bengala, há certo ar, uma nuança especial, que não está ao alcance de qualquer. Ou natureza, ou estudo, a aposentadoria traz ao empregado público esse dote, como um presente de núpcias.

Ora, apesar deste metódico das formas, não estão limitadas aí as vistas do aposentado. Há naquele cérebro alguma finura para se não entregar exclusivamente a essas ninharias. E a política? A política lá o espera; lá o espera o governo; lá o espera o teatro, as modas, os jornais, tudo o espera.

Não é maledicente, mas gosta de cortar o seu pouco sobre as coisas do país. Não é um vício, é uma virtude cívica: o patriotismo.

O governo, não importa a sua cor política, é sempre o bode expiatório das doutrinas retrógradas do empregado público aposentado. Tudo quanto tende ao desequilíbrio das velhas usanças é um crime para esse viúvo da secretaria, arqueólogo dos costumes, antiga vítima do ponto, que não compreende que haja nada além das raias de uma existência oficial.

Todos os progressos do país estão ainda debaixo da língua fulminante deste cometa social. Estradas de ferro! é uma loucura do modernismo! Pois não bastavam os meios clássicos de transporte que até aqui punham em comunicação localidades afastadas? Estradas de ferro?

Desta sorte todas as instituições que respiram revolução na ordem estabelecida das coisas – podem contar com um contra do empregado público aposentado. Este meio mesmo de retratar à pena, como faço atualmente, revoltaria o espírito tradicional da grande múmia do passado. Uma inovação de mau gosto, dirá ele. É verdade; não representa apenas a superfície da epiderme, vai às camadas mais íntimas da matéria organizada.

O empregado público aposentado poderá deixar de comer, mas lá perder um jornal, lá perder um jubileu político ou sessão do parlamento, é tarefa que não lhe está nas forças.

O jornal é lido, analisado com toda a finura de espírito de que ele é capaz. Devora-o todo, anúncios e leilões; e se não vai ao folhetim, é porque o folhetim é frutinha do nosso tempo.

No parlamento, é um espectador sério e atencioso. Com a cabeça enterrada nas paredes mestras de uma gravata colossal, ouve com toda a atenção até os menores apartes, vê os pequenos movimentos, como profundo investigador das coisas políticas.

Ao sair dali, o primeiro amigo que encontra tem de levar um aguaceiro de palavras e invectivas contra a marcha dos negócios mais interessantes do país.

De ordinário o aposentado é compadre ou amigo dos ministros, apesar das invectivas, e então ninguém recheia as pastas de mais memoriais e pedidos. Emprega os parentes e os camaradas, quando os emprega, depois de uma longa enfiada de rogativas importunas.

É sempre assim.

No sarau o empregado público aposentado é pouco cortês com as damas; vai procurar emoções nas alternativas de um lindo baralho de cartas. Mas para não faltar ao programa, lá vi tachando de imoral aquele divertimento que tanto dinheiro absorve; fica-lhe a consciência.

Onde poderemos encontrar ainda o aposentado? Ele vai por toda a parte onde é lícito rir e discutir sem ofensa pública.

O leitor conhece decerto a individualidade de que lhe falo, é muito vulgar entre nós, e de qualidades tão especiais que a denunciam entre mil cabeças. Que lhe acha? Quanto a mim é inofensiva como um cordeiro. Deixem-no mirar-se no espelho dos velhos usos, falar em política, discutir os governos; não faz mal.

Em uma comédia do nosso teatro, há uma reprodução deste tipo, o Sr. Custódio do *Verso e reverso*. Mirem-se ali e verão que, apesar do estreito círculo em que se move, faz pálidos e mirrados estes ligeiros e maldistintos lineamentos.

O FOLHETINISTA

Uma das plantas europeias que dificilmente se têm aclimatado entre nós, é o folhetinista.

Se é defeito de suas propriedades orgânicas, ou da incompatibilidade do clima, não o sei eu. Enuncio apenas a verdade.

Entretanto, eu disse – *dificilmente* – o que supõe algum caso de aclimatação séria. O que não estiver contido nesta exceção, vê já o leitor que nasceu enfezado, e mesquinho de formas.

O folhetinista é originário da França, onde nasceu, e onde vive a seu gosto, como em cama no inverno. De lá espalhou-se pelo mundo, ou pelo menos por onde maiores proporções tomava o grande veículo de espírito moderno; falo do jornal.

Espalhado pelo mundo, o folhetinista tratou de acomodar a economia vital de sua organização às conveniências das atmosferas locais. Se o tem conseguido por toda a parte, não é meu fim estudá-lo; cinjo-me ao nosso círculo apenas.

Mas comecemos por definir a nova entidade literária.

O folhetim, disse eu em outra parte, e debaixo de outro pseudônimo, o folhetim nasceu do jornal, o folhetinista por consequência do jornalista. Esta íntima afinidade é que desenha as saliências fisionômicas na moderna criação.

O folhetinista é a fusão admirável do útil e do fútil, o parto curioso e singular do sério, consorciado com o frívolo. Estes dois elementos, arredados como polos, heterogêneos como água e fogo, casam-se perfeitamente na organização do novo animal.

Efeito estranho é este, assim produzido pela afinidade assinalada entre o jornalista e o folhetinista. Daquele cai sobre este a luz séria e vigorosa, a reflexão calma, a observação profunda. Pelo que toca ao devaneio, à leviandade, está tudo encarnado no folhetinista mesmo; o capital próprio.

O folhetinista, na sociedade, ocupa o lugar de colibri na esfera vegetal; salta, esvoaça, brinca, tremula, paira e espaneja-se sobre todos os caules suculentos, sobre todas as seivas vigorosas. Todo o mundo lhe pertence; até mesmo a política.

Assim aquinhoado pode dizer-se que não há entidade mais feliz neste mundo, exceções feitas. Tem a sociedade diante de sua pena, o público para lê-lo, os ociosos para admirá-lo, e a *bas-bleus* para aplaudi-lo.

Todos o amam, todos o admiram, porque todos têm interesse de estar de bem com esse arauto amável que levanta nas lojas do jornal a sua aclamação de hebdomadário.

Entretanto, apesar dessa atenção pública, apesar de todas as vantagens de sua posição, nem todos os dias são tecidos de ouro para os folhetinistas. Há-os negros, com fios de bronze; à testa deles está o dia... adivinhem? o dia de escrever!

Não parece? pois é verdade puríssima. Passam-se séculos nas horas que o folhetinista gasta à mesa a construir a sua obra.

Não é nada, é o cálculo e o dever que vêm pedir da abstração e da liberdade – um folhetim! Ora, quando há matéria e o espírito está disposto, a coisa passa-se bem. Mas quando, à falta de assunto se une aquela morbidez moral, que se pode definir por um amor ao *far niente*, então é um suplício...

Um suplício, sim.

Os olhos negros que saboreiam essas páginas coruscantes de lirismo e de imagens, mal sabem às vezes o que custa escrevê-las.

Para alguns não procede este argumento; porque para alguns há provimento de matéria, certos livros a explorar, certos colegas a empobrecer...

Esta espécie é uma aberração do verdadeiro folhetinista; exceções desmoralizadoras que nodoam as reputações legítimas.

Escritas, porém, as suas tiras de convenção, a primeira hora depois é consagrada ao prazer de desforrar-se de uma maçada que passou. Naquela noite é fácil encontrá-lo no primeiro teatro ou baile aparecido.

A túnica de Néssus caiu-lhe dos ombros por sete dias.

Como quase todas as coisas deste mundo, o folhetinista degenera também. Algumas das entidades que possuem essa capa esquecem-se de que o folhetim é um confeito literário sem horizontes vastos, para fazer dele um canal de incenso às reputações firmadas, e invectivas às vocações em flor, e aspirações bem cabidas.

Constituindo assim *cardeal-diabo* da cúria literária, é inútil dizer que o bom-senso e a razão friamente o condenam e votam ao ostracismo moral, ausência de aplausos e de apoio.

Não é este o único abuso que se dá. É costume de outros levantar o folhetim como a chave de todos os corações, como a foice de todas as reputações indeléveis.

E conseguem...

Na apreciação do folhetinista pelo lado local temo talvez cair em desagrado negando a afirmativa. Confesso apenas exceções. Em geral o folhetinista aqui é todo parisiense; torce-se a um estilo estranho, e esquece-se, nas suas divagações sobre o *boulevard e café Tortoni*, de que está sobre um *mac-adam* lamacento e com uma grossa tenda lírica no meio de um deserto.

Alguns vão até Paris estudar a parte fisiológica dos colegas de lá; é inútil dizer que degeneraram no físico como no moral.

Força é dizê-lo: a cor nacional, em raríssimas exceções, tem tomado o folhetinista entre nós. Escrever folhetim e ficar brasileiro é na verdade difícil.

Entretanto, como todas as dificuldades se aplanam, ele podia bem tomar mais cor local, mais feição americana. Faria assim menos mal à independência do espírito nacional, tão preso a essas imitações, a esses arremedos, a esse suicídio de originalidade e iniciativa.

HISTÓRIA DE QUINZE DIAS

(1876-1877)

1º DE JULHO
DE 1876

I

*D*ou começo à crônica no momento em que o Oriente se esboroa e a poesia parece expirar às mãos grossas do vulgacho. Pobre Oriente! Mísera poesia!

Um profeta surgiu em uma tribo árabe, fundou uma religião, e lançou as bases de um império; império e religião têm uma só doutrina, uma só, mas forte como o granito, implacável como a cimitarra, infalível como o Alcorão.

Passam os séculos, os homens, as repúblicas, as paixões; a história faz-se dia por dia, folha a folha; as obras humanas alteram-se, corrompem-se, modificam-se, transformam-se. Toda a superfície civilizada da terra é um vasto renascer de coisas e ideias. Só a ideia muçulmana estava de pé; a política do Alcorão vivia com os paxás, o harém, a cimitarra e o resto.

Um dia, meia dúzia de rapazes libertinos iscados de João Jacques e de Benjamim Constant, ainda quentes do último discurso de Gladstone ou do mais recente artigo do *Courrier de l'Europe*; meia dúzia de rapazes, digo eu, resolveram dar com o monumento bizantino em terra, abrir o ventre ao fatalismo e arrancar de lá uma carta constitucional.

    Pelas barbas do Profeta! Há nada menos maometano do que isto? Abdul-Aziz, o último sultão ortodoxo, quis resistir ao 89 turco; mas não tinha sequer o exército, e caiu; e, uma vez caído, deitou-se da janela da vida à rua da eternidade.

    O Alcorão fala de dois anjos negros de olhos azuis, que descem a interrogar os mortos. O ex-padixá foi naturalmente inquirido como os outros:

    – Quem é teu senhor?
    – Alá.
    – Tua religião?
    – Islã.
    – Teu profeta?
    – Maomé.
    – Há um só deus e um só profeta?
    – Um só. *La illah il Allah, ve Muhameden ressul Allah.*
    – Perfeito. Acompanha-nos.

O pobre sultão obedeceu.

Chegando à porta das delícias eternas achou o profeta sentado em coxins espirituais, resguardado por um guarda-sol metafísico.

    – Que vens cá fazer? – perguntou ele.

Abdul explicou-se, referiu o seu infortúnio; mas o profeta atalhou-o, clamando:

    – Cala-te! És mais do que isso, és o destruidor da lei, o inimigo do Islã. Tu fizeste possível o gérmen corruptor das minhas grandes instituições, pior que a fé de Cristo, pior que a inveja dos russos, pior que a neve dos tempos; tu fizeste o gérmen constitucional. A Turquia vai ter uma câmara, um ministério responsável, uma eleição, uma tribuna, interpelações, crises, orçamentos, discussões, a lepra toda do parlamentarismo e do constitucionalismo. Ah! quem me dera Omar! ah! quem me dera Omar!

Naturalmente Abdul, se o profeta chorou naquele ponto, ofereceu-lhe o seu lenço de assoar, – o mesmo que na mitologia do serralho substitui as setas de Cupido; ofereceu-lho, mas é provável que o profeta lhe desse em troco o mais divino dos pontapés. Se assim foi Abdul desceu de novo à terra, e há de estar aí por algum canto...

Talvez aqui na cidade.

Se cá viesse, é possível que a vista de alguns becos e certa quantidade de cães lhe fizessem crer que voltara a Constantinopla; ilusão que aumentaria se ouvisse falar no *divã* em que estou sentado e em várias *mesquitas* do meu conhecimento.

Mas o que eu apuro de tudo o que nos vem pelo cabo submarino e vapores transatlânticos é que o Oriente acabou e com ele a poesia.

Só a abolição do serralho é uma das revoluções maiores do século.

Aquele bazar de belezas de toda a casta e origem, umas baixinhas, outras altas, as louras ao pé das morenas, os olhos negros a conversar os olhos azuis, e os cetins, os damascos, as escumilhas, os *narguilés*, os eunucos...

Oh! sobretudo os eunucos! Tudo isso é poesia que o vento do parlamentarismo dissolveu em um minuto de cólera e num acesso de eloquência.

Vão-se os deuses e com eles as instituições. Dá vontade de exclamar com certo cardeal: *Il mondo casca!*

II

Ao menos, Abdul, se foi enterrado, foi morto e bem morto. Não aconteceu o mesmo àquele sujeito do Ceará, a quem quiseram dar a última casa, estando ele vivo, e mais que vivo.

Um minuto mais, tinha ele cinco palmos de terra sobre o ventre, por outras palavras um suplício maior que o de todos os que inventou Dante.

Acordou a tempo, com mágoa talvez de um ou mais oradores que levavam redigidas e lacrimejadas as virtudes do defunto, e acharam naturalmente pouca cortesia da parte do ressuscitado.

Mas aqui vai o melhor.

Dizem os jornais que o enterro foi preparado às pressas; que o escrivão do registro teve de interromper o *alistamento dos votantes* para ir registrar o óbito de Manuel da Gata.

Ressuscitado este, desfez o enterro, mas não se desfez a nota do cemitério.

Manuel da Gata pode viver cem anos mais; civilmente está, não só morto, mas até sepultado no cemitério, cova número tantos.

Quem nos afiança que isto não é uma trica eleitoral?

Manuel da Gata morreu; tanto morreu, que foi enterrado. Se ele aparecer a reclamar o seu direito, dir-lhe-ão que não é ele; que o Gata autêntico jaz na eternidade; que ele é um Gata apócrifo, uma contrafação do verdadeiro Gata, que Deus tem!

Esboço apenas a ideia; os políticos que lhe deem agora a cor e o movimento.

III

O que eu não esbocei, decerto, foi o jantar dado ao Blest Gana. Qual esboçar!

Saiu-me acabado... dos dentes, acabado como ele merecia que fosse, porque era escolhido.

A imprensa da capital brilhou; meteu-se à testa de uma ideia de simpatia, e levou-a por diante, mostrando-se capaz de união e perseverança.

O jantar era o menos; o mais, o essencial era manifestar a um cavaleiro digno de todos os respeitos e afeições a saudade que ele ia deixar entre os brasileiros, e foi isso o que claramente e eloquentemente disseram por parte da imprensa um jornalista militante, Quintino Bocaiuva, e um antigo jornalista, o Visconde do Rio Branco.

Respeito as razões que teve o Chile para não fazer duas da única legação que tem para cá dos Andes, ficando exclusivamente no Rio de Janeiro o ministro que por tantos anos representou honestamente o seu país; mas sempre lhe digo que nos levou um amigo velho, que nos amava e a quem amávamos como ele merecia.

Blest Gana costumava dizer, nas horas de bom humor, que era poeta de vocação e diplomata de ocasião.

Era injusto consigo mesmo; a vocação era igual em ambos os ramos. Somente a diplomacia abafava o poeta, que não podia acudir ao mesmo tempo a uma nota que passava e a uma estrofe que vinha do céu.

Ainda se estivesse aqui só, vá; sempre lhe daríamos algum tempo de poetar. Mas ache um homem algum lazer poético andando a braços com a Patagônia e o Dr. Alsina!

Sou amigo do ilustre chileno há dez anos; e ainda possuo e possuirei um retrato seu, com esta graciosa quadrinha:

Verás en ese retrato
De semejanza perfecta,
La imagen de un mal poeta
Y un poco peor literato.

Nem mau poeta, nem pior literato; excelente em ambas as coisas, e amigo e bom; – razões de sobra para lastimar que a necessidade política no-lo levasse.

IV

Sobre notas tivemos esta quinzena duas espécies; as falsas e as da ópera italiana, – um velho *calembour*, rafado, magro e decrépito, que há de viver ainda muito tempo. Por quê? Porque acode logo à boca.

Ópera italiana é uma maneira de falar. Reuniram-se alguns artistas, que vivem há muito entre nós, e cantavam o *Trovador*; prometem cantar algumas óperas mais.

São bons? Não sei, porque não os fui ainda ouvir; mas das notícias benignas dos jornais, concluo que, – um *não cantou mal*, – outro *interpretou bem algumas passagens*, o coro de mulheres *esteve fraquinho* e o de homens *foi bem sofrível e não se achava mal ensaiado.*

São as próprias expressões de um dos mais competentes críticos.

Que concluir depois senão que o público fluminense é uma das melhores criaturas do mundo?

Ele ouviu Stoltz, Lagrange, Tamberlick, Charton, Bouché e quase todas as celebridades de há anos. Benévolo e protetor do trabalho honesto, não quer saber se os atuais cantores lhe darão os gozos de outro tempo; acode a ampará-los e faz bem.

Balzac fala de um jogador inveterado e sem vintém que, presente nas casas de tavolagem, acompanhava mentalmente o destino de uma carta, parava nela um franco ideal, ganhava ou perdia, tomava nota das perdas e ganhos, e enchia a noite desse modo.

O público fluminense é esse jogador, sem vintém; ficou-lhe o vício musical sem os meios de o satisfazer. Vai à tavolagem, acompanha o destino de uma nota, reconhece às vezes que é falsa, mas troca-a mentalmente por outra que ouviu em 1853.

V

Semelhante fenômeno não pertence à companhia dos ditos que representa no Teatro Imperial. O pior que acho na Companhia dos Fenômenos é o galicismo. O empresário quis provavelmente dizer – Companhia dos Prodígios, das Coisas Extraordinárias.

Felizmente para ele, o público não estranhou o nome, e, se o empresário não tem por si os lexicógrafos, tem o sufrágio universal; isso lhe basta.

É este porém um daqueles casos em que a eleição censitária é preferível.

Que tais sejam os tais fenômenos ou prodígios, não sei, porque os não vi. E já o leitor concluirá daqui o valor de um cronista que pouco vê do que fala, uma espécie de urso que se não diverte.

Que se não diverte? É uma maneira de entender assaz arriscada.

Alegarei que eu, geralmente, sou pouco inclinado a prodígios. Foram convidar um lacedêmonio a ir ouvir um homem que imitava com a boca o canto do rouxinol. "Eu já ouvi o rouxinol", respondeu ele. A mim, quando me falaram de um homem que tocava flauta com as próprias mãos, respondi: "Eu já ouvi o Calado".

Presunção de fluminense que quer ser lacedêmonio.

Não repetirei o dito em relação ao homem que toca rabeca com os pés; seria cair numa repetição de mau gosto.

Não direi que já ouvi o Gravenstein ou o Muniz Barreto, porque, além de tocar, o dito homem penteia-se, acende um charuto, joga cartas, desarrolha uma garrafa, uma infinidade de coisas que não fazem os meus nem os pés do leitor.

Há outro que engole uma espada, e uma dama que, à força de saltos mortais, chegará à imortalidade.

VI

Um correspondente do Piauí escreve para esta Corte as seguintes linhas: "Esteve por alguns dias na *chefatura* do juiz de direito da capital, Dr. Jesuíno Martins, que etc." Tenho lido outras vezes que a *chefança* perdeu um honrado magistrado; não poucas que mal anda o *chefado* nas mãos de Fulano; outras enfim que a *chefação* vai caminhando ao abismo.

Será preciso observar a todos os cavalheiros que cometem semelhante descuido, que não há *chefança*, nem *chefado*, nem *chefação*, nem *chefatura*, mas tão somente *chefia*?

1º DE AGOSTO DE 1876

I

*H*oje posso espeitorar meia dúzia de bernardices sem que o leitor dê por elas.

A razão não é outra senão a de ser o leitor um homem que se se respeita, ama o belo, possui costumes elegantes: conseguintemente, não tem orelhas para crônicas, nem outras coisas ínfimas.

Suas orelhas andam de molho, reservam-se para as grandes e belas vozes que estão prestes a chegar do Rio da Prata.

Antes de ir mais longe, convém advertir que o fato de nos virem as celebridades líricas do Rio da Prata é um fenômeno que, em 1850, seria puramente milagre; mas que hoje, mediante os progressos do dia, parece a coisa mais natural do mundo.

Há incrédulos, é verdade; há ombros que se levantam, espíritos que dão seus muxoxos de dúvida.

Mas qual foi a verdade nova que ainda não encontrou resistências formais?

Colombo andou mendigando uma caravela para descobrir este continente; Galileu teve de confessar que a única bola que girava era a sua. Estes dois exemplos ilustres devem servir de algum lenitivo aos cantores platenses.

II

Demais, os incrédulos, se são duros, são em ínfimo número; número verdadeiramente ridículo. Porquanto, ainda os cantores não deram amostra, já não digo de uma nota, mas somente de um espirro ou de um aperto de mão, e já os bilhetes estão todos tomados, a preços de *primíssimo cartelo*.

Donde os filósofos podem concluir com segurança que as vozes não são a mesma coisa que os nabos. *Credo, quia absurdum*, era a máxima de Santo Agostinho. *Credo, quia carissimum*, é a do verdadeiro *dilettanti*.

Ao preço elevado dos bilhetes corresponde os dos vencimentos dos cantores. Só o tenor recebe por mês oito contos e oitocentos mil-réis! Não sei que haja na crítica moderna melhor definição de um tenor do que esta dos oito contos, a não ser outra de dez ou quinze.

Que me importa agora ouvir as explicações técnicas dos críticos para saber se o tenor tem grande voz e profundo estudo? Já sei, já o sabemos todos; ele tem uma voz de oito contos e oitocentos; devo aplaudi-lo com ambas as luvas, até arrebentá-las.

Vejam a superioridade da música sobre a política. Cavour fez a Itália – um pau por um olho, e não sonhou nunca receber ordenado tamanho. Mas um jovem de olho azul e bigode louro, tendo a boa fortuna de engolir um canário ou outra ave equivalente, só por esse motivo, e por outros que seria longo desfiar, mete Cavour num chinelo. Cavour morreu talvez com pena de não ter sido barítono.

Não sei quanto vence o soprano; mas deve ser grosso cabedal, em vista do tenor, e porque também é célebre.

Imaginemos outro tanto.

Ora, expirou há pouco uma mulher, que me hão de conceber tinha um gênio maior que o do soprano referido, mulher que ocupa um dos mais altos lugares entre os prosadores de seu século. Madame Sand nunca venceu tanto por mês. Rendeu-lhe menos *Indiana* ou *Mauprat* do que rendem ao soprano de que trato meia dúzia de sustenidos bem sustenidos.

Oh! se tu tens algum filho, leitor amigo, não o faças político, nem literato, nem estatuário, nem pintor, nem arquiteto! Pode ter algum pouco de glória, e essa mesma pouca; muita que seja, nem só de glória vive o homem. Cantor, isso sim; isso dá muitos mil cruzados, dá admiração pública, dá retratos nas lojas; às vezes chega a dar aventuras romanescas.

III

Por fortuna de Alexandre Herculano, esta notícia lírica só invadiu a Corte depois de anunciado o seu azeite. Se o azeite se demora uma semana, ninguém fazia caso dele; ninguém lhe reparava na notícia, nem nos méritos.

Achou o tal azeite seus admiradores, como o Meneses do *Jornal*, e seus críticos, como o Serra da *Reforma*. Eu chego tarde para ser uma das duas coisas; prefiro ser ambos ao mesmo tempo. E não tendo visto ainda o azeite, estou na melhor situação para dar sobre ele o meu parecer. Quem era certo cavaleiro italiano que gastou a vida a duelar-se em defesa da *Divina Comédia*, sem nunca a ter lido? Eu sou esse cavaleiro apenas por um lado, que é o lado dos que dizem que, a não fazer o Herculano livros de história, deve fazer outra coisa.

Mas confesso que preferia ao pé do seu azeite o seu estilo; e de bom grado receberia de suas mãos o livro e a luz. Dar-me ele a luz e o Sr. *** os livros, é uma disparidade que não chega a vencer o sono... por melhor que seja o azeite.

Suspendamos o riso, que é alheio a estas coisas. *Sunt lacrimae rerum.* Pois quê! Um homem levanta um monumento, escreve o seu nome ao lado de Grote e Thierry, esculpe um *Eurico*, desenterra da crônica admiráveis novelas; é um grande talento, é uma erudição de primeira ordem, e no vigor da idade retira-se a uma quinta, faz da banca um lagar, engarrafa os seus merecimentos, entra em concorrência com o Sr. N. N. e nega ao mundo o que lhe não pertence a ele!

IV

Não foi esse o único prodígio da quinzena. Além dessa e da companhia lírica (a 8:000$000 cada garganta), houve o projeto de constituição turca, dado pelo *Jornal do Comércio*.

Não sei se tal constituição chegará a reger a Turquia; mas foi proposta, e tanto basta para deixar-me de boca aberta.

O art. 1º desse documento diz que o Império Otomano como Estado não tem religião: reconhece todos os cultos, protege-os e subvenciona-os.

Eu palpo-me, esfrego os olhos, dou murros no peito e na cabeça, agito os braços, passeio de um lado para outro, a fim de certificar-me que não estou sonhando. O Alcorão subvencionando o Evangelho! O janízaro do *crê ou morre* reconhecendo todos os cultos e dando a cada um os meios de subsistência! Se isto não é o fim do mundo, é pelo menos o penúltimo capítulo. Que abismo entre Omar e Mourad V!

Alegre-se quem quiser; eu fico triste. A tolerância dos cultos tira-me a cor local da Turquia, desnatura a história, estabelece certas acomodações entre o Alcorão e o céu. Substitui-se a Sublime Porta por uma trapeira constitucional.

V

No meio de tanta novidade – azeite herculano, ópera italiana, liberdade turca, não quis ficar atrás o Sr. Luís Sacchi. Não conheci Luís Sacchi; li porém o testamento que ele deixou e os jornais deram a lume.

Ali diz o finado que seu corpo deve ir em rede para o cemitério, levado por seus escravos, e que na sepultura há de se lhe gravar este epitáfio: *Aqui jaz Luís Sacchi que pela sua sorte foi original em vida e quis sê-lo depois da sua morte.*

Gosto disto! A morte é coisa tão geralmente triste, que não se perde nada em que alguma vez apareça alegre. Luís Sacchi não quis fazer do seu passamento um quinto ato de tragédia, uma coisa lúgubre, obrigada a sangue e lágrimas. Era vulgar: ele queria separar-se do vulgo. Que fez? Inventou um epitáfio, talvez pretensioso, mas jovial. Depois dividiu a fortuna entre os escravos, deixou o resto aos parentes, embrulhou-se na rede e foi dormir no cemitério.

Não direi que haja profunda originalidade neste modo de retirar-se do mundo. Mas, em suma, a intenção é que salva, e se o reino dos céus também é dos originais, lá deve estar o testador italiano.

Amém!

VI

Na hora em que escrevo estas linhas, preparo-me para ir ver um sapatinho de cetim, – o sapatinho que Dona Lucinda nos trouxe da Europa e que o Furtado Coelho vai mostrar ao público fluminense.

Não vi ainda o sapato e já o acho um primor. Vejam o que é parcialidade! Juro a todos os deuses que o sapatinho foi roubado à mais bela das sultanas do padixá, ou talvez à mais ideal das huris do profeta. Imagino-o todo de arminho, cosido com cabelos da aurora, forrado com um pedacinho do céu... Que querem? Eu creio, que há de ser assim, porque é impossível que o Furtado nos trouxesse um mau sapato.

Mas que o trouxesse! Eu consentia nisso, e no mais que fosse de seu gosto, mediante a condição de que não havia deixar-nos outra vez. Entendamo-nos; ele pertence-nos. Viu muita coisa. Teve muito aplauso, muita festa; mas a aurora das suas glórias rutilou neste céu fluminense, onde, se não rutilou também a do talento de sua esposa, já recebeu muitos dos seus melhores raios juvenis.

Que fiquem; é o desejo de todos e meu.

15 DE AGOSTO
DE 1876

I

No momento em que escrevo estas linhas, espreito cá de longe a leitora a preparar-se para a festa da Glória.

Há duas sortes de leitoras: a que vai ao outeiro, toma água benta, vê o fogo de artifício, e vai a pé para casa, se não pilha um bonde; e a que vai de casa às nove horas para ir ao baile da Secretaria de Estrangeiros.

Uma e outra preparam-se neste instante; sonham com a festa, pedem a Nossa Senhora que não mande chuva.

A segunda espera que a Clemence lhe apronte o vestido a tempo e hora oportuna; a primeira dá os últimos pontos na saia do que há de estrear hoje de tarde.

Esta festa da Glória é a Penha elegante, do vestido escorrido, da comenda e do *claque*; a Penha é a Glória da rosca no chapéu, garrafão ao lado, ramo verde na carruagem e *turca* no cérebro.

Ao cabo de tudo, é a mesma alegria e a mesmíssima diversão, e o que eu lastimo é que o fogo de artifício da Glória e o garrafão da Penha levem mais fiéis que o objeto essencial da festividade. Se é certo que *tout chemin mène à Rome*, não é certo que *tout chemin mène au ciel*.

Leve ou não leve, a verdade é que este ano há grande entusiasmo pela festa da Glória, e dizem-se maravilhas do baile da Secretaria de Estrangeiros.

Um amigo meu recusa dançar há seis semanas, com o plausível motivo de que não quer gastar as pernas. Só fala em francês para conversar com os diplomatas; estuda a questão do Oriente para dizer alguma coisa ao ministro da Inglaterra. Traz de cor a frase com que há de cortejar o ministro da Itália e o chefe da legação pontifícia. Ao primeiro dirá: *Itália farà da sè*. Ao segundo: *Super hanc petram...*

Não é um amigo, é um manual de conversação.

II

Estou convencido de que esse amigo não foi às corridas. Não foi ou não vai? Na hora em que escrevo – não vai; naquela em que o leitor pode ler estas linhas – não foi. Eu não sei combinar estes tempos da crônica. Vá ou não vá, fosse ou não fosse, o que eu quero dizer é que o dito meu amigo brilha pela ausência na festa do Prado Fluminense.

Eu sou obrigado a confessar que também lá não ponho os pés, em primeiro lugar porque os tenho moídos, em segundo lugar porque não gosto de ver correr cavalos nem touros. Eu gosto de ver correr o tempo e as coisas; só isso. Às vezes corro eu também atrás da sorte grande, e correria adiante de um cacete, sem grande esforço. Quanto a ver correr cavalos...

Vou dizer a minha opinião toda.

Cada homem simpatiza com um animal. Há quem goste de cães; eu adoro-os. Um cão, sobretudo se me conhece, se não guarda a chácara de algum amigo, aonde vou, se não está dormindo, se não é leproso, se não tem dentes, oh! um cão é adorável.

Outros amam os gatos. São gostos; mas sempre notarei que esse quadrúpede pachorrento e voluptuoso é sobretudo amado dos homens e mulheres de certa idade.

Os pássaros têm seus crentes. Alguns gostam de todo o bicho careta. Não são raros os que gostam do bicho de cozinha.

Eu não gosto do cavalo.

Não gosto? Detesto-o; acho-o o mais intolerável dos quadrúpedes. É um fátuo, é um pérfido, é um animal corruto. Sob pretexto de que os poetas o têm cantado de um modo épico ou de um modo lírico; de que é nobre; amigo do homem; de que vai à guerra; de que conduz moças bonitas; de que puxa coches; sob o pretexto de uma infinidade de complacências que temos para com ele, o cavalo parece esmagar-nos com sua superioridade. Ele olha para nós com desprezo, relincha, prega-nos sustos, faz Hipólito em estilhas. É um elegante perverso, um tratante bem-educado; nada mais.

Vejam o burro. Que mansidão! Que filantropia! Esse puxa a carroça que nos traz água, faz andar a nora, e muitas vezes o genro, carrega fruta, carvão e hortaliças, – puxa o bonde, coisas todas úteis e necessárias. No meio de tudo isso apanha e não se volta contra quem lhe dá. Dizem que é teimoso. Pode ser; algum defeito é natural que tenha um animal de tantos e tão variados méritos. Mas ser teimoso é algum pecado mortal? Além de teimoso, escoiceia alguma vez; mas o coice, que no cavalo é uma perversidade, no burro é um argumento, *ultima ratio*.

III

E por falar neste animal, publicou-se há dias o recenseamento do Império, do qual se colige que 70% da nossa população não sabe ler.

Gosto dos algarismos, porque não são de meias medidas nem de metáforas. Eles dizem as coisas pelo seu nome, às vezes um nome feio, mas não havendo outro, não o escolhem. São sinceros, francos, ingênuos. As letras fizeram-se para frases; o algarismo não tem frases, nem retórica.

Assim, por exemplo, um homem, o leitor ou eu, querendo falar do nosso país, dirá:

– Quando uma Constituição livre pôs nas mãos de um povo o seu destino, força é que este povo caminhe para o futuro com as bandeiras do progresso desfraldadas. A soberania nacional reside nas Câmaras; as Câmaras são a representação nacional. A opinião pública deste país é o magistrado último, o supremo tribunal dos homens e das coisas. Peço à nação que decida entre mim e o Sr. Fidélis Teles de Meireles Queles; ela possui nas mãos o direito a todos superior a todos os direitos.

A isto responderá o algarismo com a maior simplicidade:
– A nação não sabe ler. Há só 30% dos indivíduos residentes neste país que podem ler; desses uns 9% não leem letra de mão. 70% jazem em profunda ignorância. Não saber ler é ignorar o Sr. Meireles Queles; é não saber o que ele vale, o que ele pensa, o que ele quer; nem se realmente pode querer ou pensar. 70% dos cidadãos votam do mesmo modo que respiram: sem saber por que nem o quê. Votam como vão à festa da Penha, – por divertimento. A Constituição é para eles uma coisa inteiramente desconhecida. Estão prontos para tudo: uma revolução ou um golpe de Estado.

Replico eu:

— Mas, Sr. Algarismo, creio que as instituições...
— As instituições existem, mas por e para 30% dos cidadãos. Proponho uma reforma no estilo político. Não se deve dizer: "consultar a nação, representantes da nação, os poderes da nação"; mas – "consultar os 30%, representantes dos 30%, poderes dos 30%". A opinião pública é uma metáfora sem base; há só a opinião dos 30%. Um deputado que disser na Câmara: "Sr. Presidente, falo deste modo porque os 30% nos ouvem..." dirá uma coisa extremamente sensata.

E eu não sei que se possa dizer ao algarismo, se ele falar desse modo, porque nós não temos base segura para os nossos discursos, e ele tem o recenseamento.

IV

Agora uma página de luto. Nem tudo foram flores e alegrias durante a quinzena. As musas receberam um golpe cruel.

Veio do Norte a notícia de haver falecido o Dr. Gentil Homem de Almeida Braga. Todos os homens de gosto e cultores de letras pátrias sentiram o desaparecimento desse notabilíssimo que o destino fez nascer na pátria de Gonçalves Dias para no-lo roubar com a mesma idade com que nos arrebatou o grande poeta.

Poeta também, e prosador de elevado merecimento, o Dr. Gentil Homem de Almeida Braga deixou algumas páginas, – poucas em número, mas verdadeiros títulos, que honram o seu nome e nos fazem lembrar dele.

O Dr. Gentil Homem nas letras pátrias era conhecido pelo pseudônimo de *Flávio Reimar*. Com ele assinou belas páginas literárias, como o livro *Entre o céu e a terra*, livro que exprime bem o seu talento original e refletido. Deixou, segundo as folhas do Maranhão, a tradução da *Evangelina*, de Longfellow. Deve ser um primor. J. Serra já há meses nos deu na *Reforma* um excelente espécimen desse trabalho.

Perdemo-lo; ele foi, prosador e poeta, dormir o sono eterno que já fechou os olhos de Lisboa e Odorico. Guardemos os seus escritos, enriqueçamos com eles o pecúlio comum.

1º DE OUTUBRO
DE 1876

I

Não reinaram só as vozes líricas nesta quinzena última; fez-lhes concorrência o boi.

O boi, substantivo masculino, com que nós acudimos às urgências do estômago, pai do rosbife, rival da garoupa, ente pacífico e filantrópico, não é justo que viva... isto é, que morra obscuramente nos matadouros. De quando em quando, dá-lhe para vir perfilar-se entre as nossas preocupações, como uma sombra de Bânquo, e faz bem. Não o comemos? É justo que o discutamos.

Veio o boi quando gozávamos – com os ouvidos as vozes do tenor Gayarre, – e com os olhos a nova mutação da cena em Constantinopla; veio, estacou as pernas, agitou a cauda e olhou fixamente para a opinião pública.

II

A opinião pública detesta o boi... sem batatas fritas; e nisto, como em outras coisas, parece-se a opinião pública com o estômago. Vendo o boi a fitá-la, a opinião estremeceu; estremeceu e perguntou o que queria. Não tendo o boi o uso da palavra, olhou melancolicamente para a vaca; a vaca olhou para Minas; Minas olhou para o Paraná; o Paraná olhou para a sua questão de limites; a questão de limites olhou para o alvará de 1749; o alvará olhou para a opinião pública; a opinião olhou para o boi. O qual olhou para a vaca; a vaca olhou para Minas; e assim iríamos até a consumação dos séculos, se não interviesse a vitela, em nome de seu pai e de sua mãe.

A verdade fala pela boca dos pequeninos. Verificou-se ainda uma vez esta observação, espeitorando a vitela estas reflexões, tão sensatas quanto bovinas:

– Gênero humano! Eu li há dias no *Jornal do Comércio* um artigo em que se fala dos interesses do produtor, do consumidor e do intermediário; falta falar do interesse do boi, que também deve pesar alguma coisa na balança da República. O interesse do produtor é vendê-lo, o do consumidor é comprá-lo, o do intermediário é impingi-lo; o do boi é justamente contrário a todos três. Ao boi importa pouco que o matem em nome de um princípio ou de outro, da livre-concorrência ou do monopólio. Uma vez que o matem, ele vê nisso, não um princípio, mas um fim, e um fim de que não há meio de escapar. Gênero humano! não zombeis com esta nobre espécie. Quê! Virgílio serve-se-nos para suas comparações poéticas; os pintores não deixam de incluir-nos em seus emblemas da agricultura; e não obstante esse préstimo elevado e estético, vós trazei-nos ao matadouro, como se fôssemos simples recrutas! Que diríeis vós se, em uma república de touros, um deles se lembrasse de convidar os outros a comer os homens? Por Ceres! poupai-nos por algum tempo!

III

Conheço um homem que anda meio desconfiado de que não há guerra da Sérvia nem império turco; consequentemente, que não há sultões caídos, nem suicidados. Mas que são as notícias com que os paquetes vêm perturbar as nossas digestões? Diz ele que é uma nova ópera de Wagner, e que os jornais desta Corte traduzem mal as notícias que acham nos estrangeiros.

A ópera, segundo este meu amigo, intitula-se *Os três sultões ou O sonho do grão-vizir*, música de Wagner e libreto de Gortchakoff. Tem numerosos quadros. A introdução, no estilo herzegoviano, é um primor, conquanto fosse ouvida sem grande atenção por parte do público. A atenção começou quando rompeu o dueto entre Milano e Abdul-Aziz, e depois o coro dos softas, que derrocam Abdul... O mais sabemos todos.

A este meu amigo, replico eu dizendo que a coisa não é ópera, mas guerra; sendo a prova disso o telegrama há dias publicado, que trouxe notícia do achar-se em começo a paz. Respondeu-me que é ilusão minha. "Há decerto um coro, diz ele, que entra cantando: *Pace, pace*, mas é um coro. Que queres tu? Antigamente as óperas eram música; hoje são isso e muita coisa mais. Vê os *Huguenotes*, com a descarga de tiros no fim. Pois é a mesma coisa a nova composição de Wagner. Há tiros, batalhões, mulheres estripadas, crianças partidas ao meio, aldeias reduzidas a cinzas, mas é tudo uma ópera.

IV

Daquela ópera ao *Salvador Rosa* a transição é fácil; mas, enquanto o meu talentoso colega dos teatros falará mais detidamente da composição de Carlos Gomes e da companhia, eu quero daqui dar um aperto de mão no inspirado maestro brasileiro, cujo nome cresce na estima e veneração da Itália e da Europa.

Não se iludiam os que desde o primeiro dia confiaram nele. Ele paga hoje essa confiança com os louros de que cerca o nome brasileiro. Sinto não poder manifestar iguais sentimentos à companhia Torresi, mas tenho aqui um calo no pé... Ui!

V

Agora, o que é ainda mais grave que tudo, é a eleição, que a esta hora se começa a manipular em todo este vasto império.

Em todo... é uma maneira de falar. Há soluções de continuidade, abertas pelas relações. Na Corte, por exemplo, não teremos desta vez a festa quatrienal. Tal como Niterói, que também faz *relache par ordre*. Dois espetáculos de menos. Dois? Oito ou dez em todo o país.

Não sei se o leitor tem alguma vez refletido nas coisas públicas, e se lhe parece que seria a magna descoberta do século, aquela que nos desse um meio menos incômodo e mais pacífico de exercer a soberania nacional.

A soberania nacional é a coisa mais bela do mundo, com a condição de ser soberania e de ser nacional. Se não tiver essas duas coisas, deixa de ser o que é para ser uma coisa semelhante aos *Três sultões*, de Wagner, quero dizer muito superior, porque o Wagner ou qualquer outro compositor apenas nos dá a *cabaletta*, diminutivo de cabala, que é o primeiro trecho musical da eleição. Os coros são também muito superiores, mais numerosos, mais bem ensaiados, o *ensemble* mais estrondoso e perfeito.

Cá na corte não temos desta vez cor nem cabala nem finais. Não há companhia. Por isso os diletantes emigram em massa para a província, onde se prepara grande ovação aos cantores.

VI

Parece que começa a ser calçada... dou-lhe em cem, dou-lhe em mil... a Rua das Laranjeiras... Mas silêncio! Isto não é assunto de interesse geral.

VII

De interesse geral é o fundo da emancipação, pelo qual se acham libertados em alguns municípios 230 escravos. Só em alguns municípios!

Esperemos que o número será grande quando a libertação estiver feita em todo o império.

A lei de 28 de setembro fez agora cinco anos. Deus lhe dê vida e saúde! Esta lei foi um grande passo na nossa vida. Se tivesse vindo uns 30 anos antes, estávamos em outras condições.

Mas há 30 anos, não veio a lei, mas vinham ainda escravos, por contrabando, e vendiam-se às escâncaras no Valongo. Além da venda, havia o calabouço. Um homem do meu conhecimento suspira pelo azorrague.

– Hoje os escravos estão altanados, costuma ele dizer. Se a gente dá uma sova num, há logo quem intervenha e até chame a polícia. Bons tempos os que lá vão! Eu ainda me lembro quando a gente via passar um preto escorrendo em sangue, e dizia: "Anda, diabo, não estás assim pelo que eu fiz!" – Hoje...

E o homem solta um suspiro, tão de dentro, tão do coração... que faz cortar o dito. *Le pauvre homme!*

NOTAS SEMANAIS

(1878)

16 DE JUNHO
DE 1878

I

*E*strugiram os últimos foguetes de Santo Antônio; não tarda chegar a vez de S. João e de S. Pedro. O último destes santos, com ser festivo, não o é tanto como os dois primeiros, nem, sobretudo, como o segundo. Deve-o talvez à sua qualidade especial de discípulo, e primaz dos discípulos. Não o era o Batista, aliás precursor e admoestador, e menos ainda o bem-aventurado de Pádua.

Indague quem quiser o motivo histórico deste foguetear os três santos, uso que herdamos dos nossos maiores; a realidade é que, não obstante o ceticismo do tempo, muita e muita dezena de anos há de correr, primeiro que o povo perca os seus antigos amores. Nestas noites abençoadas é que as crendices sãs abrem todas as velas. As consultas, as sortes, os ovos guardados em água, e outras sublimes ridicularias, ria-se delas quem quiser; eu vejo-as com respeito, com simpatia, e se alguma coisa me molesta é por eu não a saber já praticar. Os anos que passam tiram à fé o que há nela pueril, para só lhe deixar o que há sério;

e triste daquele a quem nem isso fica: esse perde o melhor das recordações.

II

Venhamos à boa prosa, que é o meu domínio. Vimos o lado poético dos foguetes; vejamos o lado legal.

Os dias passam, e os meses, e os anos, e as situações políticas, e as gerações e os sentimentos, e as ideias. Cada olimpíada traz nas mãos uma nova andaina do tempo. O tempo, que a tradição mitológica nos pinta com alvas barbas, é pelo contrário um eterno rapagão, rosado, gamenho, pueril; só parece velho àqueles que já o estão; em si mesmo traz a perpétua e versátil juventude.

Duas coisas, entretanto, perduram no meio da instabilidade universal: – 1º a constância da polícia que todos os anos declara editalmente ser proibido queimar fogos, por ocasião das festas de S. João e seus comensais; 2º a disposição do povo em desobedecer às ordens da polícia. A proibição não é simples vontade do chefe; é uma postura municipal de 1856. Anualmente aparece o mesmo edital, escrito com os mesmos termos; o chefe rubrica essa chapa inofensiva, que é impressa, lida e desrespeitada. Da tenacidade com que a polícia proíbe, e da teimosia com que o povo infringe a proibição, fica um resíduo comum: o trecho impresso e os fogos queimados.

Se eu tivesse a honra de falar do alto de uma tribuna, não perdia esta ocasião de expor longa e prudhommescamente o princípio da soberania da nação, cujos delegados são os poderes públicos; diria que, se a nação transmitiu o direito de legislar, de judiciar, de administrar, não é muito que reservasse para si o de atacar uma carta de bichas; diria que, sendo a nação a fonte constitucional da vida política, excede o limite máximo do atrevimento empecer-lhe o uso mais inofensivo do mundo, o uso do busca-pé. Levantando a discussão à altura da grande retórica, diria que o pior busca-pé não é o que verdadeiramente busca o pé, mas o que busca a liberdade, a propriedade, o sossego, todos esses pés morais (se assim me pudesse exprimir), que nem sempre soem caminhar tranquilos na estrada social; diria, enfim, que as girândolas criminosas não são as que ardem em honra de um santo, mas as que se queimam para glorificação dos grandes crimes.

Que tal? Infelizmente não disponho de tribuna, sou apenas um pobre-diabo, condenado ao lado prático das coisas; de mais a mais míope, cabeçudo e prosaico. Daí vem que, enquanto um homem de outro porte vê no busca-pé uma simples beleza constitucional, eu vejo nele um argumento mais em favor da minha tese, a saber, que o leitor nasceu com a bossa da ilegalidade. Note que não me refiro aos sobrinhos do leitor, nem a seus compadres, nem a seus amigos; mas tão somente ao próprio leitor. Todos os demais cidadãos ficam isentos da mácula se a há.

Que um urbano, excedendo o limite legal das suas atribuições, se lembre de pôr em contacto a sua espada com as costas do leitor, é fora de dúvida que o dito leitor bradará contra esse abuso do poder; fará gemer os prelos; mostrará a lei maltratada na sua pessoa. Não menos certo é que, assinado o protesto, irá com a mesma mão acender uma pistola de lágrimas; e se outro urbano vier mostrar-lhe polidamente o edital do chefe, o referido leitor aconselhar--lhe-á que o vá ler à família, que o empregue em cartuchos, que lhe não estafe a paciência. Tal é a nossa concepção da legalidade; um guarda-chuva escasso, que não dando para cobrir a todas as pessoas, apenas pode cobrir as nossas; noutros termos, um pau de dois bicos.

Agora, o que o leitor não compreende é que esse urbano excessivo no uso das suas atribuições, esse subalterno que transgride as barreiras da lei, é simplesmente um produto do próprio leitor; não compreende que o agregado nada mais representa do que as somas das unidades, com suas tendências, virtudes e lacunas. O leitor (perdoe a sua ausência) é um estimável cavalheiro, patriota, resoluto, manso, mas persuadido de que as coisas públicas andam mal, ao passo que as coisas particulares andam bem; sem advertir que, a ser exata a primeira parte, a segunda forçosamente não o é; e, a sê-lo a segunda, não o é a primeira. Um pouco mais de atenção daria ao leitor um pouco mais de equidade.

Mas é tempo de deixar as cartas de bichas.

III

Uns devotos riem, enquanto outros devotos choram.

A providência, em seus inescrutáveis desígnios, tinha assentado dar a esta cidade um benefício grande; e nenhum lhe pareceu maior nem melhor do que certo gozo superfino, espiritual e grave, que patenteasse a brandura dos nossos costumes e a graça das nossas maneiras: deu-nos os touros.

Talvez poucas pessoas se lembrem que há bons 25 anos ou mais, creio que mais, houve uma tentativa de tauromaquia nesta cidade. A tentativa durou pouco. Uma civilização imberbe não tolera melhoramentos de certo porte. Cada fruto tem a sua sazão. O circo desapareceu, mas a semente ficou, e germinou, e brotou e cresceu, e fez-se a magnífica árvore, a cuja sombra se pode hoje estirar a nossa filosofia.

Na verdade, os prazeres intelectuais hão de sempre dominar nesta geração. Atualmente, é sabido que o teatro, copioso, elevado, profundo, puro Sófocles, tem enriquecido quarenta e tantas empresas, ao passo que só quebram as que recorrem às mágicas. Ninguém ainda esqueceu os ferimentos, as rusgas, os apertões que houve por ocasião da primeira récita do *Jesuíta*, cuja concorrência de espectadores foi tamanha, que o empresário do teatro comprou, um ano depois, o palácio Friburgo.

    Faltavam-nos os touros. Os touros vieram, e com eles toda a fraseologia, a nova, a elegante, a longa fraseologia tauromáquica; enfim, veio o bandarilheiro Pontes. Não tive a honra de ver este cavalheiro, que os doutores da instituição proclamam artista de alta escala; mas ele pertence ao número das coisas, em que eu creio sem ver, digo mais, das coisas, em que eu tanto mais creio, quando menos avisto. Porque é de saber que, em relação a essa nobre diversão do espírito, eu sou nada menos que um patarata; nunca vi corridas de touros; provavelmente, não as verei jamais. Não é que me falte incentivo. Em primeiro lugar, possuo um amigo, espírito delicado, que as adora e frequenta; depois, sempre me há de lembrar Santo Agostinho. Conta o grande bispo que o seu amigo Alípio, seduzido a voltar ao anfiteatro, ali foi de olhos fechados, resoluto a não os abrir; mas o clamor das turbas e a curiosidade os abriram de novo e de uma vez, tão certo é que esses espetáculos de sangue alguma coisa têm que fascinam e arrastam o homem. Pode ser que algum dia também eu vá atirar lenços e charutos aos pés de algum bandarilheiro célebre; pode ser...

    Por hora, não estou entre os inconsoláveis admiradores do Pontes, que lá se vai, mar em fora. Perdão, do artista Pontes. Sejamos do nosso século e da nossa língua. No tempo em que uma vã teoria regulava as coisas do espírito, estes nomes de *artista* e de *arte* tinham restrito emprego: exprimiam certa aplicação de certas faculdades. Mas as línguas e os costumes modificam-se com as instituições. Num regímen menos exclusivo, essencialmente democrático, a arte teve de vulgarizar-se: é a subdivisão da moeda de Licurgo. Cada um possui com que beber um trago. Daí vem que farpear um touro ou esculpir o *Moisés* é o mesmo fato intelectual: só difere a matéria e o instrumento. Intrinsecamente, é a mesma coisa. Tempo virá em que um artista nos sirva a sopa de legumes, e outro artista nos leve, em tílburi, à fábrica do gás.

IV

Nesse tempo não viverá, decerto, um pobre velho que veio ontem lançar-se a meus pés. Mandei-o levantar, consolei-o, dei-lhe alguma coisa – um níquel – e ofereci-lhe o meu valimento, se dele necessitasse.

– Agradeço os bons desejos, disse ele; mas todos os esforços serão inúteis. Minha desgraça não tem remédio. Um bárbaro ministro reduziu-me a este estado, sem atenção aos meus serviços, sem reparar que sou pai de família e votante circunspecto; e se o fez sem escrúpulo, é porque o fez sem nenhuma veleidade de emendar a mão. Arrancou-me o pão, o arrimo, o pecúlio de meus netos; enfim, matou-me. Saiba que sou o arsenal de marinha. O ministro tirou-me as bandeiras, sob pretexto de que eu exigia um preço excessivamente elevado, como se a bandeira da nação, esse estandarte glorioso que os nossos bravos fincaram em Humaitá, pudesse decentemente custar 7$804, ainda sendo de dois panos! Era caro o meu preço, é possível; mas o pundonor nacional, não vale alguma coisa o pundonor nacional? O ministro não atendeu a essa grave razão, não atendeu ao decoro público. Tirou-me as bandeiras. Não tente nada, em meu favor, que perde o tempo; deixe-me entregue à minha desgraça. Esta nação não tem ideal, meu senhor; não tem coisa nenhuma. O pendão auriverde, o nobre pendão, custa menos do que um chapéu de sol, menos do que uma dúzia de lenços de tabaco; sete mil e tanto: é o opróbrio dos opróbrios.

V

Não menor opróbrio para a ciência foi a prisão de Miroli e Locatelli. Descanse a leitura; não se trata de nenhum tenor nem soprano, subtraído às futuras delícias da *fashion*. Não se trata de dois canários; trata-se de dois melros.

Não é melro quem quer. O primeiro daqueles merece dois dedos de admiração. Sucessivamente médico, domador de feras, volantim, mestre de dança, e ultimamente adivinho, não se pode dizer que seja homem vulgar; é um fura-vidas, que se atira à *strugh for life* com unhas e dentes, sobretudo com unhas. De unhas dadas com a dama Locatelli, fundou uma Delfos na Rua do Espírito Santo, e entrou a predizer as coisas futuras, a descobrir as coisas perdidas, e a farejar as coisas vedadas. O processo era o sonambulismo ou o espiritismo. Os crédulos, que já no tempo da Escritura eram a maioria do gênero humano, acudiram às lições de tão ilustre par, até que a polícia o convidou a ir meditar nos destinos de Galileu e outras vítimas da autoridade pública.

Pior que tudo é que, se a polícia os castiga neste mundo, o demo os castigará no outro; e aqui chamo eu a atenção do leitor para a estrita realidade da poesia. O famoso casal ficou neste mundo de cara à banda, como há de ficar no outro, segundo a versão dantesca; lá aos adivinhos, como Miroli, torcem o nariz para trás, e os olhos choram-lhes pelas costas:

.... *che'l pianto degli occhi*
Le natiche bagnava per lo ferro.

VI

Anuncia-se um congresso agrícola, um congresso oficial, presidido pelo Ministro da Agricultura, reunião que não tratará de coronéis, nem de eleições, mas de lavoura, de máquinas e de braços. A crônica menciona o fato com prazer; e atreve-se a manifestar o desejo de que seja imitado em análogas circunstâncias. A administração não perde nunca, antes ganha, quando entra em contacto com as forças vivas da nação; ouvir diretamente uma classe é o melhor caminho para conhecer as necessidades dela e provê-la de modo útil.

Só poderia haver um receio; é que os interessados não acudissem todos ao convite. Mas além de ser gratuito supor que o doente se esquive a narrar o mal, podemos contar com o elemento paulista, que há de ser talvez o mais numeroso. Não é menos importante a lavoura fluminense, nem a das outras províncias convocadas; mas os homens que as dirigem são mais sedentários; falta-lhes um pouco de atividade *bandeirante*. Agora, porém, corre-lhes o dever de se desmentirem a si próprios.

Venhamos à política prática, útil, progressiva; metamos na alcofa os trechos de retórica, as frases feitas, todos os fardões da grande gala eleitoral. Não digo que os queimemos; demo-lhes somente algum descanso. Encaremos os problemas que nos cercam e pedem solução. Liberais e conservadores de Campinas, de Araruama, de Juiz de Fora, batei-vos nas eleições de agosto com ardor, com tenacidade; mas por alguns dias, ao menos, lembrai-vos que sois lavradores, isto é, colaboradores de uma natureza forte, imparcial e céptica.

7 DE JULHO
DE 1878

I

*H*oje é dia de festa cá em casa; recebo Luculo à minha mesa. Como o jantar do costume é rústico e parco, sem os requintes do gosto nem a abundância da gula, entendi que, por melhor agasalhar o hóspede, devia imitar o avaro de uma velha farsa portuguesa: mandar deitar ao caldeirão "mais uns cinco réis de espinafres". Noutros termos, enfunar um pouco o estilo. Não foi preciso; Luculo traz consigo os faisões, os tordos, os figos, os licores, e as finas toalhas, e os vasos murrinos, o luxo todo, em suma, de um homem de gosto e de dinheiro.

É o caso que tenho diante de mim o relatório do diretor das escolas normais de uma das nossas províncias, cujo nome, aliás, não digo, por não ofender a modéstia daquele cavalheiro. Não havia nada que saborear num relatório, se o de que trato fosse parecido com os outros, seus anteriores e contemporâneos. Mas não; o distinto funcionário entendeu, e entendeu muito bem, que lhe cumpria temperar o estilo oficial com algumas especiarias literárias. Na verdade, o estilo oficial ou administrativo é pesado e seco, e o tipo geral dos relatórios poderíamos figurá-lo bem em um sujeito pautado, gravata de sete voltas, casacão até os pés, bota inglesa, sobraçando um guarda-chuva de família. Não foi esse o modelo do diretor das escolas normais. Escritor ameno, imaginoso, erudito, deu um pouco mais de vida ao tipo clássico; atou-lhe ao pescoço um lenço azul, trocou-lhe o casacão em fraque, substituiu-lhe o guarda--chuva por uma bengala de Petrópolis. Ao peito pôs-lhe uma rosa fresca. Talvez não agrade tanto aos pés de boi da administração: não faltará quem lhe ache um ar pelintra, nos ademanes de *petit crevé*. É natural, e até necessário. Nenhuma reforma se fez útil e definitiva sem padecer primeiro as resistências da tradição, a coligação da rotina, da preguiça e da incapacidade. É o batismo das boas ideias; é ao mesmo tempo o seu purgatório.

Isto dito, intercalarei nesta crônica de hoje algumas boas amostras do documento de que trato, impresso com outros submetidos ao presidente; e para em tudo conservar o estilo figurado das primeiras linhas, e porque o folhetim requer um ar brincão e galhofeiro, ainda tratando de coisas sérias, darei a cada uma de tais amostras o nome de um prato fino e especial, – *um extra*, como dizem as listas dos *restaurants*.

Sirvamos o primeiro prato.

LÍNGUAS DE ROUXINOL

Vassalo das normas legais e regulamentares, tenho a honra de vir, tirando forças da minha fraqueza, cumprir esse meu embargoso dever, depondo nas amestradas mãos de V. Exª, pelo ilustre veículo, que me é prescrito (a laureada diretoria de instrução pública), o fruto desenvolvido das emendas do meu secretário, esse tributo obediencial, que compete a V. Exª.

... assim, pois, com a paciência com que a misericórdia sói acompanhar a justiça, em sua marcha salutar, espero V. Exª, para compreender--me, me siga pelos andurriais por onde, perdido de monte em monte, serei forçado a peregrinar.

II

    Não há patinação, não há corridas de cavalos, não há nada que nestes dias possa dominar o sucesso máximo, o sujeito que em Caravelas, na Bahia, deu à luz uma criança. Quando eu era pequeno, ouvia dizer que o galo, chegando à velhice, punha ovos, como as galinhas; não o averiguei mais tarde, mas já agora devo crer que o conto não era da carocha, senão pura e real verdade.
    O sujeito de Caravelas é um quadragenário, que tinha cor de icterícia, e padecia há muito de uma forte opressão no peito. Ultimamente, di-lo o médico, sentiu uma dor agudíssima na região precordial, movimentos desordenados do coração, dispneia, forte edemacia em todo o lado esquerdo. Entrou em uso de remédios, até que, com geral surpresa, trouxe a este vale de lágrimas uma criança, que não era exatamente uma criança, porque eram as tíbias, as omoplatas, as costelas, os fêmures, trechos soltos da infeliz criatura, que não chegou a viver.
    A mitologia deu-nos um Baco meio gerado na coxa de Júpiter; e da cabeça deste fez nascer Minerva armada. Eram fábulas naquele tempo; hoje devemos tê-las por simples realidade, e, quando menos, um prenúncio do nosso patrício. Assim o creio e proclamo. E porque não suponho que o caso de Caravelas deve ser o único, acontece-me que não posso ver agora nenhum amigo, opresso e pálido, sem supor que me vai cair nos braços, a bradar com um grito angustioso: "Eleazar, sou mãe!". Esta palavra retine-me aos ouvidos, e gela-me a alma... imaginem o que será de nós, se tivermos de dar à luz os nossos livros e os nossos pequenos; gerar herdeiros e conspirações; conceber um plano de campanha e Bonaparte.
    Imaginem...

COXINHAS DE ROLA

Digitus Dei. As feridas abertas em minha alma precisavam do doce lenitivo desse bálsamo metafísico, superior em propriedades aglutinadoras aos mais afamados de Fioravanti.

III

Dize-me se patinas, dir-te-ei quem és. Tal será dentro de pouco tempo o mote da suprema elegância. As corridas de cavalos correriam o risco de ficar por baixo, e até parecer de todo, se não fora a *poule*, tempero acomodado ao homem em geral, e ao fluminense em particular. Digo fluminense, porque essa variedade do gênero humano é educada especialmente entre a loteria e as sortes de S. João: e a *poule* dá as comoções de ambas as coisas, com o acréscimo de fazer com que um homem ponha toda a alma nas unhas do cavalo.

Não é nas unhas do cavalo que havemos de pô-la quando formos ao *Skating-rink*, mas nas próprias unhas, ou melhor dito, nos patins que as substituem. No Prado Fluminense a gente faz correr o seu dinheiro nas ancas do quadrúpede, e por mais que se identifique com este, o amor-próprio só pode receber alguns arranhões, mais ou menos leves. Na patinação, a queda orça pelo ridículo, e cada sorriso equivale a uma surriada. Sem contar que não se arrisca somente o amor-próprio, mas também o pelo, que não é menos próprio, nem menos digno do nosso amor.

E daí, não sei por que não se há de introduzir a *poule* na patinação. É um travozinho de pimenta. Aposta-se no vestido azul e no chapéu de escumilha, e perde o último que chegar ou o primeiro que cair. Será mais um campo de rivalidade entre os vestidos e os chapéus... os chapéus de escumilha, entenda-se.

Quanto à Emília Rosa... Interrompamo-nos; chega outro pratinho.

PEITO DE PERDIZ À MILANESA

Não passarei adiante, sem lembrar a V. Ex.ª que a nova organização dada ao curso pelo último dos regulamentos, tendo feito passar disciplinas do 2º para o 1º ano, e vice-versa, obrigou os normalistas que iam concluir seu tirocínio a frequentar em comum com os que o começavam, as aulas dessas disciplinas transplantadas, fazendo destarte o que em linguagem coreográfica se chama *laisser croiser*.

IV

Emília Rosa é uma senhora, vinda da Europa, com a nota secreta de que trazia um contrabando de notas falsas. *Rien n'est sacré pour un sapeur*; nem as malas do belo sexo, nem as algibeiras, nem as ligas. A polícia, com a denúncia em mão, tratou de examinar o caso. Desconfiar com mulheres! O Tolentino contou o caso de uma que dissimulou um colchão no toucador. Onde entra um colchão, podem entrar vinte, trinta, cinquenta contos. A polícia esmiuçou o negócio como pôde e lhe cumpria; esteve a ponto de fazer cantar a passageira, a ver se lhe encontrava as notas falsas na garganta. Afinal, a denúncia das notas era tão verdadeira como a notícia das cabeças a prêmio, em Macaúbas, onde parece que apenas há um mote a prêmio, e nada mais: o mote eleitoral.

Trata-se, não de notas falsas, mas de salames verdadeiros, ou quaisquer outros comestíveis, que a passageira trazia efetivamente por contrabando. A diferença entre um paio e um bilhete do banco é enorme, posto que às vezes os bilhetes do banco andem nas algibeiras dos "paios", donde passam para o toucador das senhoritas. Valha-nos isso; podemos dormir confiados na honestidade das nossas carteiras.

Isto de notas falsas, libras falsas e letras falsas, creio que tudo vai entroncar-se numa palavra de Guizot: *Enriquecei!* palavra sinistra, se não é acompanhada de alguma coisa que a tempere. Enriquecer é bom; mas há de ser a passo de boi, quando muito a passo de carroça d'água. Não é esse o desejo das impaciências, que nos dão libras de metal amarelo; o passo que as seduz é o dos cavalos do Prado, – o da *Mobilisée*, que se esfalfa para chegar à raia. Vejam o *Secret*, seu astuto competidor. Esse deixa-se ficar; não se fatiga, à toa, imagem do ambicioso de boa têmpera, que sabe esperar. Talvez por isso o desligaram da *Mobilisée*, nas corridas de hoje. Esta radical não quer emparelhar com aquele oportunista.

Sinto um cheiro delicioso...

FAISÃO ASSADO

Declaro a V. Ex.ª algum tanto aflato de amor-próprio, que nenhum fato agraz perturbou durante o ano letivo a disciplina e boa ordem dos dois estabelecimentos a meu cargo. Diretor, professores, alunos e porteiros, todos souberam respeitar-se mutuamente V. Ex.ª não ignora que o respeito é a base da amizade.

Como Cícero, sou um dos mais ardentes apologistas da lei natural, da equidade; como ele, entendo que a lei é a equidade; – a razão suprema gravada em nossa natureza, inscrita em todos os corações, imutável, eterna, cuja voz nos traça nossos deveres, de que o Senado não nos pode desligar, e cujo império se estende a todos os povos; lei que só Deus concebera, discutira e publicara.

Partindo deste cantinho das minhas crenças, proponho a V. Ex.ª que faça submeter o Sr. professor do 1º ano a exame de uma junta médica...

V

Se achares três mil-réis, leva-os à polícia; se achares três contos, leva-os a um banco. Esta máxima, que eu dou de graça ao leitor, não é a do cavalheiro, que nesta semana restituiu fielmente dois contos e setecentos mil-réis à Caixa da Amortização; fato comezinho e sem valor, se vivêssemos antes do dilúvio, mas digno de nota desde que o dilúvio já lá vai. Não menos digno de nota é o caso do homem que, depois de subtrair uma salva de prata, foi restituí-la ao ourives, seu dono. Direi até que este fica mais perto do céu do que o primeiro, se é certo que há lá mais alegria por um arrependimento do que por um imaculado.

Façam de conta que este último rasgo de virtude são uns óculos de cor azul para melhor encararmos a tragédia dos Viriatos. Hão de ter lido que esses malfeitores entrincheiraram-se em uma vila cearense, aonde o governo foi obrigado a mandar uma força de 240 praças de linha, que a investiram à escala vista; muito fogo, mortos, feridos; prisão de alguns, fuga dos restantes. Há revoluções na Bolívia que não apresentam maior número de gente em campo; digo de gente, sem me referir aos generais. Pobre Ceará! Além da seca os ladrões de estrada.

Está-me a cair da pena um rosário de reflexões acerca da generalidade e da coronelite, dois fenômenos de uma terrível castelhana; mas iria longe...

Prefiro servir-lhes uns pastelinhos.

PASTELINHOS

A hipocrisia não tem um leito de flores no regaço da minha alma... Sempre as finanças da província!... eterno clarão das almas timoratas! As finanças e sempre as finanças, esse hipogrifo que...

... preferirá ver lacradas as portas das escolas primárias a ver sentados nas espinhosas cadeiras do magistério indivíduos cujos corações não foram cuidadosamente arroteados, antes de lhes acenderem almenaras em suas cabeças.

... o mestre, esse grande Davi da lira psíquica da infância...

VI

Parece que o *Primo Basílio*, transportado ao teatro, não correspondeu ao que legitimamente se esperava do sucesso do livro e do talento do Sr. Dr. Cardoso de Meneses. Era visto: em primeiro lugar, porque em geral as obras, geradas originalmente sob uma forma, dificilmente toleram outra; depois porque as qualidades do livro do Sr. Eça de Queirós e do talento deste, aliás fortes, são as mais avessas ao teatro. O robusto Balzac, com quem se há comparado o Sr. Eça de Queirós, fez má figura no teatro, onde apenas se salvará o *Mercadet*; ninguém que conheça mediocremente a história literária do nosso tempo ignora o monumental desastre de *Quinola*.

Se o mau êxito cênico do *Primo Basílio* nada prova contra o livro e o autor do drama, é positivo também que nada prova contra a escola realista e seus sectários. Não há motivo para tristezas nem desapontamentos; a obra original fica isenta do efeito teatral; e os realistas podem continuar na doce convicção de que a última palavra da estética é suprimi-la. Outra convicção, igualmente doce, é que todo o movimento literário do mundo está contido nos nossos livros; daí resulta a forte persuasão em que se acham de que o realismo triunfa no universo inteiro; e que toda a gente jura por Zola e Baudelaire. Este último nome é um dos feitiços da nova e nossa igreja; e, entretanto, sem desconhecer o belo talento do poeta, ninguém em França o colocou ao pé dos grandes poetas; e toda a gente continua a deliciar-se nas estrofes de Musset, e a preferir *L'Espoir en Dieu* a *Charogne*. Caprichos de gente velha.

COMPOTA DE MARMELOS

Era assim preciso; os recursos do regulamento isolavam, não atraíam. Mais tarde, entendo-me particularmente com os deputados, deram-me eles duas pequenas maçanetas para embutir nas portas das escolas; o § 8º do art. 1º da resolução nº 1.079, e o § 8º do referido artigo.

... a instituição que, devidamente reparada da terrível exaustão da vida que tem sofrido desde o seu primeiro instante, pode se dizer sem medo de errar, é o palácio da grandeza moral e da opulência material da pequena província que, em face do velho Atlântico, embriagada de perfumes, circundada de luzes, ergue para Deus, donde há de vir sua prosperidade, os olhos prenhes de esperança.

VII

Reúne-se amanhã o congresso agrícola; e folgo de crer que dará resultados úteis e práticos. Conhecida a nossa índole caseira, a tal ou qual inércia de espírito, que é menos um fenômeno da raça, que da idade social, a afluência dos lavradores parece exceder à expectação. A obra será completa, se todos puserem ombros à empresa comum.

BRINDE FINAL

Aqui tenho a honra de concluir, fazendo votos para que, afeiçoando as ideias que, não edulcoradas para perderem o ressábio da origem, aí ficam mal expostas, digne-se tirar-lhes os ácidos...

VIII

Mas eu seria injusto, se não fechasse estas linhas notando um ato benemérito do digno diretor, que o confessa no relatório; tem auxiliado com dinheiro seu a matrícula de estudantes. Vê-se que é um entusiasta da pedagogia; e, se lhe recusarem o estilo, não lhe hão de recusar a dedicação. Há muitos estilos para relatar; há só um para merecer.

4 DE AGOSTO
DE 1878

I

*H*oje, sim; posso pôr as manguinhas de fora. Sendo positivo que nenhum cidadão correto almoça agora como nos demais dias, conto não ser lido com o repouso do costume. Na verdade, mal se pode crer que o leitor tenha tempo de tomar o seu banho frio, beber às pressas dois goles de café, enfiar a sobrecasaca, meditar a sua chapa de eleitores, e encaminhar-se às reuniões. Pode ser que leia antes, às carreiras, o jornal que lhe for mais simpático; mas, uma vez feita essa oração mental, nenhuma obrigação mais o retém fora da arena, onde os partidos vão pleitear amanhã a palma do triunfo.

Que monta uma página de crônica, no meio das preocupações de momento? Que valor poderia ter um minuete no meio de uma batalha, ou uma estrofe de Florian entre dois cantos da *Ilíada*? Evidentemente nenhum. Consolemo-nos; é isto mesmo a vida de uma cidade, ora tétrica, ora frívola, hoje lúgubre, amanhã jovial, quando não é todas as coisas juntas. Sobretudo, aproveitemos a ocasião, que é única; deixemos hoje as unturas do estilo; demos a engomar os punhos literários; falemos à fresca, de paletó branco e chinelas de tapete.

Que ele há de levar umas férias para nós outros, beneditinos da história mínima e cavouqueiros da expressão oportuna. Vivemos seis dias a espreitar os sucessos da rua, a ouvir e palpar o sentimento da cidade, para os denunciar, aplaudir ou patear, conforme o nosso humor ou a nossa opinião, e quando nos sentarmos a escrever estas folhas volantes, não o fazemos sem a certeza (ou a esperança!) de que há muitos olhos em cima de nós. Cumpre ter ideias, em primeiro lugar; em segundo lugar expô-las com acerto; vesti-las, ordená-las, e apresentá-las à expectação pública. A observação há de ser exata, a facécia pertinente e leve; uns tons mais carrancudos, de longe em longe; uma mistura de Geronte e de Scapin, um guisado de moral doméstica e solturas da Rua do Ouvidor...

BALAS DE ESTALO

(1883-1886)

15 DE JULHO
DE 1883

*E*stá achada a epopeia burguesa. Não confundam com a tragédia burguesa; essa está achada há muito. Refiro-me à epopeia, o mais difícil porque o heroísmo na vida pacata do século não era a mesma coisa fácil de aparecer. E apareceu; e aqui o tenho nas mãos, nestas poucas linhas que os jornais acabam de imprimir e divulgar:

TENÇÃO

"Ontem o Sr. José Mendes de Abranches comprou-me objetos no valor de 60$000.

"Por lapso de soma, porém, somente cobrei 50$000, por cujo motivo o dito Sr. Abranches, conhecendo o meu logro, veio horas depois dar-me os 10$ que de menos eu havia recebido. Um ato de tanta probidade não merece ser esquecido, por isso assim o faço público. – O dono da Camisaria Especial, *Ed. Sriber*, Rua dos Ourives nº 51, porta imensa, corte."

Vejam bem o sentimento poético e a insinuação do Sr. Sriber: "Um ato de tanta probidade não merece ser esquecido". Isto e convidar os Homeros da localidade são a mesma coisa; portanto, acudo com o meu esboço de poesia, que porei em verso, se merecer a animação da crítica.

CANTO I

Musa, canta a probidade de Abranches, escrupuloso nas contas, exato nos pagamentos. Que as trompas do século repitam aos séculos futuros este lance extraordinário.

Já a Aurora, com seus róseos dedos, vinha abrindo a estrada ao sol, quando o Abranches acordou e levantou-se do leito. Desce os pés ao chão, calça as sandálias domésticas, toma do lençol de linho e passa ao banho. De pé, no centro da grande bacia talhada em lata, Abranches solta a mola que prende a linfa; esta, em jorro cristalino, esconde as belas formas do herói. Esgotada a água, ele sai, envolve-se todo no lençol de linho, alvo, como os primeiros albores da manhã, enxuga-se minuciosamente, e começa a vestir-se.

Então Mercúrio, patrono do comércio, toma a forma de camareiro, e, depois de uma profunda cortesia, profere estas palavras: "Abranches, tu careces de camisas!" O herói estremece, olha para si e reconhece a fatal verdade; sim, ele carece de camisa. Como a flecha que, embebida no arco, parte veloz, galga o espaço, rasga as nuvens, assim o Abranches acaba de vestir-se; mete dinheiro no bolso – uma nota de cem mil-réis – e rápido corre à Camisaria Especial.

CANTO II

A Camisaria Especial é o ponto do universo onde os trocos, quando são de mais, não são restituídos ao dono da casa. O camiseiro põe todo o cuidado em contar o dinheiro; conta, reconta, soma, diminui, multiplica, divide, unta cuspe nos dedos para não perder nada; é o seu método. Se algum bilhete sai de mais – um simples bilhetinho de cinco tostões – ninguém o restitui, vai forrar a porta do inferno dantesco.

Daí o olhar oblíquo que o camiseiro deita ao Abranches, quando este, ao entrar, lhe brada: "Ó tu, que o destino instituiu para vender as vestes imperiosas do homem, atende à minha súplica; eu preciso de camisas;

deixa-me ver uma dúzia". Mal o ouviu, o camiseiro pegou da escada, subiu às prateleiras, puxou uma caixa comprida e verde, onde repousam dobradas doze camisas nº 40; desce com ela, e coloca-a no balcão. Com a mão solícita, desata o cordel, ergue a tampa, desdobra as filhas de papel que protegem as camisas, até que a primeira destas aparece aos olhos do Abranches. A cor da neve brilha no precioso linho; três botões de madrepérola marcam o peito como os astros da madrugada; o pano largo e luzidio acusa a consistência da goma e a assiduidade dos ferros.

CANTO III

Mas o Abranches não quer só camisas, quer também colarinhos e punhos. Paciente como Penélope, o camiseiro sobe e desce a escada, para servir o herói. Este inclina-se, palpa, examina, inquire e compara; enfim o camiseiro diz-lhe o preço. Abranches, econômico, regateia; depois, manda embrulhar tudo.

Enquanto o camiseiro embrulha as compras, o herói, pontual como Hélios, tira da algibeira o receptáculo de couro, cintado de borracha, descinta-o, abre-o, e, com dois dedos, tira a nota de cem mil-réis, e entrega-a ao camiseiro.

Qual a terra árida, que após um longo e queimado verão, recebe as primeiras águas do inverno, toda se alegra, toda parece remoçar, assim o rosto do camiseiro fulgura, quando o Abranches levanta a nota. Esta passa às mãos do camiseiro, que se encaminha à caixa para fazer o troco.

Então, o deus Cálculo chama um dos seus Erros, e diz-lhe: "Vai, vai ao camiseiro da Rua dos Ourives, e faz com que ele se atrapalhe na conta". O Erro, fiel à ordem, desce, entra na loja, e atrapalha o camiseiro, que, em vez de dar ao herói 32 mil-réis, entrega-lhe 42. Nem ele adverte no engano, nem o Abranches conta o dinheiro; pega das camisas, colarinho e punhos, cumprimenta e sai.

CANTO IV

Entretanto, a Probidade, amiga do Abranches, vê a aleivosia, e pensa em salvar o herói. "Não, brada ela; isto não pode ficar assim; é preciso um exemplo grande, raro, nobre, épico; é preciso que o Abranches restitua os dez mil-réis".

E, tomando a figura de uma viúva pobre, aguarda o Abranches no corredor da casa deste; mal o vê entrar, lança-se-lhe aos pés. "Divino Abranches, sou uma viúva desvalida; dá-me de esmola o que te sobrar do troco que recebeste." O herói sorri; como pode sobrar alguma coisa do troco? Dócil, entretanto, saca o receptáculo, descinta-o, conta, reconta; é verdade, dez mil-réis de mais. Então a deusa: "Em vez de os dares a mim, vai restituí-los ao camiseiro". E, súbito, desapareceu no ar. Abranches reconhece o prodígio; algum deus benéfico lhe falou por aquela boca. Depositada a caixa em casa, e, rápido como um raio de Febo, voa à Camisaria Especial.

O camiseiro, encostado ao balcão, refletia na estrada do Madeira e Mamoré, quando o Abranches lhe apareceu, dizendo que vinha restituir-lhe dez mil-réis, que recebera de mais. O camiseiro não acreditou; deu de ombros, riu, bateu-lhe na barriga, perguntou-lhe como ia da tosse; mas o herói teimou tanto, que ele começou a desconfiar alguma coisa; examina a caixa e reconhece que lhe faltam dez mil-réis. A preciosa nota é recebida como o filho pródigo; o camiseiro beija-a, enche-a de lágrimas. O Abranches, comovido pela própria grandeza, deixa a Camisaria, e, teso, alucinado pelo albor de uma consciência imaculada e augusta, caminha impávido na direção da posteridade e da glória eterna.

Lelio

2 DE SETEMBRO
DE 1883

E por que não trataremos um pouco de finanças? Tudo tem entrado no tabuleiro das balas; só as finanças parecem excluídas, quando aliás todos nós as amamos cá em casa, não só por motivos públicos, como por outros particularíssimos.

Vá, pois, de finanças. Resolvi isto hoje às oito horas da manhã. Para não vir de todo uma tábua rasa, peguei de um artigo de Leroy-Beaulieu, um volume da *Revista dos Dois Mundos*, de 1852, os retrospectos comerciais do *Apóstolo*, etc. Conversei mesmo com um barbeiro, que me provou a todas as luzes que o dinheiro é mercadoria, por sinal que muito cara. Li tudo, misturei, digeri, e aqui estou.

Aqui estou, e digo.

Já leram os debates de anteontem na câmara dos senadores e os de ontem na dos deputados? Não; tanto melhor para mim. A questão é esta: o nosso último empréstimo externo (alta finança) foi contraído diretamente pelo governo, que se fez representar por um funcionário do tesouro. O Sr. Corrêa primeiro, e depois o Sr. Junqueira, tendo notícia de que os antigos empréstimos deixaram uma lambujem ao intermediário, perguntaram ao governo, se este, isto é, o tesouro, tinha ficado com a dita lambujem, uma vez que não houve outro intermediário, senão ele mesmo.

A resposta resume-se assim: os empréstimos deixaram 2% para o contratador, que costuma dividi-los com o intermediário. Sendo, porém, este o próprio governo, não tem o contratador a quem dar a lambujem, e fica com tudo. "O costume que existe em Londres (disse o Sr. Lafaiete) é uma liberalidade dos contratadores, não tendo o tesouro o direito de reclamar essa comissão; por ter sido negociador o ministro da fazenda, nada se recebeu."

Parece que esta teoria inglesa, ou, mais especialmente, londrina, não agradou a algumas pessoas. A mim mesmo confesso que desagradou profundamente. Tinha intenção de pedir cinco mil-réis ao Lulu Sênior, dando-me ele ainda por cima uns cinco ou seis tostões de lambujem, e confesso que o exemplo dos Srs. Rotschilds quebrou-me as pernas.

Na verdade, qual é a condição para obter a liberalidade (ou lambujem) dos Srs. Rotschilds? Quanto a mim, todo o mal foi do tesouro. O tesouro, em vez de chegar à casa dos Srs. Rotschilds, propor o negócio, concluí-lo, esperar que eles lhe mandassem a preta dos pastéis, e, cansado de esperar, ir pedi-la; o tesouro, digo, devia ter feito o contrário. Devia ir daqui a Londres; uma vez chegado, a começar a passear pelas ruas, com as mãos nas algibeiras, como quem não quer a coisa. Os Srs. Rotschilds, mal o vissem, corriam a apertar-lhe a mão:

– V. Ex.ª por aqui! Que quer? que manda? disponha de nós... Sabe que somos e seremos os seus maiores amigos. Vamos, entremos. Que quer? dois milhões? cinco milhões? dez milhões?

– Nada disso, responderia fleugmaticamente o tesouro. Venho empalhar um crocodilo.

Surpresa dos Rotschilds, que não compreendem nada; mas o tesouro, sempre dissimulado, pergunta-lhe se não conhecem algum empalhador hábil, ligeiro e moderado nos preços. Os Srs. Rotschilds, versados na escritura, creem que o tesouro está falando por imagem, e que o crocodilo é o *déficit*. Oferecem-lhe dinheiro.

– Não, diria então o tesouro; não preciso de dinheiro. Não imaginam como ando agora abarrotado. Cheguei ao extremo (é segredo, mas vocês são meus amigos) cheguei ao extremo de emprestar a 4%.
– Impossível!
– Verdade pura. O Paraguai pagou-me, há três semanas, tudo o que devia e mais os juros capitalizados; tive algumas deixas, fiz uns negócios; em suma, disponho agora de uns novecentos mil contos... E foi justamente por isso que resolvi fazer uma pequena viagem à Europa.
– Pois bem; mas numa hora cai a casa, nós podíamos fazer um pequeno negócio...
– Só se fosse muito barato.
– Pois sim.
– Com outra condição.
– Qual?
Era que o tesouro punha o pé no pescoço dos Srs. Rotschilds. A condição era dividir a lambujem. Eles, arriscados a perder a ocasião e o freguês, aceitavam tudo. Emprestavam o dinheiro, davam a lambujem; chegavam mesmo ao apuro de lhe mandar outro crocodilo.

LELIO

12 DE SETEMBRO
DE 1883

*N*inguém ceda aos primeiros impulsos da raiva; pode ser injusto. É o que me ia acontecendo há pouco, lendo a brilhante manifestação feita ao Sr. Joaquim de Freitas, condutor de bonde da linha de S. Cristóvão.

A manifestação consistiu numa chapa de prata, que esteve exposta na Rua do Ouvidor, antes de ser entregue, no domingo, com o cerimonial do costume. O motivo da manifestação é premiar o Sr. Freitas, pelas maneiras atenciosas com que trata os passageiros.

Tão depressa li isto, como dei três saltos e meio de furor. A parcialidade era evidente; ou, se não havia formal parcialidade, existia um tal desconhecimento de outros homens merecedores de tais recompensas, que tirava toda a competência aos manifestantes. Fosse como fosse, tive ímpetos de fazer um protesto público; mas um acontecimento veio logo deitar-me água na fervura.

Com efeito, acabo de saber que alguns cavalheiros, comovidos ante a fina hombridade com que me abstenho de desandar pontapés nas pessoas que passam na rua ou entram nos cafés e nas lojas, resolveram fazer-me também uma manifestação. Vão dar-me um par de botas.

Realmente, eu merecia-as há muito. Custa-me dizê-lo; mas, para que se não atribua a este ato espontâneo, e para mim inesperado, nenhuma intenção de puff, proclamo alto e bom som que não é só nas ruas que me abstenho de dar pontapés; nas próprias salas o meu procedimento é o mais conspícuo possível. Não mando ninguém plantar batatas; não meto os pés nas algibeiras dos outros; não dou palmadas nas moças. Nunca deixei de tirar o chapéu ao Santíssimo. Nos jantares, não é meu costume derramar o molho no vestido das damas. Que me lembre, só puxo o nariz aos meus amigos íntimos, e isso mesmo muito em particular.

Portanto, venham as botas. Consta-me que são de marfim, com solas de ébano, e as tachas de ouro; os cordões são fios de prata. Estão incumbidas ao artista nacional Tico-tico, e serão expostas na Rua do Ouvidor. Venham as botas, que já não é sem tempo.

Não venham, porém, as inveias, como já estão aparecendo ao Sr. Joaquim de Freitas. Alguns condutores da mesma companhia de S. Cristóvão queixam-se amargamente nestes termos: Mas então, se ele é premiado por ter maneiras finas com os passageiros, a conclusão é que nós somos uns grosseirões, uns malcriados? a conclusão é que eles não nos podem aturar? etc., etc.

Não venham também imitações. Dizem-me que um deputado, meu amigo, vai receber também uma manifestação; vão dar-lhe uma chapa de prata. Se a ideia fosse original, vá; mas depois da outra, não acho bonito.

Mal convalescido da emoção que me deu a notícia, abro os jornais, e dou com uma declaração da diretoria do Clube Terpsícore.

Ninguém ignora que este clube teve, domingo à tarde, na rua das Laranjeiras, um conflito, à unha e navalha, com a Sociedade Musical Prazer da Glória. Houve semifusas, confusas e profusas. Voaram caixas, gemeram clarinetas, uma amostra do pandemônio.

Na segunda-feira de manhã, veio a referida declaração, na qual o clube Terpsícore pede ao público que "suspenda o seu juízo duvidoso a nosso respeito". Realmente... Que eu, público, suspenda o meu juízo? Mas se eu não tenho neste momento outra preocupação que não seja firmar um juízo definitivo acerca da pancadaria de ontem. Questões destas não podem ser deixadas à revelia. Não vamos fazer com este caso o que temos feito com o negócio da emancipação. Olha, clube, eu estou pronto a suspender tudo o que quiseres. Um peso de dez arrobas, as calças, as reflexões enquanto escarrar, o sentido da oração; tudo, menos o meu juízo sobre o caso das Laranjeiras. Ora esta! Mas então em que é que o clube quer que eu pense senão nos seus conflitos?

***

Anteontem, no senado, trocaram-se algumas palavras, incidentemente, sobre qual das formas de governo é mais barata ou mais cara, se a monarquia, se a república.

Um assunto destes exige o voto de todos os cidadãos. Considero-me obrigado a vir dizer perante o meu país e o meu século que a mais barata de todas as formas de governo seria a que Proudhon preconizava, a saber, a anarquia. Pode-se gastar mais ou menos com o galo ou o peru que está no quintal, não se gasta nada com o cisne, que se não possui. A anarquia não custaria dinheiro, não teria ministros, nem câmaras, nem funcionários públicos, nem soldados; não teria mesmo tabeliães; exatamente como no Paraíso, antes e logo depois do pecado.

Sendo, porém, difícil ou impossível a decretação de um tal governo, não há remédio senão escolher entre os outros. Qual deles? a autocracia, a democracia, a aristocracia ou a teocracia?

Vou dar uma solução. Os governos são como as rosas: brotam do pé. Os jardineiros podem crer que eles é que fazem brotar as rosas, mas a realidade é que elas desabotoam de dentro do arbusto, por uma série de causas de leis anteriores aos jardineiros e aos regadores. Portanto, e visto que não podemos fazer governos como Mlle. Natté faz rosas, aproveito a circunstância auspiciosa de não ser presidente do conselho para citar dois versos de Molière, que me parecem dar a solução verdadeira do caso, e é cá a do povo – miúdo:

Le véritable Amphytrion,
C'est l'Amphytrion où l'on dîne.

LELIO

8 DE JANEIRO
DE 1884

Muita gente me tem dito que o interior do antigo Mercado da Glória é um mundo de gente. Li mesmo, há tempos, em não sei qual das nossas folhas, que há ali nada menos de 1.080 moradores, uma verdadeira população. Há dias repetiram-me a mesma coisa; e, pedindo eu notícias circunstanciadas, responderam-me que não há senão notícias vagas, boatos, conjecturas, cálculos, induções. Informações exatas ninguém as possui.

Entendi que os meus amigos da *Gazeta de Notícias* tinham o direito de exigir de mim uma pesquisa, e fui ao Mercado da Glória.

Cheguei à porta do lado de baixo e achei um homem que, ao saber das minhas intenções, perguntou-me se tinha licença do governo. Respondi-lhe que não me parecia necessário ir incomodar os...

– Faça o favor de esperar um instante, disse-me ele.

Foi ao interior, e logo depois voltou, dizendo-me:

– Suas Trindades vêm recebê-lo.

Cada vez mais espantado, esperei. Cinco minutos depois vieram de dentro três graves cavalheiros, engravatados de branco, os quais me cumprimentaram e me disseram que podia entrar.

– Nós somos o governo, disse o mais velho, dando-me o braço e passando à frente; este povo pacífico e laborioso, entendendo que não podia continuar dependente das autoridades exteriores, resolveu organizar um governo, cujos atuais depositários somos nós.

Tudo isto me deixava cheio de assombro. Olhava para todos os lados e via, com efeito, ordem e tranquilidade. Muitos curiosos estavam parados e olhando, por já constar que ali chegara um nobre estrangeiro, que ia visitar o país, estudar-lhe as instituições e costumes.

Suas Trindades pediram-me informações cá de fora. Podem imaginar qual não foi o meu espanto, quando me perguntaram como ia o ministério Sinimbu com a oposição. Respondi-lhes que o ministério Sinimbu caíra há muito tempo; tinham passado mais quatro depois dele.

– A nossa vida é tão reclusa, redarguiu uma das Trindades, que não admira que ignoremos tudo isso... Mas faça o favor de entrar; esta é a casa do governo.

Entramos. Era uma casa modesta. Comecei por assinar o livro dos visitantes, quero dizer inaugurá-lo; estava totalmente em branco. Em seguida mostraram-me a sala das deliberações e a respectiva mesa dos trabalhos, que é redonda, para não haver pendências de lugares. Vi depois a sala de recreio. Na biblioteca mostraram-me a constituição, leram-na e deram-me longas explicações, que não reproduzo agora por fazerem parte de um livro inédito, em que estudo e comparo todas as instituições políticas do século. Terminada a visita, manifestei o desejo de ver outros edifícios públicos e particulares. Eles mesmos ofereceram-se a acompanhar-me, e fomos dali ao Tesouro.

Não posso descrever a minha admiração diante do mecanismo daquela grande repartição pública e dos saldos que fulguram nas respectivas arcas.

– Não temos dívida atrasada, seja ativa, seja passiva, disseram-me eles.

— Compreendo que o não estejam as passivas, disse eu; basta que haja dinheiro para saldá-las; mas há dinheiro? os impostos são pontualmente pagos, e cobrem as despesas?
— Cobrem, são todos pagos; alguns até adiantadamente.
— Na verdade é extraordinário. Vejo que os seus cobradores são enérgicos...
— Não temos cobradores.
— Há então penas terríveis?
— Também não.
— Não entendo.

Suas Trindades sorriram. O mais velho dignou-se explicar-me o mistério.

— Nós estabelecemos como regra que os impostos devem ser pagos pelo contribuinte vindo ele ao tesouro por seu próprio pé, com o dinheiro no bolso. Estabelecemos nós que todos os que estiverem quites no fim de oito dias (os impostos são mensais) poderão acrescentar um apelido honorífico ao próprio nome, e os que pagarem adiantado acrescentá-lo-ão no superlativo; por exemplo, José Antônio da Silva *Pontualissimus*, Carlos da Mota *Liberalissimus*, Mariano Antônio de Sousa *Dedicadissimus*, etc. Não imagina como este sistema é fecundo. Sem pau nem pedra, cobra-se tudo, o número dos adiantados sobe hoje a vinte por cento. Compreendeu?
— Perfeitamente.
— Agora estamos estudando uma lei que estabeleça algumas vantagens honoríficas aos credores que não quiserem receber coisa nenhuma. Calculamos que isto nos trará uma economia de vinte por cento... quinze que seja...

Saímos dali a visitar outros estabelecimentos; a casa da justiça é alcunhada pelo povo *a casa do sono*, porque realmente não há nada que fazer; não há delitos, ou são raros. Os juízes dormem para matar o tempo. Visitei ainda outros estabelecimentos públicos; depois fui aos particulares.

Clubes, lojas, bancos, são em grande número. Comecei por uma loja de música. Havia muita gente à porta, para comprar a última polca, denominada *Pega, que eu te dou eu!* Não se imagina o tumulto de gente que era! No fim de vinte minutos estava esgotada a primeira edição, e ia-se imprimir a segunda. Comprei um exemplar daquela e uma das últimas polcas do ano passado: *Redondo, sinhá! Quebre, minha gente! Remexa tudo! Ui, que gosto! Estás aí, estás mordido! Gentes, que bicho é este?*

Fui depois a uma loja de alfaiate, aparelhada de tudo o que se pode querer em tal gênero. A moda mais recente foi estabelecida com um fim político. Parece esquisito, mas é a verdade pura; ouvi-o da própria boca do governo.

– Começamos a notar, disseram-me Suas Trindades, que o amor da beleza humana se ia introduzindo muito entre nós e lançando as raízes de uma vaidade prejudicial aos bons costumes. Resolvemos, pois, decretar uma moda que destruísse todo o vestígio das nossas perfeições, e nada nos pareceu melhor do que as calças curtíssimas e estreitíssimas, as mangas idem, idem, e os paletós sungados coisas todas que ficam bem nos ingleses e execráveis nos outros povos. O efeito foi pronto.

Fui dali aos bancos, onde me explicaram o mecanismo do câmbio; mas não entendi. Visitei outras partes. No fim convidaram-me a um jantar oficial, onde ouvi cerca de trinta brindes, a meu respeito. O último foi o do governo, e tais foram as finezas dele, que não me atrevo a transcrever neste papel. A menor delas foi chamar-me: *espírito educado nas mais altas e profundas questões do nosso tempo.* Agradeci vexado.

Vieram trazer-me até a porta, onde dois soldados me apresentaram armas. Suas Trindades pediram-me que desfizesse algum preconceito que houvesse cá fora contra o seu país, e sobretudo afirmasse o desejo que este nutre de viver em paz com o Império.

– Nós não queremos outra coisa, disseram eles, senão governarmos em paz e respeitar os vizinhos. A história não mencionará uma só guerra nossa, ou, ao menos, por nós iniciada.

LELIO

20 DE JULHO
DE 1884

Constou-me um destes dias que o Sr. Conselheiro Lafaiete estava concluindo um livro. Fui ter com S. Exª, que me confessou ser verdade. Trata-se de um volume de trezentas páginas in 4º, intitulado (à imitação de um escrito estrangeiro) *História que não aconteceu*. Pedi a S. Exª que me desse um trecho da obra, um capítulo, ou, quando menos, uma ideia geral do plano e da matéria; o ilustre senador declarou-me que não teria dúvida em dar-me um capítulo ou dois, mas era preciso copiá-los; o escrito está ainda em borrão, muito cheio de entrelinhas.

– Então, uma ideia, um resumo...
– Perfeitamente, disse S. Exª, isso dou, e com muito prazer. Eu suponho a obra escrita em maio de 1885; o período histórico vai de 8 de junho deste ano a 15 ou 20 de janeiro do ano que vem. Estamos na câmara no dia 3 de junho; as galerias e as tribunas enchem-se de povo, circunstância que aproveito para intercalar um belo pensamento, à maneira de Tácito. Sabe que foi o dia da eleição do presidente...

– Sim, senhor; Moreira de Barros contra Rodrigues.
– Abre-se a sessão, fazem-se dois ou três discursos, correm as urnas, contam-se os votos: sai eleito Moreira de

Barros por unanimidade. Espanto do Prisco. Sussurro nas galerias; ninguém entende nada.
— Eu mesmo confesso a V. Ex.ª que...
— Não confesse e ouça. Entra em discussão o orçamento; apareço eu no salão. Rompe o debate o Figueira e declara que a manifestação da maioria, a que a oposição se associou, seria incompleta, se a oposição não me convidasse a jantar. Espanto do Soares Brandão. Ergo-me e agradeço não só a manifestação anterior como o convite, que declaro aceitar em nome de todos os princípios.
— Realmente é imaginoso.
— Na política não há imaginação, há lógica, e lógica de ferro. Segue-se o capítulo do jantar, que é no Cassino, e naturalmente um jantar clássico: línguas de rouxinol, ostras de Cartago, etc. Creio que é uma das melhores páginas do livro. Na frente do edifício, em letras de gás, um trecho de Horácio: *Nunc est bibemus...* A mesa tem a forma de coração. Os brindes são numerosos e amistosos; fim da primeira parte.
— Vamos à segunda.
— A segunda compreende o resto do mês de junho, todo o mês de julho, até meados de agosto. Na discussão dos orçamentos acentua-se mais a fraternização dos partidos. O próprio Figueira, sem deixar de ser enérgico e inflexível nos princípios, declara que só quer ver restaurada a verdade da lei; não trama a queda do gabinete, deseja antes longa vida aos ministros. Votam-se os orçamentos nos meados de julho; unanimidade. Enquanto se discute lá fora, eu, na sala dos ministros aprendo grego com o Anísio, e epistolografia com o Rodrigues. Estou em dúvida se farei votar na câmara uma coroa de louros para mim; receio que vejam nisso uma ideia de César para cobrir a calva, e, por outro lado, não quero tocar as raias da inverossimilhança; fico só na votação dos orçamentos e na unanimidade. Nisto acaba o mês de agosto.

— Sim, senhor; fecham-se as câmaras.
— Fecham-se as câmaras, e vamos à eleição. No dia 10 ou 12 de setembro, o Dantas parte para a Bahia, como um simples senador. Há de ter notado que em toda a minha história não há a menor probabilidade de ministério Dantas; mas o que não notou, porque ainda não cheguei lá, é que eu não deixei partir os deputados sem lhes oferecer um jantar magnífico, no mesmo Cassino, com o mesmo aparato e a mesma alegria. A oposição congratula-se com o ministério, e intima-se que continue a marchar na estrada da legalidade, afirmando que assim poderei contar com as bênçãos do país. Eu respondo que o país pode contar com os meus esforços, para servi-lo, e acrescento que, em todo caso, vai ter a palavra, para dizer com toda liberdade o que deseja. Compreende que é uma promessa de não intervir no pleito eleitoral...
— Que V. Ex.ª cumpre?
— Homem, confesso-lhe que a princípio tenho cócegas de intervir em alguma coisa (é no cap. XII), mas depois, diante do meu Pedro, do meu Montaigne... Nunca leu Montaigne?
— Algumas vezes...
— Excelente Montaigne! E Pedro? Gosto também de Molière; diga-me se acha muita coisa que se lhe compare; mas, enfim, o Montaigne...
— V. Ex.ª esqueceu que estamos na eleição.
— Justamente. Ia intervir; mas deixo de mão a eleição, e meto-me na Gávea, lendo os meus amigos, vindo três vezes por semana ao Tesouro, e todos os sábados a São Cristóvão despachar com o imperador. Nada de Dantas no caminho, nem para lá, nem para cá. Nada; nem Dantas, nem projeto de elemento servil, nem escravos de sessenta anos, nem nada. Chegam as eleições, o Paulino trabalha, e...

LELIO

4 DE AGOSTO
DE 1884

*A*gora que vamos ter eleição nova, lembraram-se alguns amigos que eu bem podia ser deputado. Tanto me quebraram a cabeça, que afinal consenti em correr às urnas. Resta só a profissão de fé, que é o ponto melindroso.

Eu podia, à semelhança de um candidato inglês, em 1869, fazer este pequeno *speech:* "Quero a liberdade política, e por isso sou liberal; mas para ter a liberdade política é preciso conservar a constituição, e por isso sou conservador". Mas, além de copiá-lo, se apresentasse um tal programa (o que não fica bem), não sei se essas poucas linhas, que parecem um paradoxo, não são antes (comparadas com as nossas coisas) um truísmo.

Portanto:

Há muitos anos, em 1868, quando Lulu Sênior andava ainda no colégio, e, se fazia gazetas, não as vendia e menos ainda as publicava, nesse ano, e no mês de dezembro, fui uma vez à assembleia provincial do Rio de Janeiro, vulgarmente salinha. Orava então o deputado Magalhães Castro. Nesse discurso, essencialmente político e teórico, o digno representante ia dizendo o que era e o que não era, o que queria e o que não queria.

Ao pé dele, ou defronte, não me lembro bem, ficava o deputado Monteiro da Luz, conservador, e o deputado

Herédia, liberal, que ouviam e comentavam as palavras do orador. Eles o aprovavam em tudo; e, no fim, quando o Sr. Magalhães Castro, recapitulando o que dissera, perguntou com o ar próprio de um homem que sabe e define o que quer, eis o diálogo final (consta nos jornais do tempo):
 O Sr. Magalhães Castro: – Agora pergunto: quem tem estes desejos o que é? o que pode ser?
 O Sr. Monteiro da Luz: – É conservador.
 O Sr. Herédia: – É liberal.
 O Sr. Monteiro da Luz: – Estou satisfeito.
 O Sr. Herédia: – Estou também satisfeito.
 Portanto, basta que eu exponha as teorias para que ambos os partidos votem em mim, uma vez que evite dizer se sou conservador ou liberal. O nome é que divide.
 Resta, porém, a questão do momento, o projeto do governo, a liberdade dos 60 anos, com ou sem indenização, ou o projeto do Sr. Felício dos Santos, que não é um nem outro. Sobre este ponto confesso que estive sem saber como explicar-me, até que li a circular de um distinto deputado, candidato a um lugar de senador. Nesse documento que corre impresso, exprime-se assim o autor: "Quanto à questão servil, já expendi o meu modo de pensar em dois folhetos que publiquei, um sobre a baixa do açúcar, outro sobre colonização".
 Desde que li isto, vi que tinha achado a solução necessária ao esclarecimento dos leitores. Com efeito, é impossível que eu não tenha publicado algum dia, em alguma parte, um outro folheto sobre qualquer matéria mais ou menos correlata com os atuais projetos. Na pior das hipóteses, isto é, se não tiver publicado nada, então é que estou com a votação unânime. A razão é que devemos contar em tudo com a presunção dos homens. Cada leitor quererá fazer crer ao vizinho que conhece todos os meus folhetos, e daí um piscar de olhos inteligente e os votos.

Eu, pelo menos, é o que vou fazer. De tanta gente que andou pelas ruas, no centenário de Camões, podemos crer que uns dois quintos não leram Os lusíadas, e não eram dos menos fervorosos. O mesmo me vai acontecer com o Sr. Peixoto. Vou dizer a toda a gente que li e reli os dois folhetos do Sr. Peixoto, tanto o do açúcar como o da colonização; acreditarei que são in 8º, com 80 ou 100 páginas, talvez 120, bom papel, estatísticas e notas. Interrogado sobre o valor comparativo de ambos, responderei que prefiro o do açúcar, por um motivo patriótico, visto que o açúcar é um produto do país e a colonização vem de fora; mas direi também que o da colonização tem ideias muito práticas e aceitáveis.

Podia também citar a câmara anterior, que com infinita serenidade votou pela reforma eleitoral constitucional, e depois pela mesma reforma extraconstitucional; mas não adoto esse alvitre, um dos mais singulares que conheço, para não ser acusado injustamente de mudar a opinião ao sabor dos ministros. Prefiro entrar sem programa, e eis aqui o meu plano consubstanciado nesta anedota de 1840:

Era uma vez um sujeito que aparecia em todos os casamentos. Em sabendo de algum vestia-se de pronto em branco e ia para a igreja. Depois, acompanhava os noivos à casa, assistia ao jantar ou ao baile. Os parentes e amigos da noiva cuidavam que ele era um convidado da noiva, e vice-versa, cuidavam que era pessoa do noivo. À sombra do equívoco, ia ele a todas as festas matrimoniais.

Um dia, ao jantar, disse-lhe um vizinho:

– V. S. é parente do lado do noivo ou do lado da noiva?

– Sou do lado da porta, respondeu ele, indo buscar o chapéu.

Levava o jantar no bucho.

LELIO

23 DE AGOSTO
DE 1884

Anda nos jornais, e já subiu às mãos do Sr. ministro dos negócios estrangeiros, uma representação do Clube ou Centro dos Molhadistas contra os falsificadores de vinhos. Trata-se de alguns membros da classe que, a pretexto de depósitos de vinhos, têm nos fundos da casa nada menos que uma fábrica de falsificações. Segundo a representação, os progressos da química permitem obter as composições mais ilusórias, com dano da saúde pública.

Ou eu me engano, ou isto quer dizer que se trata de impedir a divulgação de certa ordem de produtos, a pretexto de que eles fazem mal à gente. Não digo que façam bem; mas não vamos cair de um excesso em outro.

Os homens reunidos em sociedade (relevem-me este tom meio pedante) estão virtual e tacitamente obrigados a obedecer às leis formuladas por eles mesmos para a conveniência comum. Há, porém, leis que eles não impuseram, que acharam feitas, que precederam as sociedades, e que se hão de cumprir, não por uma determinação de jurisprudência humana, mas por uma necessidade divina e eterna. Entre essas, e antes de todas, figura a da luta pela vida, que um amigo meu nunca diz senão em inglês: *struggle for life*.

Se a luta pela vida é uma lei verdadeira e só um louco poderá negá-lo, como há de lutar um molhadista em terra de molhadistas? Sim, se este nosso Rio de Janeiro tivesse apenas uns vinte molhadistas, é claro que venderiam os mais puros vinhos do mundo, – e por bom preço – o que faria enriquecer depressa, pois não os havendo mais baratos, iriam todos comprá-los a eles mesmos.

Eles, porém, são numerosos, são quase inumeráveis, e têm grandes encargos sobre si; pagam aluguéis de casa, caixeiros, impostos, pagam muita vez o pato, e hão de pagar no outro mundo os pecados que cometerem neste, e tudo isso lutando, não contra cem, mas contra milhares de rivais. Pergunto: o que é que lhes fica a um canto da gaveta? Não iremos ao ponto de exigir que eles abram um armazém só para o fim de perder. O mais que poderíamos querer é que não o abrissem; mas uma vez aberto, entram na pura fisiologia universal; e tanto melhor se a química os ajuda.

Também matar é um crime. Mas as leis sociais admitem casos em que é lícito matar, defendendo-se um homem a si próprio. Bem; o molhadista do nº 40, que falsifica hoje umas vinte pipas de vinho, que outra coisa faz senão defender-se a si mesmo, contra o molhadista do nº 34 que falsificou ontem dezessete? *Struggle for life*, como diz o meu amigo.

Depois, façamos um pouco de filosofia Pangloss, penetremos nas intenções da Providência. Se com drogas químicas se pode chegar a uma aparência de vinho, não parece que este resultado é legítimo, lógico e natural? Acaso a natureza é uma escola de crimes? E dado mesmo que um tal vinho seja danoso à saúde pública, não pode acontecer que seja útil à virtude pública, levando os homens a abster-se? E, porventura, a virtude merece menos que a saúde? Não são ambas a mesma coisa, com a diferença que a virtude é ainda superior? Não entrará tudo isso nos cálculos do céu?

***

Eu bem sei que era melhor não vender nada, nem vinho puro, nem vinho falsificado, e viver somente daquele produto a que se refere o meu amigo barão de Capanema, no *Diário do Brasil* de hoje: "Alguns milhões de homens livres no Brasil (escreve ele) vivem do produto da pindaíba..." Realmente eu conheço um certo número que não vive de outra coisa. E quando o escritor acrescenta: "... pindaíba do tatu que arrancam do buraco..." penso que alude a alguns níqueis de mil-réis que têm saído da algibeira de todos nós.

Era melhor; mas isto mesmo pode dar lugar a falsificações. Nem todas as pindaíbas são legítimas. E a própria química finge algumas, por meio das lágrimas que são, em tais casos, química verdadeira.

***

Talvez por isso tudo é que um cavalheiro, que não sei quem seja, mas que mora na travessa do Maia, lembrou-se de fazer este anúncio: "Brasão de armas, composição de cartas de nobreza, árvore genealógica, todo e qualquer trabalho heráldico, em pergaminho, pintura em aquarela e dourados, letras góticas, trata-se na travessa – etc.".

Esse cidadão não viverá na pindaíba, nem lhe dirão que faz vinho nos fundos da fábrica. Não faz vinho, faz história, faz gerações, à escolha, latinas ou góticas. E não se pense que é ofício de pouca renda. Na mesma casa convida-se as senhoras que se dedicam à arte de pintura e quiserem trabalhar. Se ainda acharem que há aí muita química, cito-lhes física, cito-lhes um "grande cartomante" (sic) da rua da Imperatriz, que dá consultas das 7 às 9 horas da manhã. Física, e boa física.

Que querem? é preciso comer. Cartomancia, heráldica, pindaíba de tatu, ou vinhos confeccionados no fundo do armazém, tudo isso vem a dar na lei de Darwin.

LELIO

5 DE SETEMBRO
DE 1884

*U*m deputado, prestes a embarcar, confiou-me agora a *Canção do Exílio* que ele pretende soltar aos ventos, logo que ponha pé na província. Vou divulgá-la, não só porque de mexericos vivem os espíritos miúdos (e eu sou miúdo), como porque os versos parecem expressar uma situação moral interessante.

Hão de notar que ele imita a célebre canção de Gonçalves Dias, mas, imitando mesmo, pode-se reconhecer a originalidade de um homem. É o que o leitor verá destes versos, grandemente saudosos e filhos do coração. Em geral, estamos habituados a ver a nota lírica aplicada aos sentimentos de ordem doméstica e individual, não política. É um erro; e o nosso ex-deputado o demonstra com um vigor que espero será imitado por outros engenhos. Julgue o leitor por si mesmo:

***

Minha terra tem cadeiras,
Onde a gente a gosto está,
Os homens que aqui palestram,
Não palestram como lá.

***

Em descansar estes ossos
Mais prazer encontro eu lá;
Minha terra tem cadeiras,
Onde a gente a gosto está.

***

Minha terra tem primores,
Que tais não encontro eu cá;
Em descansar estes ossos
Mais prazer encontro eu lá;
Minha terra tem cadeiras,
Onde a gente a gosto está.

***

E depois a força imensa
Do voto que a gente dá,
E faz andar o governo
Cai aqui, cai acolá!

***

Assisti a muita crise...
Quem sabe? quem subirá
É Saraiva ou Lafaiete?
Dantas ou Paranaguá?

***

Vinha, enfim, o ministério,
Casaca ou farda, e crachá;
Muita gente nas tribunas,
Muito rosto de sinhá...
Não era esta triste vida,
Vida de caracacá.

***

Se às vezes gastavam tempo
Com algum tamanduá,
A gente dava uma volta,
Deixava uns cinco por lá,
E corria à boa vida
Que se não encontra cá.

***

Terra minha tão bonita,
Em que as tais cadeiras há,
Cadeiras amplas e feitas
Todas de jacarandá,
Deus lhe dê o que merece,
E o que ainda merecerá.

***

Nem permita Deus que eu morra
Sem que volte para lá,
Sem que inda veja os primores
Que não encontro por cá,
E me sente nas cadeiras
Onde a gente a gosto está.

22 DE SETEMBRO
DE 1884

*P*eço ao Sr. Barão de Cotejipe e ao meu amigo Laet, sejam menos injustos com o Asilo de Mendicidade. Nenhum deles frequenta esse estabelecimento, ao passo que eu morei defronte dele, e se ainda está como estava há anos, é um dos primeiros da América do Sul. Se decaiu é outro caso.

Os mendigos vivem ali uma vida relativamente boa. Desfiam estopa, é verdade; mas a gente alguma coisa há de desfiar neste mundo. Em compensação, não pagam casa, nem mesa. Mesa, ainda que queiram pagá-la, não poderiam fazê-lo: comem, nos joelhos, um prato de estanho com dois ou três bocados de feijão. É pouco, é quase nada; mas a consideração de não ser um pão mendigado de porta em porta é o seu melhor tempero. Ninguém ignora que o pouco com alegria vale mais do que o muito com desonra.

Não procede o fato de andarem esquálidos, com os ossos furando a calça e a camisa. São esquálidos, concordo; cada um deles é um cadáver ambulante; mas, afinal, a gente não os foi buscar ao Banco do Brasil ou às fazendas de Cantagalo. Se algum entrou para ali menos magro, não sei; em todo caso, entrou para não morrer de fome, e uma vez que viva, também cá fora há gente magra, com a diferença: – que é magra e muita dela endivida-se, coisa que não acontece àqueles homens.

No tempo em que morei defronte ao Asilo, eles apanhavam frequentemente; mas ninguém será capaz de dizer que o chicote tinha pregos nas pontas, ou mesmo alfinetes: era um simples nervo de boi, ou coisa que o valha, e se lhes doía, é porque os chicotes fizeram-se para isso mesmo. Não quererão convencer-me de que chicote e cama de plumas é a mesma coisa.

Que eles tinham um ar triste, abatido, mais próximos de bestas que de homens, isso é verdade; mas perscrutou alguém as causas desse fenômeno? Seguramente, não; entretanto, as coisas do mundo vão de tal maneira que bem se pode atribuir a melancolia daqueles homens a uma causa propriamente filosófica, estranha à administração do Asilo.

Em compensação tinham eles recreios de toda a sorte, que de certo modo lhes fariam esquecer a residência em tristes cubículos. Aos domingos de tarde, vinham para o pátio, não digo infecto, e ali sentados de volta, encostados à parede, olhavam uns para os outros. Às vezes olhavam para o chão – outras para o ar. Não falavam; mas o velho adágio oriental de que a palavra é prata e o silêncio é ouro justifica essa falta de comunicação obrigada, que afinal era uma riqueza para eles.

Em vindo a noite, recolhiam-se todos e iam para os seus cubículos, onde os que não dormiam catavam pulgas ou piolhos. Cá fora nem mesmo isso faziam.

Outro recreio, que, segundo me consta (e só hoje o soube) se lhes dá é a leitura da parte comercial das folhas públicas.

Parece que é uma sugestão médica: consolar da miséria, lendo o preço das apólices.

Eu até aqui andava persuadido de que a parte comercial era lida pelos comerciantes. Simples ilusão. Nenhum lê a parte comercial. Daí o fato de terem os jornais de 12, dando notícia da reunião da Associação Comercial de 11, anunciado que a assembleia unanimemente aceitou a demissão que o Sr. Wenceslau Guimarães deu do lugar de diretor. Era inexato; a assembleia rejeitou-a, também unanimemente; foi o que o presidente da reunião retificou em data de 19, nas folhas de 20. Sete dias depois! Em seis fez Deus o mundo, e descansou no sétimo! Façamos a mesma coisa, que é Domingo.

LELIO

9 DE JANEIRO
DE 1885

Antes de comecar, peço ao leitor que verifique se lhe falta alguma coisa nas algibeiras. Nestes tempos eleitorais não se anda seguro, e mais um diploma ou menos um lenço é a mesma coisa.

Não lhe falta nada? Bem, agora ouça e diga-me se quem concebeu esta ideia não merece, pelo menos, um tabelionato. Trago-lhe uma reforma eleitoral. Ouso crer que com a minha lei todos os males presentes vão acabar. Não a tenho ainda redigida, não posso dá-la com as formas técnicas, mas aqui vão as disposições principais.

Para nunca sair daquela simetria, que é o consolo dos olhos bem nascidos, a presente lei eleitoral durará ainda até o fim do século. A minha começará com o século novo.

No princípio desse e de todos os séculos vindouros, até o ano 5000, se Deus for servido, organizar-se-á uma tabela de alternação dos partidos, para todo o século, tabela que será publicada nos jornais de maior circulação, depois de aprovada por um decreto. O prazo do governo de cada partido será de um decênio, se eles tiverem o sentimento da coletividade, e de um quatriênio, ou até de um biênio, se dominar o sentimento não menos respeitável das satisfações pessoais e dos prazeres de família. Não esqueçamos que a família é a base da sociedade.

Só o ministério é homogêneo. A câmara dos deputados dará sempre um terço ao partido adverso. Os deputados que formarem esse terço poderão fazer parte da maioria do seu partido, no prazo ulterior. A composição do senado ficará sujeita ao mesmo processo, sem prejuízo da vitaliciedade. Como? Eis aí uma das belezas do meu plano. No senado haverá duas maiorias. Subindo um partido, a maioria adversa ficará reduzida a um terço da mesma câmara, para os efeitos legislativos, mas os senadores excluídos perderão o direito de voto e o dever do comparecimento, e poderão ir para onde lhes aprouver, até que finda o prazo. Não poderão, porém, sair do Império sem licença do senado.

A eleição será feita na secretaria do Império, ficando incumbida desse trabalho especial uma seção também especial, composta de três amanuenses. O processo é simples.

Cada partido depositará na secretaria, seis meses antes, uma lista dos seus candidatos, que serão o triplo do número de deputados que lhe houver de caber. Essas listas, autenticadas e lacradas, serão abertas no dia da eleição e escritos os nomes em papelinhos, metidos em uma urna e sorteados depois.

Os nomes que não saírem poderão voltar ao prazo seguinte, se fizerem parte da nova lista de candidatos; mas, durante todo o prazo atual ficarão na secretaria para os casos de vaga.

Qualquer pessoa afeita ao estudo das instituições políticas terá penetrado já a profundeza da minha concepção; mas não para aqui. Há muita coisa mais, que não exponho por amor da brevidade. O fim principal está claro que é eliminar a paixão e a fraude. Vaidade à parte: creio que não se podia fazer melhor.

Uma das disposições, que constituem verdadeira novidade, é a última ou antes a penúltima, – que a última é a que declara revogadas as disposições em contrário. Estatuo ali uma elevada pensão para o autor do projeto. Não o faço por nenhuma consideração pessoal, não cedo ao vil interesse, nem as concepções do espírito se pagam. Mas eu tenho família; e repito, a família é a base da sociedade. Fortifiquemos a base para que o edifício resista. Não demos a mão aos que derrubam.

Lelio

13 DE JANEIRO
DE 1885

A polícia acaba de apreender a seguinte carta de um socialista russo, Petroff, que se acha entre nós; é dirigida ao Centro do Socialismo Universal, em Genebra:
"Rio de Janeiro, 12 de janeiro de 1885.
"Logo que cheguei a esta cidade, tratei de cumprir as ordens que me deu o Centro, no sentido de espalhar aqui os germens de uma revolução. Pareceu-me que o melhor era fundar uma sociedade secreta, mas, com espanto, soube que já havia um Clube de Socialistas, e que a tolerância do governo é tal, que ele trabalha às claras. Pedi imediatamente um convite para assistir à primeira reunião; deram-mo e fui.
"O pouco português que aprendi em Genebra, e mais tarde em Lisboa, facilitou-me a entrada no Clube. Fui um pouco antes da hora marcada. A diretoria, a quem disseram que eu era um ilustre estrangeiro (neste país todos são mais ou menos ilustres), recebeu-me com as mais vivas demonstrações de apreço – e consideração. Notei desde logo a presença de senhoras, e declarei que estimava ver que a mulher aqui já ocupava o lugar que lhe compete, ao lado do homem. Em seguida perguntei a que horas começava a coisa.
"– Não tarda, disseram-me todos.
"Eu levava um discurso preparado, verdadeiramente incendiário; copiei também algumas receitas de bombas explo-

sivas, segundo me recomendam as instruções do Centro, e levei-as comigo.

"Às nove horas comecei a ouvir afinar instrumentos, e (veja como os costumes mudam de um país para outro) rompeu uma quadrilha. Compreendi logo que era um meio de agitar o sangue, até pô-lo no grau de movimento e temperatura apropriado à nossa santa obra. E essa inovação pareceu-me útil.

"A diretoria apresentou-me a uma senhora, que me aceitou para ser par, e fui dançar com ela. Vi que era uma pessoa de fisionomia enérgica e resoluta; teria vinte e oito a trinta anos. Dançando, disse-lhe que estava entusiasmado com o Rio de Janeiro, onde não imaginaria achar o que achei. Ela sorriu lisonjeada, e declarou-me que sentia grande satisfação em ouvir tais palavras.

"A nossa conversa foi interessantíssima, conquanto muita coisa me escapasse, pela presteza com que ela falava, e que, em geral, é a de todos que falam a própria língua. O estrangeiro, quando não está familiarizado, precisa de que se lhe articulem as palavras vagarosamente. Não obstante, pudemos trocar algumas ideias, e até recolhi muitas notícias, que comunicarei no meu relatório. Uma dessas é que há outras sociedades análogas ao Clube, e com o mesmo fim.

"– A principal e a mais brilhante, disse-me ela, é o Cassino Fluminense. Ainda não foi ao Cassino?

"– Não, senhora.

"– Pois vá, que vale a pena.

"– Boa gente, não? os verdadeiros princípios?

"– Ah! o melhor que se pode desejar.

"Acabada a quadrilha, seguiu-se uma polca, e logo depois outra quadrilha. Pareceu-me demais; eu já tinha o sangue em fogo; mas não houve remédio, e fui fazendo como os outros. As senhoras dançavam com um ardor, que, se nesse momento déssemos uma bomba explosiva a qualquer delas, iria dali, logo e logo, deitá-la onde fosse conveniente à boa causa.

"Eram onze horas, e nada de começarem os trabalhos. Eu, impaciente, fui a um dos membros da diretoria, e perguntei de novo a que horas era a coisa.

"– Não tarda, é à meia-noite em ponto. Vamos agora a uma valsa.

"Pedi-lhe dispensa da valsa, e fui fumar um charuto, em companhia de um sócio, que me pedia notícias da Rússia, e se lá havia algum clube de socialistas. Respondi-lhe que havia muitos, mas todos secretos, porque o governo não consentia nenhum público, e quando descobria algum, pegava dos sócios e mandava-os para a Sibéria. Não imagina o assombro do meu interlocutor.

"– Ah! é bem duro viver em um tal país!, exclamou ele.

"– Se é!, disse-lhe eu.

"– Agora compreendo os atentados que por lá se têm praticado. Realmente, mandar para a Sibéria homens que apenas usam de um direito sagrado...

"Expliquei-lhe bem o que era a Rússia, e concluí que, em geral, toda a Europa é um velho edifício que precisa cair. Nisto bateu meia-noite e passamos todos a uma sala interior, onde vi uma mesa cheia de comidas e bebidas, e nenhuma tribuna para os oradores. Foi engano meu, como vai ver.

"Homens e senhoras sentaram-se e comeram. No fim de 15 a 20 minutos, levantou-se o presidente, e declarou que saudava, em nome do Clube dos Socialistas, ao ilustre estrangeiro que ali se achava: era eu. Levantei-me e respondi com o discurso que levava de cor. Não posso dar-lhe ideia dos aplausos que recebi. Todas as teorias de Bebel, de Cabet, de Proudhon, e do nosso incomparável Karl Marx, foram perfeitamente entendidas e aclamadas. Fizeram-se outros discursos, em que entendi pouco, por causa da língua, mas que me pareceram animados dos bons princípios. Cada um deles era fechado por toda a reunião com o grito: *Uê, uê, Catu!* Suponho que é a fórmula nacional do nosso brado revolucionário: *Morte aos tiranos!*

"Um dos mais entusiastas era um militar, a quem fui cumprimentar, dizendo que estimava ver o exército conosco.

"– O militar precisa de algum descanso, respondeu ele sorrindo.

"Era uma alusão delicada à supressão dos exércitos permanentes, e eu apertei-lhe a mão de um modo significativo.

"Mandarei mais pormenores por outro vapor. Ao fechar a carta, recebo o diploma de sócio honorário do Clube. País excelente; está todo nas boas ideias."

Lelio

17 DE AGOSTO
DE 1885

Enquanto se não organiza outro ministério, deixem-me dizer o que me aconteceu, quando li a declaração de voto do Sr. Amaro Bezerra.

Principalmente, fiquei com os cabelos em pé. Quando li que há "um divórcio pleno entre a política e a moral"; que há "a mais lamentável e perigosa decadência dos espíritos, dos caracteres, das instituições, que assinala as vésperas de um desmoronamento ou dissolução geral, de um grande cataclismo"; que depois disto virá "alguma dominação caricata, perniciosa e repugnante"; e finalmente que só poderemos então "reconquistar a liberdade, à custa de movimentos sanguinolentos"; quando li tudo isso, repito que fiquei com os cabelos em pé, e tive duas razões para tanto.

A primeira é que não sou careca; a segunda é a que vou confiar à história do meu país.

Eu, por mais que me quebrem a cabeça com palavras, creio nas palavras. As paixões políticas podem causar muito desabafo no calor da discussão; mas não é o caso da declaração daquele voto, ato escrito, pensado e determinado.

Naturalmente, imaginei que a mesma impressão tivessem recebido os meus concidadãos; e como não era bonito consternar-me sozinho, em casa, saí para a rua, a fim de consternar-me com eles.

Saí, fui ao que me pareceu mais conspícuo, e perguntei-lhe se não estava consternado.
– Seguramente!
– Parece-lhe então?
– Que a égua *Icária* não tem a filiação que lhe querem dar. Pode lá ser possível? Conhece o garanhão? Não conhece... Estive na última sessão do Jockey Clube; vi os documentos, as tais provas, ouvi os discursos, uma pouca-vergonha!
– Perdão, falo-lhe de um desmoronamento social...
– Nem eu lhe falo de outra coisa. O Jockey Clube não pode continuar assim. Desmoronamento, e desmoronamento sério. A égua *Icária*! Mas advirta o meu amigo...

Deixei esse cidadão, – ainda menos conspícuo que hípico, – e caminhei para outro, cujo nariz revelava a mais profunda amargura. Apertei-lhe a mão comovido: disse-lhe que tinha razão.

– Não lhe parece?, acudiu ele. Entram-me quatorze pessoas em casa, para jantar, com o pretexto de ver o fogo da Glória! Mas então por que não foram de noite? O fogo era de noite. Quatorze pessoas! E um pobre-diabo, que só pode contar com os tristes vencimentos de empregado público, que vá arranjar um peru, um leitão, um jantar, em suma, para quatorze pessoas.

– Há coisa pior do que isso.

– Compreendo; teve lá vinte em sua casa? É isto. O melhor de tudo é morar no inferno; lá, ao menos, embora haja fogo, não se janta nunca.

Abri mão deste homem. Pouco adiante vi uma cara que parecia regozijar-se com a esperança de um desastre próximo. Cheguei-me, disse-lhe que era antipatriótica essa alegria, que era indecente...

– Por quê?, replicou ele. Que obséquios devo ao Dr. João Damasceno? E continuou rindo muito: – o engraçado é que ele veio contar ao público a sova que lhe deram.

Verdade é que gastou duas colunas e meia, e ninguém lê artigo tão comprido. O senhor sabe que os nossos patrícios são sóbrios: duas fatias e um copo d'água, estão prontos. Quem lê artigo de duas colunas e meia? Você leu?

– Não; o que eu li foi que uma dominação repugnante e perniciosa...

– A do Cantagalo? Lá está no artigo. O Dr. Damasceno atribui as pancadas ao barão, que era chefe de partido e já não é, e que foi por isso que mandou dar-lhe uma sova... na rua, por isso ou por outra coisa...

Corri a outro, que me confirmou tudo, que sim, que havia ambições sem escrúpulos, e a prova era o Tamagno. Outro também concordou que há dominações caricatas, e citou o Ferrari. Outro falou de um vizinho, outro de um parente, outro de si próprio.

Voltei à casa, ainda mais consternado. Reli o voto, e concluí que ou ninguém tem consciência do mal que nos cerca, ou o mal não existe. Uma de duas. Vou resolver o problema, depois do novo ministério.

LELIO

3 DE MARÇO
DE 1886

Em se descobrindo um desfalque, sinto logo a mesma coisa que com os trovões: fico a tremer pelo que há de vir. Os desfalques dividem-se em duas classes, os descobertos e os encobertos. Desfalque descoberto (sigo a versão do cônego Filipe) é o que já se descobriu, o que aparece nos olhos de todos, é anunciado nas folhas de maior circulação, recebe a polícia, um inquérito, dois advogados, um ou dois júris, e o esquecimento que é o lençol de nós todos. Desfalque encoberto é o que ainda se não levantou da cama.

Destes é que eu tremo. Não me hão de negar que podem haver alguns desfalques encobertos, agora mesmo, dormindo. Os desfalques deitam-se tarde; passam a noite com amigos, ceia lauta, algumas damas, e recolhem-se de madrugada. Não se admira que se levantem tarde. Lá porque as janelas ainda estão fechadas, não se pode dizer que em casa não há ninguém. Pode ser que haja; e é o que mete medo.

Um dia destes, abre um deles o olho, estica os braços para sacudir a preguiça, salta da cama e abre a janela. Espanto na vizinhança, que supunha que a casa estava para alugar. Junta-se gente à porta; todos querem ver o dorminhoco; os mais afoitos entram-lhe em casa; outros ainda mais afoitos puxam-lhe pelo nariz. E ele deixará fazer tudo o que quiserem, com a tolerância própria de um cidadão que dormiu bem e longamente, sem mosquitos, nem ratos, ceou à larga e sonhou com os anjos.

Contará tudo o que quiserem. Se ele for gordo, andar--lhe-ão em volta, com um metro de alfaiate, para lhe tomar as medidas: tantos de altura, tantos de largura. Perguntar--lhe-ão o que comeu e o que bebeu, e ele não negará nada. A vizinhança cada vez mais espantada, perguntará a si mesma como é que não tinha dado pelo morador. Concordará, finalmente, que o descuido veio das janelas fechadas, que lhe fizeram crer que a casa estava vazia.

E quando digo um dia destes, não me refiro à presente semana. Agora o mais provável é que os desfalques se preparem para festejar o entrudo, a despeito do edital da câmara municipal. A verdade é que eles podem responder muito especiosamente à câmara; podem dizer que as ordens desta são endereçadas à população, e que eles, em vigor, não povoam nada, ao contrário.

Esta semana, não; nem esta, nem ainda a seguinte, que é para cada um ir tratar das bronquites que tiver apanhado. Mas a outra e as outras?

Agora, se querem saber por que é que tremo dos desfalques que hão de vir, não sendo eu cofre nem gaveta de ninguém, não tenho dúvida em confessar que disse isso por falta de outro assunto para estas linhas.

Porquanto (e fique isto consignado na ata) eu até admiro os desfalques. Economicamente, é sinal de que há dinheiro, entre os Crichanás não há desfalques. Socialmente, é mais um assunto de conversação, que nos faz descansar de outros. Não dura muito, algumas horas, dois ou três dias; mas o que é que dura neste mundo, a não ser as Pirâmides do Egito e a boa-fé da minha comadre?

Lelio

BONS DIAS!

(1888-1889)

27 DE ABRIL DE 1888

BONS DIAS!

O *cretinismo* nas famílias fluminenses é geral. Não sou eu que o digo; é o Dr. Maximiano Marques de Carvalho. E qual a prova de tão grave asserção? O mesmo facultativo a dá nestas palavras, que ofereço à contemplação dos homens de olho fino: – "Não vedes todos esses indivíduos de pernas inchadas, que se arrastam pelas ruas desta capital? Não vedes que são portadores de enormes sarcoceles e de hidroceles e hematoceles?"

De mim confesso que, na rua, ando sempre distraído. Às vezes é uma ideia, às vezes é uma tolice, às vezes é o próprio tolo que me distrai, de modo que não posso, em consciência, negar nem afirmar. Depois, a minha rua habitual é a do Ouvidor, onde a gente é tanta e tais as palestras, que não há tempo nem espaço... Mas há outras ruas; deixe estar.

Sim, não se imagina como sou distraído. Para não ir mais longe, ainda ontem estive a conversar com alguém, sobre estes negócios de abolição e emancipação. A conversa travou-se a propósito dos vivas ao Partido Liberal, dados por uns escravos de Cantagalo, no ato de ficarem livres,

manifestação política tão natural, que ainda mais me confirmou na adoração da natureza. E dei um viva à natureza. O sujeito deu outro; depois, piscando o olho esquerdo, creio que foi o esquerdo, perguntou-me:
– A quantos de maio nasceu Porto Alegre?
Respondi imediatamente:
– De porta acima.
O sujeito zanga-se, chama-me pedaço d'asno e some-se. Valha-me Deus! Estou com mais esse inimigo.

Entretanto, foi tudo distração. Quando ele piscou o olho, comecei eu a ruminar uma ideia que tenho, para dar emprego aos libertos que não quiserem ficar na agricultura; isto é o meu plano: aumentar o número de criados de servir, de tal maneira que ninguém tenha menos de três, ainda à custa de grandes sacrifícios... Aqui, quem supõe que está sendo empulhado, é o leitor; e eu digo-lhe que sim, só para ter o gosto de o desempulhar logo depois. Costuma ler os volumes da nossa legislação? Leia o de 1824; lá vem um aviso que lhe explicará tudo. Foi expedido em 7 de fevereiro de 1824 ao intendente-geral da polícia, mandando que às pessoas de primeira consideração se não conceda mais que três criados de porta acima, e às de segunda, somente um.

Já o leitor começa a entender. Restaurando-se este aviso (aliás não revogado expressamente), não haverá ninguém que não queira ser de primeira consideração, com três criados de porta acima. Por gosto, duvido que uma pessoa se deixe ficar entre as de segunda, menos ainda de terceira, que é a classe a que provavelmente pertencia D. João Tenório, criado de si mesmo.

Há de custar; mas tirando daqui uma vela, dali um par de sapatinhos ao Janjão, sacrificando alguns divertimentos, deixando mesmo de pagar algum credor mais pacato, chega-se à primeira consideração, que é o fim de todos nós.

Eu cá, se vou para as gerais dos teatros, ou para os camarotes de terceira ordem, é porque esses lugares são baratos, e a economia também é um enfeite público.

Mas expeça amanhã a algum ministro um aviso, declarando que só irão para ali as pessoas de segunda consideração, e verá onde me sento. Ou não vou mais ao teatro. Lá ver-me tachado de segunda, em público, não é comigo.

Quanto ao valor histórico do aviso, isso é com gente que possa puxar os colarinhos ao discurso, e dizer coisas de sociologia e outras matérias; não é comigo. Não quero saber se o aviso explica o nosso vezo de tudo esperar do governo, pois que ano e meio depois da Independência até esperávamos os criados. Também não quero saber se é dali que vem a introdução da raça dos credores, filha do diabo que a carregue. Sei que hoje pode ser um modo de empregar libertos, e deixo esta ideia no papel, para uso das pessoas que não tenham outras. Olhem lá, não briguem.

Outra ideia, que também deixo aqui, é a de pedir à sociedade dos Dez Mil que cumpra um dos artigos dos seus estatutos. Estabelece-se ali, que uma parte dos fundos seja empregada em bilhetes de loteria.

Faz-se isto? Creio que não. As loterias correm, algumas têm planos excelentes, e em geral os prêmios saem em números bonitos. Não me consta que a sociedade tenha comprado um décimo que seja; ao menos, ultimamente. Era até um meio de resolver a questão das duas diretorias: se o bilhete desse, ficava a diretoria A, se não desse, ficava a diretoria B. Todas as coisas aleatórias devem reger-se por modo aleatório, como a loteria, algumas convicções; e a *buena dicha*.

La bonne aventure, ô gué!
La bonne aventure!

BOAS NOITES.

4 DE MAIO
DE 1888

BONS DIAS!

... *D*esculpem, se lhes não tiro o chapéu; estou muito constipado. Vejam; mal posso respirar. Passo as noites de boca aberta. Creio, até, que estou abatido e magro. Não? Estou; olhem como fungo. E não é de autoridade, note-se; *ex-auctoritate qua, fungor*, não senhor; fungo sem a menor sombra de poder, fungo à toa...

Entretanto, se alguma vez precisei de estar de perfeita saúde, é agora, e por várias razões. Citarei duas:

A primeira é a abertura das câmaras. Realmente, deve ser solene. O discurso da princesa, o anúncio da lei de abolição, as outras reformas, se as há, tudo excita curiosidade geral, e naturalmente pede uma saúde de ferro. O meu plano era simples; metia-me na casaca, e ia para o Senado arranjar um lugar, donde visse a cerimônia, deputações, recepção, discurso. Infelizmente, não posso; o médico não quer, diz-me que, por esses tempos úmidos, é arriscado sair de casa; fico.

A segunda razão da saúde que eu desejava ter agora, prende com a primeira. Já o leitor adivinhou o que é. Não se pode conversar nada, assim mais encobertamente, que ele não perceba logo e não descubra. É isso mesmo; é a política do Ceará. Era outro plano meu; entrava pelo Senado, e ia ter com o senador cearense Castro Carreira, e dizia-lhe mais ou menos isto:

— Saberá V. Exª que eu não entendo patavina dos partidos do Ceará...

— Com efeito...

— Eles são dois, mas quatro; ou mais acertadamente, são quatro, mas dois.

— Dois em quatro.

— Quatro em dois.

— Dois, quatro.

— Quatro, dois.

— Quatro.

— Dois.

— Dois.

— Quatro.

— Justamente.

— Não é?

— Claríssimo.

Dadas estas explicações, pediria eu ao Sr. Dr. Castro Carreira que me desse algumas notícias mais individuais dos grupos Aquirás e Ibiapaba... S. Exª, com fastio:

— Notícias individuais? Homem, eu não sei de política individualista; eu só vejo os princípios.

— Bem, os princípios. Sabe que o grupo Aquirás, com um troço liberal, tomaram conta da mesa; mas o grupo Ibiapaba acudia com outro troço liberal, e puseram água na fervura. Quais são os princípios?

— Os primeiros de todos devem ser os da boa educação, sem os quais não há boa política. Dai-me boa educação, e eu vos darei boa política, diria o Barão Louis. São os primeiros de todos os princípios.

— Os segundos...

— Os segundos são os comuns — ou que o devem ser, a todos os partidários, quaisquer que sejam as denominações particulares; refiro-me ao bem da província. É o terreno em que todos se podem conciliar.

– De acordo, mas que é que os separa?

– Os princípios.

– Que princípios?

– Não há outros; os princípios.

– Mas Aquirás é um título, não é um princípio; Ibiapaba também é um título.

– Há entre o céu e a terra mais acumulações do que sonha a vossa vã filosofia...

– Pode ser, mas isto ainda não me explica a razão desta mistura ou troca de grupos, parecendo melhor que se fundissem de uma vez com os antigos adversários. Não lhe parece?

– O que me parece, é que a princesa vem chegando.

Corríamos à janela; víamos que não; continuávamos a *entrevista*, à maneira americana, para trazer os meus leitores informados das coisas e pessoas. O meu interlocutor, vendo que não era a princesa, olhava para mim, esperando. Pouco ou nenhum interesse no olhar; mas é ditado velho, que quem vê cara não vê corações. Certo fastio crescente. Princípio de desconfiança de que eu sou mandado pelo diabo. Gesto vago de cruzes...

– Há os Rodrigues, os Paulas, os Aquirases, os Ibiapabas; há os...

– Agora creio que é a princesa. Estas trombetas... É ela mesma; adeus, sou da deputação... Apareça aqui pelo Senado... No Senado, não há dúvidas...

Mas eu pegava-lhe na mão, e não vinha embora sem alguns esclarecimentos. Tudo perdido, por causa de uma coriza! Coriza dos diabos, agora ou nunca, chegaríamos a entender aqueles grupos; e perde-se esta ocasião única, por tua causa, infame catarro, monco pérfido... Tuah! Vou meter-me na cama.

BOAS NOITES.

11 DE MAIO
DE 1888

BONS DIAS!

Vejam os leitores a diferença que há entre um homem de olho alerta, profundo, sagaz, próprio para remexer o mais íntimo das consciências (eu em suma), e o resto da população.
    Toda a gente contempla a procissão na rua, as bandas e bandeiras, o alvoroço, o tumulto, e aplaude ou censura, segundo é abolicionista ou outra coisa; mas ninguém dá a razão desta coisa ou daquela coisa; ninguém arrancou aos fatos uma significação, e, depois, uma opinião. Creio que fiz um verso.
    Eu, pela minha parte, não tinha parecer. Não era por indiferença; é que me custava a achar uma opinião. Alguém me disse que isto vinha de que certas pessoas tinham duas e três, e que naturalmente esta injusta acumulação trazia a miséria de muitos; pelo que, era preciso fazer uma grande revolução econômica, etc. Compreendi que era um socialista que me falava, e mandei-o à fava. Foi outro verso, mas vi-me livre de um amolador. Quantas vezes me não acontece o contrário!

Não foi o ato das alforrias em massa dos últimos dias, essas alforrias *incondicionais*, que vêm cair como estrelas no meio da discussão da lei da abolição. Não foi; porque esses atos são de pura vontade, sem a menor explicação. Lá que eu gosto da liberdade, é certo; mas o princípio da propriedade não é menos legítimo. Qual deles escolheria? Vivia assim, como uma peteca (salvo seja), entre as duas opiniões, até que a sagacidade e profundeza de espírito com que Deus quis compensar a minha humildade me indicou a opinião racional e os seus fundamentos.

Não é novidade para ninguém, que os escravos fugidos, em Campos, eram alugados. Em Ouro Preto fez-se a mesma coisa, mas por um modo mais particular. Estavam ali muitos escravos fugidos. Escravos, isto é, indivíduos que, pela legislação em vigor, eram obrigados a servir a uma pessoa; e fugidos, isto é, que se haviam subtraído ao poder do senhor, contra as disposições legais. Esses escravos fugidos não tinham ocupação; lá veio, porém, um dia em que acharam salário, e parece que bom salário.

Quem os contratou? Quem é que foi a Ouro Preto contratar com esses escravos fugidos aos fazendeiros A, B, C? Foram os fazendeiros D, E, F. Estes é que saíram a contratar com aqueles escravos de outros colegas, e os levaram consigo para as suas roças.

Não quis saber mais nada; desde que os interessados rompiam assim a solidariedade do direito comum, é que a questão passava a ser de simples luta pela vida, e eu, em todas as lutas, estou sempre do lado do vencedor. Não digo que este procedimento seja original, mas é lucrativo. Alguns não me compreenderam (porque há muito burro neste mundo); alguém chegou a dizer-me que aqueles fazendeiros fizeram aquilo, não porque não vissem que trabalhavam contra a própria causa, mas para pregar uma peça ao Clapp.

— Sim, senhor. Saiba que o Clapp tinha o plano feito de ir a Ouro Preto pegar os tais escravos e restituí-los aos senhores, dando-lhes ainda uma pequena indenização do seu bolsinho, e pagando ele mesmo a sua passagem da estrada de ferro. Foi por isso que...
— Mas então quem é que está aqui doido?
— É o senhor; o senhor é que perdeu o pouco juízo que tinha. Aposto que não vê que anda alguma coisa no ar.
— Vejo; creio que é um papagaio.
— Não, senhor; é uma república. Querem ver que também não acredita que esta mudança é indispensável?
— Homem, eu, a respeito de governos, estou com Aristóteles, no capítulo dos chapéus. O melhor chapéu é o que vai bem à cabeça. Este, por ora, não vai mal.
— Vai pessimamente. Está saindo dos eixos; é preciso que isto seja, senão com a monarquia, ao menos com a república, aquilo que dizia o *Rio-Post* de 21 de junho do ano passado. Você sabe alemão?
— Não.
— Não sabe alemão?
E, dizendo-lhe eu outra vez que não sabia, ele imitando o médico de Molière, dispara-me na cara esta algaravia do diabo:
— *Es dürfte leicht zu erweisen sein, dass Brasilien weniger eine konstitutionelle Monarchie als eine absolute Oligarchie ist.*
— Mas que quer isto dizer?
— Que é deste último tronco que deve brotar a flor.
— Que flor?
— As

BOAS NOITES.

19 DE MAIO
DE 1888

BONS DIAS!

*E*u pertenço a uma família de profetas *après coup, post facto*, depois do gato morto, ou como melhor nome tenha em holandês. Por isso digo, e juro se necessário for, que toda a história desta lei de 13 de maio estava por mim prevista, tanto que na segunda-feira, antes mesmo dos debates, tratei de alforriar um molecote que tinha, pessoa dos seus dezoito anos, mais ou menos. Alforriá-lo era nada; entendi que, perdido por mil, perdido por mil e quinhentos, e dei um jantar.

Neste jantar, a que os meus amigos deram o nome de banquete, em falta de outro melhor, reuni umas cinco pessoas, conquanto as notícias dissessem 33 (anos de Cristo), no intuito de lhe dar um aspecto simbólico.

No golpe do meio (*coup du milieu*, mas eu prefiro falar a minha língua), levantei-me eu com a taça de champanha e declarei que, acompanhando as ideias pregadas por Cristo, há dezoito séculos, restituía a liberdade ao meu escravo Pancrácio; que entendia que a nação inteira devia acompanhar as mesmas ideias e imitar o meu exemplo; finalmente, que a liberdade era um dom de Deus, que os homens não podiam roubar sem pecado.

Pancrácio, que estava à espreita, entrou na sala, como um furacão, e veio a abraçar-me os pés. Um dos meus amigos (creio que é ainda meu sobrinho), pegou de outra taça, e pediu à ilustre assembleia que correspondesse ao ato que eu acabava de publicar, brindando ao primeiro dos cariocas. Ouvi cabisbaixo; fiz outro discurso agradecendo, e entreguei a carta ao molecote. Todos os lenços comovidos apanharam as lágrimas de admiração. Caí na cadeira e não vi mais nada. De noite, recebi muitos cartões. Creio que estão pintando o meu retrato, e suponho que a óleo.

No dia seguinte, chamei o Pancrácio e disse-lhe com rara franqueza:

– Tu és livre, podes ir para onde quiseres. Aqui tens casa amiga, já conhecida e tens mais um ordenado, um ordenado que...

– Oh! meu senhô! fico.

– ...Um ordenado pequeno, mas que há de crescer. Tudo cresce neste mundo; tu cresceste imensamente. Quando nasceste, eras um pirralho deste tamanho; hoje estás mais alto que eu. Deixa ver; olha, és mais alto quatro dedos...

– Artura não qué dizê nada, não, senhô...

– Pequeno ordenado, repito, uns seis mil-réis; mas é de grão em grão que a galinha enche o seu papo. Tu vales muito mais que uma galinha.

– Eu vaio um galo, sim, senhô.

– Justamente. Pois seis mil-réis. No fim de um ano, se andares bem, conta com oito. Oito ou sete.

Pancrácio aceitou tudo; aceitou até um peteleco que lhe dei no dia seguinte, por me não escovar bem as botas; efeitos da liberdade. Mas eu expliquei-lhe que o peteleco, sendo um impulso natural, não podia anular o direito civil adquirido por um título que lhe dei. Ele continuava livre, eu de mau humor; eram dois estados naturais, quase divinos.

Tudo compreendeu o meu bom Pancrácio; daí para cá, tenho-lhe despedido alguns pontapés, um ou outro puxão de orelhas, e chamo-lhe besta quando lhe não chamo filho do diabo; coisas todas que ele recebe humildemente, e (Deus me perdoe!) creio que até alegre.

O meu plano está feito; quero ser deputado, e, na circular que mandarei aos meus eleitores, direi que, antes, muito antes da abolição legal, já eu, em casa, na modéstia da família, libertava um escravo, ato que comoveu a toda a gente que dele teve notícia; que esse escravo tendo aprendido a ler, escrever e contar (simples suposição) é então professor de Filosofia no Rio das Cobras; que os homens puros, grandes e verdadeiramente políticos, não são os que obedecem à lei, mas os que se antecipam a ela, dizendo ao escravo: *és livre*, antes que o digam os poderes públicos, sempre retardatários, trôpegos e incapazes de restaurar a justiça na terra, para satisfação do céu.

BOAS NOITES.

20-21 DE MAIO
DE 1888
(IMPRENSA
FLUMINENSE)

BONS DIAS!

Algumas pessoas pediram-me a tradução do evangelho que se leu na grande missa campal do dia 17. Estes meus escritos não admitem traduções, menos ainda serviços particulares; são palestras com os leitores e especialmente com os leitores que não têm que fazer. Não obstante, em vista do momento, e por exceção, darei aqui o evangelho, que é assim:

1. No princípio era Cotejipe, e Cotejipe estava com a Regente, e Cotejipe era a Regente.

2. Nele estava a vida, com ele viviam a Câmara e o Senado.

3. Houve então um homem de São Paulo, chamado Antônio Prado, o qual veio por testemunha do que tinha de ser enviado no ano seguinte.

4. E disse Antônio Prado: O que há de vir depois de mim é o preferido, porque era antes de mim.

5. E, ouvindo isto, saíram alguns sacerdotes e levitas e perguntaram-lhe: Quem és tu?

6. És tu, Rio Branco? E ele respondeu: Não o sou. És tu profeta? E ele respondeu: Não. Disseram-lhe então: Quem és tu logo, para que possamos dar resposta aos chefes que nos enviaram?

7. Disse-lhes: Eu sou a voz do que clama no deserto. Endireitai o caminho do poder, porque aí vem o João Alfredo.

8. Estas coisas passaram-se no Senado, da banda de além do Campo da Aclamação, esquina da Rua do Areal.

9. No dia seguinte, viu Antônio Prado a João Alfredo, que vinha para ele, depois de guardar o chapéu no cabide dos senadores, e disse: Eis aqui o que há de tirar os escravos do mundo. Este é o mesmo de quem eu disse: Depois de mim virá um homem que me será preferido, porque era antes de mim.

10. Passados meses, aconteceu que o espírito da Regente veio pairar sobre a cabeça de João Alfredo, e Cotejipe deixou o poder executivo e o poder executivo passou a João Alfredo.

11. E João Alfredo, indo para a Galileia, que é no caminho de Botafogo, mandou dizer a Antônio Prado, que estava perto da Consolação: Vem, que é sobre ti que edificarei a minha igreja.

12. Depois, indo a uma cela de convento, viu lá um homem por nome Ferreira Viana, o qual descansava de uma página de Agostinho, lendo outra de Cícero, e disse-lhe: Deixa esse livro e segue-me, que em breve te farei outro Cícero, não de romanos, mas de uma gente nova; e Ferreira Viana, despindo o hábito e envergando a farda, seguiu a João Alfredo.

13. Em caminho achou João Alfredo a Vieira da Silva, e perguntou-lhe: És tu maçom? E ele respondeu: Sou, mas posso dizer-te, pelo que tenho visto, que maçom e ministro

de ordem terceira é a mesma pessoa. Disse-lhe então João Alfredo: Vem comigo; serás ministro da ordem primeira, e trabalharás pelo Céu.

14. Depois, vendo um homem que passava, disse João Alfredo: Vem aqui: não és Rodrigo Silva, que agricultavas a terra no tempo de Cotejipe? E Rodrigo respondeu: Tu o disseste. E tornou João Alfredo: Onde vai agora que parece abandonar-me? Vem comigo, e lavrarás a terra, e tratarás com os gentios, ao mesmo tempo, porque Antônio Prado vai a São Paulo, onde padecerá e donde voltará mais robusto.

15. Depois, vendo Tomás Coelho, homem justo, da tribo de Campos, disse: O senhor Deus dos Exércitos manda que sejas ministro da Guerra. E descobrindo Costa Pereira: Este é o que esteve comigo em 1871: eu o conheço; vem, serás também meu discípulo.

16. Unidos os sete, disse João Alfredo: Sabeis que vim libertar os escravos do mundo, e que esta ação nos há de trazer glória e amargura; estais dispostos a ir comigo?

17. E respondendo todos que sim, disse um deles por parábola, que no ponto em que estavam as coisas, melhor era cortar a perna que lavar a úlcera, pois a úlcera ia corrompendo o sangue.

18. Mas, ficando João Alfredo pensativo, disseram os outros entre si: Que terá ele?

19. Então o mestre, ouvindo a pergunta, disse: Prevejo que há de haver uma consulta de sacerdotes e levitas, para ver se chegam a compor certo unguento, que os levitas aplicarão na úlcera; mas não temais nada, ele não será aplicado.

20. E como perguntassem alguns qual era a composição desse unguento, o discípulo Viana, mui lido nas escrituras, disse:

21. Está escrito no livro de *Elle Haddebarim*, também chamado *Deuteronômio*, que quando o escravo tiver servido seis anos, no sétimo ano o dono o deixe ir livre, e não com as mãos abanando, senão com um alforje de comida

e bebida. Este é de certo o unguento lembrado, menos talvez o alforje e os seis anos.

22. E acudiu João Alfredo: Tu o disseste; três anos bastam aos levitas e sacerdotes, mas a úlcera é que não espera.

23. Ora pois vinde e falemos a verdade aos homens.

24. E, tendo a Regente abençoado a João e seus discípulos, foram estes para as câmaras, onde apresentaram o projeto de lei, que, depois de algumas palavras duras e outras cálidas de entusiasmo, foi aprovado no meio de flores e aclamações.

25. A Regente, que esperava a lei nova, assinou com sua mão delicada e superna.

26. E toda a terra onde chegava a palavra da Regente, de João Alfredo e dos seus discípulos, levantou brados de contentamento, e os próprios senhores de escravos a ouviam com obediência.

27. Menos no Bacabal, província do Maranhão, onde alguns homens declararam que a lei não valia nada, e, pegando no azorrague, castigaram os seus escravos cujo crime nessa ocasião era unicamente haver sido votada uma lei, de que eles não sabiam nada; e a própria autoridade se ligou com esses homens rebeldes.

28. Vendo isto, disse um sisudo de Babilônia, por outro nome Carioca: Ah! Se estivessem no Maranhão alguns ex-escravos daqui, que depois de livres, compraram também escravos, quão menor seria a melancolia desses que são agora duas coisas ao mesmo tempo, ex-escravos e ex-senhores. Bem diz o *Eclesiastes*: Algumas vezes tem o homem domínio sobre outro homem para desgraça sua. O melhor de tudo, acrescento eu, é possuir-se a gente a si mesmo.

BOAS NOITES.

1º DE JUNHO DE 1888

BONS DIAS!

Agora fale o senhor, que eu não tenho nada mais que lhe dizer. Já o saudei, graças à boa educação que Deus me deu, porque isto de criação, se a natureza não ajuda, é escusado trabalho humano. Eu, em menino fui sempre um primor de educação. Criou-me uma ama, escrava; e, apesar de escrava e ama, nunca lhe pus a boca no seio para mamar, que não pedisse licença. Não estava em mim; às vezes dizia comigo:

– Mas, Policarpo, tu tens direito a ser aleitado, e depois é obrigação da escrava alugada. Em vão chorava, a Florinda corria, desabotoava o corpinho, punha o seio de fora, e eu, por mais fome que tivesse, não lhe pegava sem pedir licença. Pedia por gesto; parece que era um gesto de olhos...

Aos cinco anos (era em 1831), como já sabia ler, davam-nos no colégio *A Pátria*, pouco antes fundada pelo Sr. Carlos Bernardino de Moura, com as mesmas doutrinas políticas que ainda hoje sustenta. A minha alma, que nunca se deu com política, dormia que era um gosto; mas os olhos não, esses iam por ali fora, risonhos, aprobatórios.

Agora mesmo, lendo naquela folha que o governo é que deu o dinheiro com que os jornais fizeram as festas abolicionistas, pensam que, se tivesse de explicar-me, fá-lo-ia como a comissão da imprensa? Não; seria grosseiro. Nunca se deve desmentir ninguém. Eu diria que sim, que era verdade, que o governo tinha pago tudo, as festas e uns aluguéis atrasados da casa do Sousa Ferreira; que para isso mesmo é que fora contratado o último empréstimo em Londres; que o Serzedelo, à custa do mesmo dinheiro, tinha reformado o pau moral; que as botinas novas do Pederneiras não tinham outra origem; e que o nosso amigo e chefe José Telha, precisando de uma casaca para ir ao Coquelin, é que se meteu naquelas manifestações. O redator ouvia tudo satisfeito; e no dia seguinte começava assim o editorial: "Conforme havíamos previsto" (o resto como em 1844).

Podia citar casos honrosíssimos, como prova de boa criação. Um deles nunca me há de esquecer, e é fresquinho.

Estando há dias a almoçar com alguns amigos, percebi que alguma coisa os amargurava. Não gosto de caras tristes, como não gosto delas alegres: – um meio-termo entre o Caju e o Recreio Dramático é o que vai comigo. Senão quando, com um modo delicado, perguntei o que é que tinham. Calaram-se; eu, como manda a boa criação, calei-me também e falei de outra coisa. Foi o mesmo que se os convidasse a pôr tudo em pratos limpos. Tratando-se de um almoço, era condição primordial.

Um dos convivas confessou que no meio das festas abolicionistas não aparecia o seu nome, outro que era o dele que não aparecia, outro que era o dele, e todos que os deles. Aqui é que eu quisera ser um homem malcriado. O mesmo que diria a todos, é que eles tanto trabalharam para a abolição dos escravos, como para a destruição de Nínive, ou para a morte de Sócrates... Eu, com uma sabedoria só comparável à deste filósofo, respondi que a história era um livro aberto, e a justiça a perpétua vigilante. Um dos convivas, dado a frases, gostou da última, pediu outra e um cálice de Alicante. Respondi, servindo o vinho, que as reparações póstumas eram mais certas que a vida, e mais indestrutíveis que a morte. Da primeira vez fui vulgar, da segunda creio que obscuro; de ambas sublime e bem criado.

Em linguagem chã, todos eles queriam ir à glória sem pagar o bonde; creio que fiz um trocadilho. De mim, confesso que lá iria, se pudesse, com a mesma economia; mas não havendo outro meio, pago o tostãozinho, e paro à porta do Clube Beethoven, que anda agora em tais alturas, que já foi citado pela boca de eminente cidadão... Hão de concordar que este período vai um pouco embrulhado, mas não devo desembrulhá-lo; seria constipar a minha ideia.

Podia citar outros muitos casos de boa criação, realmente exemplares. Nunca dei piparotes nas pessoas que não conheço, não limpo a mão à parede, não vou bugiar, que é ofício feio, e ando sempre com tal cautela, que não piso os calos aos vizinhos. Tiro o chapéu, como fiz agora ao leitor; e dei-lhe os *bons-dias* do costume. Creio que não se pode exigir mais. Agora, o leitor que diga alguma coisa, se está para isso, ou não diga nada e

BOAS NOITES.

26 DE JUNHO
DE 1888

BONS DIAS!

    *E*u, se tivesse crédito na praça, pedia emprestados a casamento uns vinte contos de réis, e ia comprar libertos. Comprar libertos não é expressão clara; por isso continuo.
    Conhece o leitor um livro do célebre Gogol, romancista russo, intitulado *Almas mortas*? Suponhamos que não conhece, que é para seu poder expor a semente da minha ideia. Lá vai em duas palavras.
    Chamam-se *almas* os campônios que lavram as terras de um proprietário, e pelos quais, conforme o número, paga este uma taxa ao Estado. No intervalo do lançamento do imposto morrem alguns campônios e nascem outros. Quando há *déficit*, como o proprietário tem de pagar o número registrado, primeiro que faça outro recenseamento, chamam-se *almas mortas* os campônios que faltam.
    Tchitchikof, um espertalhão da minha marca, ou talvez maior, lembra-se de comprar as *almas mortas* de vários proprietários. Bom negócio para os proprietários, que vendiam defuntos ou simples nomes, por dez réis de mel coado. Tchitchikof, logo que arranjou umas mil *almas mortas*, registrou-as como vivas; pegou dos títulos do registro,

e foi ter a um monte de socorro, que, à vista dos papéis legais, adiantou ao suposto proprietário uns 200.000 rublos; Tchitchikof meteu-os na mala e fugiu para onde a polícia russa o não pudesse alcançar.

Creio que entenderam; vejam agora o meu plano, que é tão fino como esse, e muito mais honesto. Sabem que a honestidade é como a chita; há de todo o preço, desde meia pataca.

Suponha o leitor que possuía duzentos escravos no dia 12 de maio, e que os perdeu com a lei de 13 de maio. Chegava eu ao seu estabelecimento, e perguntava-lhe:

– Os seus libertos ficaram todos?

– Metade só; ficaram cem. Os outros cem dispersaram-se; consta-me que andam por Santo Antônio de Pádua.

– Quer o senhor vender-mos?

Espanto do leitor; eu, explicando:

– Vender-mos todos, tanto os que ficaram, como os que fugiram.

O leitor assombrado:

– Mas, senhor, que interesse pode ter o senhor...

– Não lhe importe isso. Vende-mos?

– Libertos não se vendem.

– É verdade, mas a escritura da venda terá a data de 29 de abril; nesse caso, não foi o senhor que perdeu os escravos, fui eu. Os preços marcados na escritura serão os da tabela da lei de 1885; mas eu realmente não dou mais de dez mil-réis por cada um.

Calcula o leitor:

– Duzentas cabeças a dez mil-réis são dois contos. Dois contos por sujeitos que não valem nada, porque já estão livres, é um bom negócio.

Depois refletindo:

– Mas, perdão, o senhor leva-os consigo?

– Não, senhor: ficam trabalhando para o senhor; eu só levo a escritura.

— Que salário pede por eles?
— Nenhum, pela minha parte, ficam trabalhando de graça. O senhor pagar-lhes-á o que já paga.

Naturalmente, o leitor, à força de não entender, aceitava o negócio. Eu ia a outro, depois a outro, depois a outro, até arranjar quinhentos libertos, que é até onde podiam ir os cinco contos emprestados; recolhia-me à casa, e ficava esperando.

Esperando o quê? Esperando a indenização, com todos os diabos! Quinhentos libertos, a trezentos mil-réis, termo médio, eram cento e cinquenta contos; lucro certo: cento e quarenta e cinco.

Porquanto, isto de indenização, dizem uns que pode ser que sim, outros que pode ser que não; é por isso que eu pedia o dinheiro a casamento. Dado que sim, pagava e casava (com a leitora, por exemplo); dado que não, ficava solteiro e não perdia nada, porque o dinheiro era de outro. Confessem que era um bom negócio.

Eu até desconfio que há já quem faça isto mesmo, com a diferença de ficar com os libertos. Sabem que no tempo da escravidão, os escravos eram anunciados com muitos qualificativos honrosos, perfeitos cozinheiros, ótimos copeiros, etc. Era, com outra fazenda, o mesmo que fazem os vendedores, em geral: superiores morins, lindas chitas, soberbos cretones. Se os cretones, as chitas e os escravos se anunciassem, não poderiam fazer essa justiça a si mesmos.

Ora, li ontem um anúncio em que se oferece a aluguel, não me lembra em que rua, — creio que na do Senhor dos Passos, — uma *insigne* engomadeira. Se é falta de modéstia, eis aí um dos tristes frutos da liberdade; mas se é algum sujeito que já se me antecipou... Larga, Tchitchikof de meia--tigela! Ou então vamos fazer o negócio a meias.

BOAS NOITES.

26 DE AGOSTO DE 1888

BONS DIAS!

    Agora que tudo está sossegado, aqui venho de chapéu na mão e dou-lhes os bons dias de costume. Como passaram do outro dia para cá? Eu bem. Vi a chegada do imperador, as manifestações públicas, as iluminações, e gostei muito. Dizem que houve na Rua do Ouvidor uns petelecos e não sei se algum sangue; mas como eu não piso na Rua do Ouvidor, desde 1834, não tenho sequer este delicioso prazer de saber que escapei de boa. Não escapei de nada.
    Estou a ver daqui a cara do leitor, os olhos curiosos que estica para mim, a fim de adivinhar o que vai acontecer nestes seis meses mais próximos, em relação à política. Bate a ruim porta, meu amigo. Eu, se pudesse saber alguma coisa, compunha um almanaque, gênero Ayer, anunciando as tempestades ou simples aguaceiros. Mas não sei nada, coisa nenhuma. Moram aqui perto um deputado e um senador, com quem me dou; mas parece que também não sabem nada. A única coisa positiva é que a primavera começa em setembro e que a semana dos quatro domingos ainda não está anunciada. É verdade que, tendo um geólo-

go moderno calculado que a duração da terra vai a mais de um milhão de séculos, há tempo de esperar alguma coisa, ainda quando o milhão de séculos deva ter um grande desconto, para a nova vida, desde que se apague o sol, isto é, daqui a dez milhões de anos.

    O que me agrada particularmente nos mestres da Astronomia são os algarismos. Como essa gente joga os milhões e bilhões! Para eles umas mil léguas representam pouco mais que de Botafogo ao Catete... Creio que é Catete que ainda se diz; avisem-me quando for João Alves... E o tempo? Quem não tiver cabeça rija cai por força no chão; dá vertigens todo esse turbilhão de números inumeráveis. Ainda não vi astrônomo que, metendo a mão no bolso, não trouxesse pegados aos dedos uns dez mil anos pelo menos. Como lhes devem parecer ridículas as nossas semanas! A própria moeda nacional, inventada para dar estímulo e grandeza à gente, os seiscentos, os oitocentos mil-réis, que tanto assombram o estrangeiro novato, para os astrônomos valem pouco mais que coisa nenhuma. Falem-lhes de milhões para cima.

    Se eu tivesse vagar ou disposição, puxava os colarinhos à filosofia e diria naquele estilo próprio do assunto que esta nossa deleitação e respeito dos trilhões astronômicos é um modo de consolar a brevidade dos nossos dias e do nosso tamanho. Parece-nos assim que nós é que inventamos os tempos e os espaços; e não somente as dimensões e os nomes. Uma vez que os inventamos, é que eles estavam em nós.

    Muita gente ficará confusa com o milhão de séculos de duração da terra. Outros dirão que, se isto não é eterno, não vale a pena escrever nem esculpir ou pintar. Lá eterno, como se costuma dizer, não é; mas aí uns dez séculos, ou mesmo cinco, é o que se pode chamar (com perdão da palavra) um retalho de eternidade.

Nem por isso os nossos políticos escreverão as suas memórias, como desejara o Sr. Senador Belisário. Há muitas causas para isso. Uma delas é justamente a falta do sentimento da posteridade. Ninguém trabalha, em tais casos, para efeitos póstumos. Polêmica, vá; folhetos para distribuir, citar, criticar, é mais comum. Memórias pessoais para um futuro remoto, é muito comprido. E quais sinceras? quais completas? quais trariam os retratos dos homens, as conversações, os acordos, as opiniões, os costumes íntimos, e o resto? Que era bom, era; mas, se isto acaba antes de um milhão de séculos?

BOAS NOITES.

6 DE OUTUBRO
DE 1888

BONS DIAS!

*N*ão me acham alguma diferença? Devo estar pálido, levanto-me da cama, e se não fosse a Alfaiataria Estrela do Brasil... quero dizer o xarope de Cambará, ainda agora lá estava. Podia contar-lhes a minha doença; para os convalescentes não há prazer mais fino que referir todas as fases da moléstia, as crises, as dores, os remédios; e se o ouvinte vai de bonde, ruminando alguma coisa, então é que a narração nunca mais acaba. Descansem, que não lhes digo o que foi: limito-me a cumprimentá-los.

E vosmecês, como vão da sua tosse? Provavelmente não perderam o *piquenique* (tenho lido esta palavra escrita ora *pik-nik*, ora *pic-nic*; depois de alguma meditação, determinei-me a escrevê-la como na própria língua dela), nem sessões de câmaras, nem a entrega da Rosa de Ouro a Sua Alteza Imperial. E eu de cama, gemendo, sabendo das coisas pelas folhas. Foi por elas que soube da interpelação do Sr. Zama, a qual deu lugar à *Gazeta de Notícias* proferir uma blasfêmia. Dizia ela que direito de interpelação degenera aqui, e chama-lhe válvula.

A *Gazeta* parece esquecer a teoria dos meios, não estudou bem a climatologia, e finalmente não me consultou, porque eu lhe diria que nada degenera e tudo se transforma. Há lugares onde o quiosque é ocupado por uma mulher que vende jornais; aqui é ocupado por um homem que vende o bom café, a bela pinga e o rico bilhete de loteria. Pode-se chamar a isto válvula? Note-se que também ali se vendem jornais, – o que reforça ainda minha asserção.

Uma hipótese. Pessoa muito entendida em costumes americanos me contou que no Congresso e no Senado dos Estados Unidos, como o melhor trabalho é feito pelas comissões, os oradores (salvo exceções de estilo) apresentam-se com os discursos na mão, leem só o exórdio e o final, e mandam para a imprensa nacional os manuscritos. *Time is money*. Os eleitores que os leiam depois. Suponhamos que, transplantado para aqui este costume, os nossos discursos se compusessem só de exórdios e finais, muito compridos ambos; diríamos que era degeneração ou transformação? E, mais que tudo, chamaríamos a isto válvula? Válvula é nome que se diga? Válvula será ela?

Sou assim; não gosto de ver censuras injustas e prefiro os métodos científicos. Há dias, o meu cozinheiro arranjou um prato de mil diabos, e mandando eu chamá-lo, censurei-o asperamente. Ele sorriu cheio de piedade, e disse-me, com um tom que nunca mais me há de esquecer:

– V. Ex.ª fala mal deste arroz, porque não conhece os métodos científicos.

Tanto mais me espantou esta resposta, quanto que sempre o vi a ler um velho romance *Oscar e Amanda*, ou *Amanda e Oscar*; e não é dali que ele tira os métodos.

Vamos adiante, – ou melhor, vamos ao fim, porque só este pequeno esforço me está transtornando a cabeça. Assunto não me falta; mas os convalescentes devem ser prudentes, se quiserem rimar consigo. Creio que fiz algumas censuras; aqui vai um elogio. Nem eu sou pessoa que negue a verdade das coisas, quando as vejo bem ajustadas.

Sabem do banquete dado pelo internúncio aos bispos brasileiros e à embaixada pontifícia. Vi escrito no *menu* que se publicou, entre outros pratos, o *punch à la Romaine*... Oh! bem cabida coisa! Conheço esse excelente *punch* de outras mesas, em que foi sempre hóspede, por serem elas profanas. Ali, sim, ali é que ele esteve bem, perfeitamente bem. Tudo era ali romano, o internúncio, a embaixada e os bispos católicos. *Punch à la Romaine* calhou. Porque é preciso que lhes diga, e sem ofensa da unidade italiana: quando se fala em Roma, só me lembro da Roma papal; também me lembro da Roma antiga; a Roma do Sr. Crispi é que me não acode logo. Há de acudir mais tarde. Nenhuma Roma se faz num dia.

BOAS NOITES.

25 DE NOVEMBRO DE 1888

BONS DIAS!

Nunca tirei o chapéu com tanta melancolia. Tudo é triste em volta de nós. A própria risada humana parece um dobre de finados. Creio que somos chegados ao fim dos tempos.

Não faltam banquetes, é verdade; mas, pergunto eu, que é que se come nesses banquetes, estando tudo falsificado? Eu, se tivesse de dar programa aos republicanos, lembrava-lhes, entre outros artigos, a chanfana de Esparta. Está sabido que as comidas finas andam eivadas de morte ou de moléstia. Eu já pouco como; dois ou três dedos da Aurora, uma fatia de coxa de Davi, frutos de sabedoria, alguns braços da lavoura, eis o meu jantar. Manteiga, nem por sombra; consolo-me da falta, lendo estes versos de Nicolau Tolentino:

> *Bota o cordão*, Manteiga, *agarra tudo.*
> *E sentido não saltem de janela.*

Mas, como se não bastasse a falsificação dos comestíveis, temos as mortes súbitas, os tiros com ou sem endereço, a peste dos burros, a seca do Ceará, vários desaparecimentos, e, porventura, algum harém incipiente seja onde for... mas isto agora entende com a liberdade dos cultos, projeto que está pendente da Câmara. Não é que o harém seja templo, mas é um artigo de religião muçulmana. Demais, enquanto vir na Rua dos Inválidos uma casa, que se parece tanto com casa, como eu com o leitor, e na fachada da qual está escrito: *Igreja evangélica*, vou acreditando que o projeto do Senado pode esperar.

Já agora fico triste de uma vez, e digo que é muito melhor infringir a lei que reformá-la. Onde é que está a tristeza disso? Não sei; escrevi *triste*, como podia escrever *alegre* ou *polca*. A minha pena parece-se com um cachorrinho que me doaram; quando lhe dá para correr, tão depressa está em casa como nas pontas da lua. Não tem juízo esta pena. Não obedece a posturas, nem às leis, nem a nada; anda, desanda, tresanda. Creiam-me; não me faltam ideias sublimes; falta-me pensar como que as fixe no papel. Agora mesmo, surgira-me cá dentro uma elegia a propósito dos burros doentes; mas a pena segreda-me que depois da elegia de José Telha, está tudo dito; o melhor é deixá-los penar.

Resta-me sempre um assunto, não por falta de outro, mas por ser fecundo em reflexões graves; é raro achar um homem menos dado a pilhérias do que eu. Eu prefiro sempre um coveiro a Molière, e nenhum orador aprecio tanto como o que me mete logo na sepultura desde o exórdio. O cipreste é a minha árvore de predileção. As rosas, por isso que pedem a alegria, acho-as insuportáveis. Eu, se fosse Nero ou Calígula, mandava cortar a cabeça a todas as bandas de música jovial. Desconfio do homem que ri; é uma onça disfarçada; é, quando menos, um gato-ruivo.

O assunto é o fechamento das portas. Escrevo o título da coisa, sem acreditar que ele exprima a coisa. Mas, em suma, é assim que se escreve. Digo que este assunto dá lugar a reflexões graves, porque vem de longe, e é um documento vivo de que as campanhas pacíficas são as menos sangrentas. Todos os dias leio declarações de patrões que concordam em fechar as casas; e vão todos por classe.

Uma senhora ingênua, quando há tempo houve um barulho na rua, por causa de portas abertas, ao ler que um ferido foi levado à farmácia, perguntou-me:

– Mas se as portas das farmácias já estivessem fechadas?

Respondi a esta senhora que mui provavelmente não haveria barulho nem ferido, pois que as boticas (como se dizia até 1860) serão naturalmente as últimas que fecharão as portas. Nada impede até que haja algumas exceções na medida geral. Também se adoece aos domingos. Aqui está quem já escapou de morrer pela Páscoa.

Que este movimento liberal e generoso assuste a alguns, é natural. Assim é que um amigo meu, negociante de trastes velhos, dizia-me há dias que talvez chegasse o tempo em que ele e os colegas tenham de fazer um movimento igualmente liberal para obter a abertura de portas, aos sábados, por exemplo. A reflexão é grave, como se vê, mas nem por isso há de atar as mãos ao atual movimento. Façam primeiro 89; os ferros-velhos que tragam o 18 Brumário.

BOAS NOITES.

17 DE DEZEMBRO
DE 1888

BONS DIAS!

*P*osso aparecer? Creio que agora está tudo sossegado. Enquanto houve receio de alguma coisa, não pus o nariz, quanto mais as manguinhas, de fora. Não, meus amigos, o grande fenômeno da longevidade não se obtém expondo-se a gente à bordoeira de um e outro lado. Se não houvesse jornais, que nos dão notícias, vá; e ainda assim um criado podia ir saber das coisas, e, se corresse sangue, corria o dele. Quando eu nasci, existia já este adágio: morrer por morrer, morra meu pai que é mais velho. Não digo que seja a última expressão da piedade filial; mas não há dúvida que sai das entranhas. E para morrer, qualquer pessoa, um criado, um vizinho, um cocheiro, – em último caso, uma mulher, – qualquer pessoa é pai.

Não se cuide que estive em casa vadio. Aproveitei a folga obrigada para compor uma obra, que espero seja útil ao meu país, – ou, quando menos, a alguns compatriotas de boa vontade.

Vi publicado um *Orador popular*, ou coisa que o valha, contendo discursos prontos para todas as ocorrências e comemorações da vida, – batizado, enterro, aniversário, entrega de uma comenda, despedida de um juiz de direito, casamento e outras muitas coisas, que podem aparecer. Lembrou-me então fazer uma imitação do livro, aplicada à política: *O orador parlamentar.*

É sabido que, se Deus dá o frio conforme a roupa, não faz o mesmo com as ideias; há pessoas bem enroupadas e pouco *ideiadas.* Trinta coletes nem sempre supõem um silogismo. Entretanto, como tais coletes podem entrar nas câmaras, é bom pregar-lhes, em vez de botões, discursos. Aqui parece que faço confusão misturando ideias com discursos, coisas que, muita vez, andam separadas; mas é engano. Eu dou as ideias e o modo de as dizer.

O livro está a sair. O meu editor não queria admitir que publicasse nenhum trecho; mas alcancei dar dois, e aqui vão. São dois discursos, ambos para a resposta à fala do trono.

O primeiro destina-se ao orador oposicionista; o segundo, ao ministerial:

OPOSICIONISTA:

"Sr. presidente. Serei curto, porque é bem curta a vida que nos reserva o ministério. Quando esses sete homens que aí estão cavando as ruínas da pátria, trancam os ouvidos às lamentações de uns, aos brados de outros, e às dores de todos, pouca vida nos resta; não há pensar senão na morte e na eternidade.

"Entretanto, como há no nosso país um cantinho, a que sou particularmente afeiçoado – o (*aqui o número*) distrito da nobre província (*o nome da província*), não quero que se diga que, nesta hecatombe de todos os princípios e de todos os homens, deixei de implorar do ministério alguma piedade, um pouco de misericórdia para aqueles que aqui me mandaram.

"Não é debalde, sr. presidente, que *proletários* rimam com *argentários*; rimam na escritura e na política (*aqui convém percorrer os olhos pela Câmara limpando os bei-*

ços). E por que rimam? Rimam, porque uns e outros são, por assim dizer, os pobres corcéis que puxam o carro do Estado. O ministério, entretanto, concebeu a singular ideia de fazer puxar o carro, cujo governo se lhe confiou, unicamente por um daqueles nobres animais...

"UMA VOZ (provável). – Como os bondinhos da Lapa.

"O ORADOR. – Os argentários dominam no meu distrito; todos os eleitores de poucos meios são postos à margem. O ministério fez agora uma derrama de graças. A quem aproveitou esse ato de magnificência? Aos de bolsas grandes e cheias. Nenhum cidadão pobre, embora de altos serviços ao Estado, mereceu uma distinção qualquer. O governo não os conhece; e por que os não conhece? Porque os não pode corromper; eles receberiam a graça com a altivez de cidadãos que só têm um caminho, o da honra. E (*di-lo-á bem alto*) a honra destes tempos calamitosos está onde não estiverem o governo e os seus amigos!"

MINISTERIAL:

"Sr. presidente. Não venho trazer ao governo senão o apoio que dá o patriotismo; venho repetir-lhe o que a nação inteira brada pela voz dos seus melhores filhos: avante!

"Não sou dos que frequentam a tribuna; conheço que me faltam os méritos necessários; pouco tempo aqui estarei. Vou cedê-la aos grandes luminares desta casa, às vozes sublimes daqueles que (*aqui mais grosso*), como o profeta Isaías, contam as visões que tiveram aos homens que os escutam.

"Entendo, sr. presidente, que a oposição segue caminho errado; o tempo não é de recriminações, o tempo é de salvar a pátria. A oposição não saiu ainda das generalidades; fatos, provas, não apresenta, nem apresentará nunca; pelo menos enquanto os nobres ministros merecerem o apoio do país.

"É vezo antigo tudo esperar do governo; e daí vem acusá-lo quando ele não nos dá o sol e a chuva; mas os tempos vão passando, e a justiça se irá fazendo. Senhores, a história é a mestra da vida, dizia Cícero, se me não engano; ele nos mostra que nenhum governo deixou de ser acusado. Dou o meu apoio ao atual, enquanto marchar nas veredas da justiça e do patriotismo. Será fraco apoio, mas sincero e puro. Tenho concluído."

Não são dos melhores do livro, mas são bons. Há também para as discussões do orçamento, em que o orador pode tratar da farmácia e da astronomia. Fiz até uma inovação. Até aqui a rolha era um simples pedido de encerramento. Eu enfeitei a rolha:

"Sr. presidente. Os ilustres oradores tanto do governo como da nobre oposição já esclareceram bastante a matéria; peço à Câmara um sacrifício à pátria: o encerramento."

O livro será exposto amanhã. Um só volume, in 8º, de IX-284 páginas, VI de índice, preço 2$400.

BOAS NOITES.

23 DE FEVEREIRO DE 1889

BONS DIAS!

Mea culpa, mea culpa, mea maxima culpa. Confesso o meu pecado; estou pronto a purgá-lo esbofeteando-me em público. Só assim mostra um homem que realmente se arrependeu, e se acha contrito. Certo é que o meu erro não era da vontade, mas de inteligência; não menos certo, porém, é que tranquei sempre os ouvidos a qualquer demonstração que me quisessem opor, e esta inclinação a recusar a verdade é que define bem a pertinácia do ânimo ruim.

Vamos ao pecado. Os meus amigos sabem que nunca admiti o acionista, senão como um ente imaginário e convencional. O raciocínio que me levara a negá-lo, posto que de aparência lógica, era radicalmente vicioso. Dizia eu que, devendo ser o acionista um interessado no meneio dos capitais e na boa marcha da administração de uma casa ou de uma obra, não se podia combinar esta noção com a ausência dele no dia em que os encarregados da obra lhe queriam prestar contas. Vi caras de diretores vexados e tristes. Um deles, misturando a troça com as lágrimas, virava pelo avesso um adágio popular, e dizia-me em segredo:

– Não se pode ser mordomo com tais juízes.

Diziam-me depois, que o acionista aparecia, ao fim de três chamadas, ouvia distraído o relatório, puxava o relógio, recebia uma cédula, metia-a na urna, e punha-se a panos. Não, retorquia eu, é impossível; se ele fosse um simples fiscal, podia fazer o que faz o da minha freguesia. Mas ele é o próprio capital, é o fundo, é o *super hanc petram*. Sem ele não há casa nem obra... Mas então como explica? Não explico, ignoro; só sei que o acionista é uma bela concepção. Homero fazia dos sonhos simples personagens, mandados do céu para trazer recados dos deuses aos homens. O acionista há de ser a mesma coisa, sem a beleza genial de Homero.

Tal era a minha convicção. Queriam demonstrar o contrário; alguns, mais fogosos, chamavam-me nomes feios, que não repito por serem muitos, não por vergonha. Homem contrito perde os respeitos humanos. Para isto basta dizer que me chamavam *camelo, paspalhão, lorpa*. Creio que quem confessa estes três apodos pode calar o resto.

Pois bem, achei o acionista, confesso o acionista, juro pelas tripas do acionista, pelas barbas do acionista, por todas as ações do acionista. Não grito: *eureka!* porque deixei esta palavra estrompada e quase morta nos debates políticos de 1860; e demais podia dar ideia de presunção que não tenho.

Como e onde o achei? Nada mais simples. Desde alguns dias que não pergunto aos amigos senão estas duas coisas: Já teve a febre amarela? Quem substituirá o Barão de Cotejipe no Banco do Brasil?

A esta segunda pergunta não me respondiam nada, porque nenhum dos meus amigos possui outras ações, além das que pratica. Abri de mão o interesse puramente gratuito que tenho no negócio, mas abri também os jornais, e foi isto que me trouxe a luz.

Não gosto de fazer grandes comparações comigo; lá vai uma, e é a última. Achei-me na estrada de Damasco, tal qual S. Paulo, e ouvi, à semelhança daquele divino apóstolo, estas palavras, iguais às do Senhor: "Por que me persegue?" A diferença é que S. Paulo – tamanho foi o seu deslumbramento – perdeu a vista, não podendo mais que ouvir a voz misteriosa. Eu, ao contrário, vi tudo: a resposta que eu pedia sobre a presidência do Banco do Brasil, é dada por diferentes modos, mas sempre por um acionista na assinatura. Se fosse o nome da pessoa, não me convencia, porque eu podia muito bem assinar uma opinião, sem ter nada com o banco; mas é sempre um acionista, só, sem nada. Recordações de Mendes Leal. "Como te chamas? – Pedro. – Pedro de quê? – Pedro sem mais nada." No presente caso, não há Pedro, não há iniciais; são os próprios acionistas que, vendo que se trata do primeiro lugar, correm a dar a sua opinião.

E tudo se explica. Não correm às assembleias, pela confiança que lhes merecem, não digo os dividendos, mas os divisores. Agora, porém, trata-se justamente de completar os divisores, por acordo prévio, e eita que metem a mão nos dividendos.

Verdade é que um dos artigos, que não é de acionista, dá por escusada qualquer competência, porque há um candidato do *dono da casa*. Imaginei que esse candidato era eu, e corri a procurar o dono da casa, isto é, do prédio em que está o banco, e disseram-me que o prédio é do próprio banco.

– Mas quem é então o dono da casa?
– Não há; o dono é o próprio acionista.

Aqui é que senti um pouco da turvação de S. Paulo; mas era tarde, a conversão estava feita.

BOAS NOITES.

14 DE JUNHO DE 1889

BONS DIAS!

Ó doce, ó longa, ó inexprimível melancolia dos jornais velhos! Conhece-se um homem diante de um deles. Pessoa que não sentir alguma coisa ao ler folhas de meio século, bem pode crer que não terá nunca uma das mais profundas sensações da vida, – igual ou quase igual à que dá a vista das ruínas de uma civilização. Não é a saudade piegas, mas a recomposição do extinto, a revivescência do passado, a maneira de Ebers, a alucinação erudita da vida e do movimento que parou.

Jornal antigo é melhor que cemitério, por esta razão que no cemitério tudo está morto, enquanto no jornal está vivo tudo. Os letreiros sepulcrais, sobre monótonos, são definitivos: *aqui jaz, aqui descansam, orai por ele!* As letras impressas na gazeta antiga são variadas, as notícias parecem recentes; é a galera que sai, a peça que se está representando, o baile de ontem, a romaria de amanhã, uma explicação, um discurso, dois agradecimentos, muitos elogios; é a própria vida em ação.

Curandeiros, por exemplo. Há agora uma verdadeira perseguição deles. Imprensa, política, particulares, todos parecem haver jurado a exterminação dessa classe interessante. O que lhes vale ainda um pouco é não terem perdido o governo da multidão. Escondem-se; vão por noite negra e vias escuras levar a droga ao enfermo, e, com ela, a consolação. São pegados, é certo; mas por um curandeiro aniquilado, escapam quatro e cinco.

Vinde agora comigo.

Temos aqui o *Jornal do Comércio* de 10 de setembro de 1841. Olhai bem: 1841; lá vão quarenta e oito anos, perto de meio século. Lede com pausa este anúncio de um remédio para os olhos: "... eficaz remédio, que já restituiu a vista a muitas pessoas que a tinham perdido, acha-se em casa de seu autor, o Sr. Antônio Gomes, Rua dos Barbonos nº 76". Era assim, os curandeiros anunciavam livremente, não se iam esconder em Niterói, como o célebre caboclo, ninguém os ia buscar nem prender; punham na imprensa o nome da pessoa, o número da casa, o remédio e a aplicação.

Às vezes, o curandeiro, em vez de chamar, era chamado, como se vê nestas linhas da mesma data:

"Roga-se ao senhor que cura erisipelas, feridas, etc., de aparecer na Rua do Valongo nº 147."

Era outro senhor que esquecera anunciar o número da casa e a rua, como o Antônio Gomes. Este Gomes fazia prodígios. Uma senhora conta ao público a cura extraordinária realizada por ele em uma escrava, que padecia de ferida incurável, ao menos para médicos do tempo. Chamado Antônio Gomes, a escrava sarou. A senhora tinha por nome D. Luísa Teresa Velasco. Também acho uma descoberta daquele benemérito para impigens, coisa admirável.

Além desses, havia outros autores não menos diplomados, nem menos anunciados. Uma loja de papel, situada na Rua do Ouvidor, esquina do Largo de São Francisco de Paula, vendia um licor antifebril, que não só curava a febre intermitente e a enxaqueca, como era famoso contra cólicas, reumatismo e indigestões.

De envolta com os curandeiros e suas drogas, tínhamos uma infinidade de remédios estrangeiros, sem contar as famosas *pílulas vegetais americanas*. Que direi de um *óleo Jacoris Asseli*, eficaz para reumatismo, não menos que o *bálsamo homogêneo simpático*, sem nome de autor nem indicações de moléstias, mas não menos poderoso e buscado?

Todas essas drogas curavam, assim as legítimas como as espúrias. Se já não curam, é porque todas as coisas deste mundo têm princípio, meio e fim. Outras cessaram com os inventores. Tempo virá em que o quinino, tão valente agora, envelheça e expire. Neste sentido é que se pode comparar um jornal antigo ao cemitério, mas ao cemitério de Constantinopla, onde a gente passeia, conversa e ri.

Plínio, falando da medicina em Roma, afirma que bastava alguém dizer-se médico para ser imediatamente crido e aceito; e suas drogas eram logo bebidas, "tão doce é a esperança!" conclui ele. O defunto Antônio Gomes e os seus atuais colegas bem podiam ter vivido em Roma; seriam lá como aqui (em 1841) verdadeiramente adorados. Bons curandeiros! Tudo passa com os anos, tudo, a proteção romana e a tolerância carioca; tudo passa com os anos... ó doce, ó longa, ó inexprimível melancolia dos jornais velhos!

BOAS NOITES.

29 DE JUNHO DE 1889

BONS DIAS!

"*E*m Venezuela (diz um telegrama de New York, de 25, publicado no dia 26) *dissolveu-se o partido* do General Guzmán Blanco."

Fiquei como não imaginam; tanto que não tive tempo de vir cumprimentá-los, segundo o meu desejo. Corri ao escritório da companhia telegráfica, para saber se não haveria erro na tradução do telegrama. Podia ser *patrulha*, podia ser *patuscada*; podia ser mesmo um *batalhão*. Nós dissolvemos batalhões. Partido é que eu achava...

– Está aqui telegrama, senhorr, disse-me o inglês de alto a baixo, com um ar de sobressalente; senhorr pode egzamina ele, e reconhece que Company não tem interesse em inventa telegramas.

– Há de perdoar, mas o Príncipe de Bismarck pensa o contrário.

– Contrário à Company?

– Não, aos telegramas. Disse ele, uma vez, em aparte a um orador da Câmara: "O sr. deputado mente como um telegrama." Mas eu não vou tão longe; os telegramas não mentem, mas podem ser tatibitate...

– Senhorr fala latim; eu deixa senhorr...

E foi para dentro o inglês; desci as escadas e vim para a rua, desorientado e cada vez mais curioso de achar explicação à notícia, que me parecia estrambótica. Custava-me entender que um partido se dissolvesse assim, em certo dia, como se expede um decreto. Compreendo que uma reunião familiar se dissolva, em certa hora; assim o tenho lido, mil vezes: "As danças prolongaram-se até a madrugada, e dissolveu-se a reunião, deixando a todos penhorados com as maneiras da diretoria (ou dos donos da casa); e, com efeito, não se podia ser mais etc." Mas um partido, uma vegetação política, lá me custava engolir.

Desse estado, que não ouso chamar ignorante, para me não descompor, fui arrancado agora mesmo por um artigo de muitos republicanos de Vassouras. Eu fui a Vassouras há muitos anos, quando ali era juiz municipal o Calvet, e juiz de direito o Dario Callado. Na vila não havia então republicanos, não havia mesmo ninguém, exceto os dois magistrados, o vigário, o meu hospedeiro e eu. Ao domingo, o vigário reproduzia o milagre da multiplicação dos pães; para dizer missa, fazia de nós quatro umas cinquenta moças, muito lindas; mas, acabada a missa, voltávamos a ser cinco, ele vigário, eu, o meu hospedeiro, o Dario e o Calvet. *Où sont les neiges d'antan?*

Como ia dizendo, foi o artigo que me deu a explicação.

Afirmam os autores, que a lembrança de fazer eleger por ali um candidato republicano de fora, que lá não nasceu nem mora, era antes um esquecimento, e parece ter por fim ofender os brios do 10º distrito e o caráter de dois candidatos do lugar. "Não acreditamos que esses distintos cidadãos se humilhem ao ponto de se sujeitarem ao insulto que lhes é irrogado." Acrescentam que o 10º distrito não é burgo podre; e concluem: "O caso é para dizer-se: perca-se o partido, mas salve-se a honra do distrito".

Mas, senhores, aqui está a federação feita; é a dos distritos. Todos os partidos a aceitam, antigos ou novos. Havia dúvidas sobre se os partidos mais recentes trariam este mesmo sabor *du terroir*; vemos que sim, e até com maior intensidade, o que está muito bem. Quanto ao lema: "Perca-se o partido, mas salve-se a honra do distrito", – aí fica a mais alta significação das liberdades locais. Aproveitamos este *filon*, que vai dar à grande mina.

Isto faz-me lembrar a anedota do campônio de uma freguesia, que foi a outra, onde chegou a tempo de ouvir um sermão de lágrimas. O pregador era patético, todos os fiéis choravam a valer; só o campônio ouvia de olhos enxutos as passagens mais sublimes. Interrogado por um dos presentes, acerca da falta de lágrimas, quando o pregador as arrancava a todos, respondeu tranquilamente: "É que eu não sou cá desta freguesia".

Em política (ao menos aqui) só choram os da paróquia na paróquia, entendendo-se que chorar quer dizer rir. Quem nasceu no alto-mar, faça-se eleger pelos tubarões. Há aqui uma emenda à Lei Saraiva.

Que tem isto com a notícia telegráfica de Venezuela? Leve-me o diabo se me lembra onde é que estava a ligação. Vá esta, em falta de outra. Provavelmente, o partido de Guzmán Blanco compunha-se de todos os distritos de Venezuela; começou a perdê-los, até que chegou a um só, depois uma cidade, uma vila, uma rua, um beco, um quarteirão, uma casa, finalmente uma alcova: morreu o homem que dormia na alcova, dissolveu-se o partido. Note-se que isto não liga coisa nenhuma, mas é um modo de casar (como dizia Molière) a República de Veneza com o Grão-Turco. Grão-Turco é o Guzmán Blanco.

BOAS NOITES.

22 DE AGOSTO
DE 1889

BONS DIAS!

Quem nunca invejou, não sabe o que é padecer. Eu sou uma lástima. Não posso ver uma roupinha melhor em outra pessoa, que não sinta o dente da inveja morder-me as entranhas. É uma comoção tão ruim, tão triste, tão profunda, que dá vontade de matar. Não há remédio para esta doença. Eu procuro distrair-me nas ocasiões; como não posso falar, entro a contar os pingos de chuva, se chove, ou os basbaques que andam pela rua, se faz sol; mas não passo de algumas dezenas. O pensamento não me deixa ir avante. A roupinha melhor faz-me foscas, a cara do dono faz-me caretas...

Foi o que me aconteceu, depois da última vez que estive aqui. Há dias, pegando numa folha da manhã, li uma lista de candidaturas para deputados por Minas, com seus comentos e prognósticos. Chego a um dos distritos, não me lembra qual, nem o nome da pessoa, e que hei de ler? Que o candidato era apresentado pelos três partidos, liberal, conservador e republicano.

A primeira coisa que senti, foi uma vertigem. Depois, vi amarelo. Depois, não vi mais nada. As entranhas doíam-me, como se um facão as rasgasse, a boca tinha um sabor de fel, e nunca mais pude encarar as linhas da notícia. Rasguei afinal a folha, e perdi os dois vinténs; mas eu estava pronto a perder dois milhões, contanto que aquilo fosse comigo.

Upa! que caso único. Todos os partidos armados uns contra os outros no império, naquele ponto uniam-se e depositavam sobre a cabeça de um homem os seus princípios. Não faltará quem ache tremenda a responsabilidade do eleito, – porque a eleição, em tais circunstâncias, é certa; cá para mim é exatamente o contrário. Deem-me essas responsabilidades, e verão se me saio delas sem demora, logo na discussão do voto de graças.

– Trazido a esta Câmara (direi eu) nos paveses de gregos e troianos, e não só dos gregos que amam o colérico Aquiles, filho de Peleu, como dos que estão com Agamenon, chefe dos chefes, posso exultar mais que nenhum outro, porque nenhum outro é, como eu, a unidade nacional. Vós representais os vários membros do corpo: eu sou o corpo inteiro, completo. Disforme, não; não monstro de Horácio. Por quê? Vou dizê-lo.

E diria então que ser conservador era ser essencialmente liberal, e que no uso da liberdade, no seu desenvolvimento, nas suas mais amplas reformas, estava a melhor conservação. Vede uma floresta (exclamaria, levantando os braços). Que potente liberdade! e que ordem segura! A natureza, liberal e pródiga na produção, é conservadora por excelência na harmonia em que aquela vertigem de troncos, folhas e cipós, em que aquela passarada estridula, se unem para formar a floresta. Que exemplo às sociedades! que lição aos partidos!

O mais difícil parece que era a união dos partidos monárquicos e dos princípios republicanos; puro engano. Eu diria: 1º, que não vinha ali combatê-los, mas representá-los, coisa diferente; 2º, que jamais consentiria que nenhuma das duas formas de governo se sacrificasse por mim; eu é que era por ambas; 3º, que considerava tão necessária uma como outra, não dependendo tudo senão dos termos; assim podíamos ter na monarquia a república coroada, enquanto a república podia ser a liberdade no trono, etc., etc.

Nem todos concordariam comigo; creio até que ninguém, ou concordariam todos, mas cada um com uma parte. Sim, o acordo pleno das opiniões só uma vez se deu debaixo do sol, há muitos anos, e foi na assembleia provincial do Rio de Janeiro. Orava um deputado, cujo nome absolutamente me esqueci, como o de dois, um liberal, outro conservador, que virgulavam o discurso com apartes, – os mesmos apartes. A questão era simples.

O orador, que era novo, expunha as suas ideias políticas. Dizia que opinava por isso ou por aquilo. Um dos apartistas acudia: é liberal. Redarguía o outro: é conservador. Tinha o orador mais este e aquele propósito. É conservador, dizia o segundo; é liberal, teimava o primeiro. Em tais condições, prosseguia o novato, é meu intuito seguir este caminho. Redarguía o liberal: é liberal; e o conservador: é conservador. Durou este divertimento três quartos de coluna do *Jornal do Comércio*. Eu guardei um exemplar da folha para acudir às minhas melancolias, mas perdi-o numa das mudanças de casa.

Oh! não mudeis de casa! Mudai de roupa, mudai de fortuna, de amigos, de opinião, de criados, mudai de tudo, mas não mudeis de casa!

BOAS NOITES.

A SEMANA
(1892-1900)

24 DE ABRIL
DE 1892

Na segunda-feira da semana que findou, acordei cedo, pouco depois das galinhas, e dei-me ao gosto de propor a mim mesmo um problema. Verdadeiramente era uma charada; mas o nome de problema dá dignidade, e excita para logo a atenção dos leitores austeros. Sou como as atrizes, que já não fazem benefício, mas *festa artística*. A coisa é a mesma, os bilhetes crescem de igual modo, seja em número, seja em preço; o resto, comédia, drama, opereta, uma polca entre dois atos, uma poesia, vários ramalhetes, lampiões fora, e os colegas em grande gala, oferecendo em cena o retrato à beneficiada.

Tudo pede certa elevação. Conheci dois velhos estimáveis, vizinhos, que esses tinham todos os dias a sua festa artística. Um era cavaleiro da Ordem da Rosa, por serviços *em relação* à Guerra do Paraguai; o outro tinha o posto de tenente da guarda nacional da reserva, a que prestava bons serviços. Jogavam xadrez, e dormiam no intervalo das jogadas. Despertavam-se um ao outro desta maneira: "Caro *major!*" – "Pronto, *comendador!*" – Variavam às vezes: – "Caro *comendador!*" – "Aí vou, *major.*" Tudo pede certa elevação.

Para não ir mais longe, Tiradentes. Aqui está um exemplo. Tivemos esta semana o centenário do grande mártir. A prisão do heroico alferes é das que devem ser comemoradas por todos os filhos deste país, se há nele patriotismo, ou se esse patriotismo é outra coisa mais que um simples motivo de palavras grossas e rotundas. A capital portou-se bem. Dos estados estão vindo boas notícias. O instinto popular, de acordo com o exame da razão, fez da figura do alferes Xavier o principal dos Inconfidentes, e colocou os seus parceiros a meia ração de glória. Merecem, decerto, a nossa estima aqueles outros; eram patriotas. Mas o que se ofereceu a carregar com os pecados de Israel, o que chorou de alegria quando viu comutada a pena de morte dos seus companheiros, pena que só ia ser executada nele, o enforcado, o esquartejado, o decapitado, esse tem de receber o prêmio na proporção do martírio, e ganhar por todos, visto que pagou por todos.

Um dos oradores do dia 21 observou que, se a Inconfidência tem vencido, os cargos iam para os outros conjurados, não para o alferes. Pois não é muito que, não tendo vencido, a história lhe dê a principal cadeira. A distribuição é justa. Os outros têm ainda um belo papel; formam, em torno de Tiradentes, um coro igual ao das Oceânides diante de Prometeu encadeado. Relede Ésquilo, amigo leitor. Escutai a linguagem compassiva das ninfas, escutai os gritos terríveis, quando o grande titã é envolvido na conflagração geral das coisas. Mas, principalmente, ouvi as palavras de Prometeu narrando os seus crimes às ninfas amadas: "Dei o fogo aos homens; esse mestre lhes ensinará todas as artes". Foi o que nos fez Tiradentes.

Entretanto, o alferes Joaquim José tem ainda contra si uma coisa, a alcunha. Há pessoas que o amam, que o admiram, patrióticas e humanas, mas que não podem tolerar esse nome de Tiradentes. Certamente que o tempo trará a familiaridade do nome e a harmonia das sílabas; imaginemos, porém, que o alferes tem podido galgar pela imaginação um século e despachar-se cirurgião-dentista. Era o mesmo herói, e o ofício era o mesmo; mas traria outra dignidade. Podia ser até que, com o tempo, viesse a perder a segunda parte, dentista, e quedar-se apenas cirurgião.

Há muitos anos, um rapaz – por sinal que bonito – estava para casar com uma linda moça –, a aprazimento de todos, pais e mães, irmãos, tios e primos. Mas o noivo demorava o consórcio; adiava de um sábado para outro, depois quinta-feira, logo terça, mais tarde sábado; – dois meses de espera. Ao fim desse tempo, o futuro sogro comunicou à mulher os seus receios. Talvez o rapaz não quisesse casar. A sogra, que antes de o ser já era, pegou do pau moral, e foi ter com o esquivo genro. Que histórias eram aquelas de adiamentos?

– Perdão, minha senhora, é uma nobre e alta razão; espero apenas...

– Apenas...?

– Apenas o meu título de agrimensor.

– De agrimensor? Mas quem lhe diz que minha filha precisa do seu ofício para comer? Case, que não morrerá de fome; o título virá depois.

– Perdão; mas não é pelo título de agrimensor, propriamente dito, que estou demorando o casamento. Lá na roça dá-se ao agrimensor, por cortesia, o título de doutor, e eu quisera casar já doutor...

Sogra, sogro, noiva, parentes, todos entenderam esta sutileza, e aprovaram o moço. Em boa hora o fizeram. Dali a três meses recebia o noivo os títulos de agrimensor, de doutor e de marido.

Daqui ao caso eleitoral é menos que um passo; mas, não entendendo eu de política, ignoro se a ausência de tão grande parte do eleitorado na eleição do dia 20 quer dizer descrença, como afirmam uns, ou abstenção como outros juram. A descrença é fenômeno alheio à vontade do eleitor; a abstenção é propósito. Há quem não veja em tudo isto mais que ignorância do poder daquele fogo que Tiradentes legou aos seus patrícios. O que sei, é que fui à minha seção para votar, mas achei a porta fechada e a urna na rua, com os livros e ofícios. Outra casa os acolheu compassiva; mas os mesários não tinham sido avisados e os eleitores eram cinco. Discutimos a questão de saber o que é que nasceu primeiro, se a galinha, se o ovo. Era o problema, a charada, a adivinhação de segunda-feira. Dividiram-se as opiniões; uns foram pelo ovo, outros pela galinha; o próprio galo teve um voto. Os candidatos é que não tiveram nem um, porque os mesários não vieram e bateram dez horas. Podia acabar em prosa, mas prefiro o verso

Sara, belle d'indolence,
Se balance
Dans un hamac...

31 DE JULHO
DE 1892

*E*sta semana furtaram a um senhor que ia pela rua mil debêntures; ele providenciou de modo que pôde salvá-los. Confesso que não acreditei na notícia, a princípio; mas o respeito em que fui educado para com a letra redonda fez-me acabar de crer que se não fosse verdade não seria impresso. Não creio em verdades manuscritas. Os próprios versos, que só se fazem por medida, parecem errados, quando escritos à mão. A razão por que muitos moços enganavam as moças e vice-versa é escreverem as suas cartas, e entregá-las de mão a mão, ou pela criada, ou pela prima, ou por qualquer outro modo, que no meu tempo era ainda inédito. Quem não engana é o namorado da folha pública: "Querida X, não foste hoje ao lugar do costume; esperei até as três horas. Responde ao teu Z". E a namorada: "Querido Z. Não fui ontem por motivos que te direi à vista. Sábado, com certeza, à hora costumada; não faltes. Tua X". Isto é sério, claro, exato, cordial.

A razão que me fez duvidar a princípio foi a noção que me ficou dos negócios de debêntures. Quando este nome começou a andar de boca em boca, até fazer-se um coro universal, veio ter comigo um chacareiro aqui da vizinhança e confessou que, não sabendo ler, queria que lhe dissesse se aqueles papéis valiam alguma coisa. Eu, verdadeiro eco da opinião nacional, respondi que não havia nada melhor; ele pegou nas economias e comprou uma centena delas. Cresceu ainda o preço e ele quis vendê-las; mas eu acudi a tempo de suspender esse desastre. Vender o quê? Deixasse estar os papéis que o preço ia subir por aí além. O homem confiou e esperou. Daí a tempo ouvi um rumor; eram as debêntures que caíam, caíam, caíam... Ele veio procurar-me, debulhado em lágrimas; ainda o fortaleci com uma ou duas parábolas, até que os dias correram, e o desgraçado ficou com os papéis na mão. Consolou-se um pouco quando eu lhe disse que metade da população não tinha outra atitude.

Pouco tempo depois (vejam o que é o amor a estas coisas!) veio ter comigo e proferiu estas palavras:

– Eu já agora perdi quase tudo o que tinha com as tais debêntures; mas ficou-me sempre um cobrinho no fundo do baú, e como agora ouço falar muito em *habeas corpus*, vinha, sim, vinha perguntar-lhe se esses títulos são bons, e se estão caros ou baratos.

– Não são títulos.

– Mas o nome também é estrangeiro.

– Sim, mas nem por ser estrangeiro, é título; aquele doutor que ali mora defronte é estrangeiro e não é título.

– Isso é verdade. Então parece-lhe que os *habeas corpus* não são papéis?

– Papéis são; mas são outros papéis.

A ideia de debêntures ficou sendo para mim a mesma coisa que nada, de modo que não compreendia que um senhor andasse com mil debêntures na algibeira, que outro as furtasse, e que ele corresse em busca do ladrão. Acreditei por estar impresso. Depois mostraram-me a lista das cotações. Vi que não se vendem tantas como outrora, nem pelo preço antigo, mas há algum negociozinho, pequeno, sobre alguns lotes. Quem sabe o que elas serão ainda algum dia? Tudo tem altos e baixos.

O certo é que mudei de opinião. No dia seguinte, depois do almoço, tirei da gaveta algumas centenas de mil--réis, e caminhei para a Bolsa, encomendando-me (é inútil dizê-lo) ao Deus de Abraão, Isaac e Jacó. Comprei um lote, a preço baixo, e particularmente prometi uma debênture de cera a S. Lucas, se me fizer ganhar um cobrinho grosso. Sei que é imitar aquele homem que, há dias, deu uma chave de cera a S. Pedro, por lhe haver deparado casa em que morasse; mas eu tenho outra razão. Na semana passada falei de uns casais de pombas, que vivem na igreja da Cruz dos Militares, aos pés de S. João e S. Lucas. Uma delas, vendo-me passar, quando voltava da Bolsa, desferiu o voo, e veio pousar-me no ombro; mostrou-se meio agastada com a publicação, mas acabou dizendo que naquela rua, tão perto dos bancos e da praça, tinham elas uma grande vantagem sobre todos os mortais. Quaisquer que sejam os negócios, – arrulhou-me ao ouvido, – o câmbio para nós está sempre a 27.

Não peço outra coisa ao apóstolo; câmbio a 27 para mim como para elas, e terá a debênture de cera, com inscrições e alegorias. Veja que nem lhe peço a cura da tosse e da coriza que me afligem, desde algum tempo. O meu talentoso amigo Dr. Pedro Américo disse outro dia na Câmara dos Deputados, propondo a criação de um teatro nacional que, se por um milagre de higiene, todas as moléstias desaparecessem, "não haveria faculdade, nem artifícios de retórica capazes de convencer a ninguém das belezas da patologia nem da utilidade da terapêutica". Ah! meu caro amigo! Eu dou todas as belezas da patologia por um nariz livre e um peito desabafado. Creio na utilidade da terapêutica: mas que deliciosa coisa é não saber que ela existe, duvidar dela e até negá-la! Felizes os que podem respirar! bem-aventurados os que não tossem! Agora mesmo interrompi o que ia escrevendo para tossir; e continuo a escrever de boca aberta para respirar. E falam-me em belezas da patologia... Francamente, eu prefiro as belezas da *Batalha de Avaí*.

A rigor, devia acabar aqui; mas a notícia que acaba de chegar do Amazonas obriga-me a algumas linhas, três ou quatro. Promulgou-se a Constituição, e, por ela, o governador passa-se a chamar presidente do estado. Com exceção do Pará e Rio Grande do Sul, creio que não falta nenhum. *Sono tutti fatti marchesi*. Eu, se fosse presidente da República, promovia a reforma da Constituição, para o único fim de chamar-me governador. Ficava assim um governador cercado de presidentes, ao contrário dos Estados Unidos da América, e fazendo lembrar o Imperador Napoleão, vestido com a modesta farda lendária, no meio dos seus marechais em grande uniforme.

Outra notícia que me obriga a não acabar aqui, é a de estarem os rapazes do comércio de S. Paulo fazendo reuniões para se alistarem na Guarda Nacional, em desacordo com os daqui, que acabam de pedir dispensa de tal serviço. Questão de meio; o meio é tudo. Não há exaltação para uns nem depressão para outros. Duas coisas contrárias podem ser verdadeiras e até legítimas, conforme a zona. Eu, por exemplo, execro o mate chimarrão; os nossos irmãos do Rio Grande do Sul acham que não há bebida mais saborosa neste mundo. Segue-se que o mate deve ser sempre uma ou outra coisa? Não; segue-se o meio; o meio é tudo.

14 DE AGOSTO
DE 1892

Semana e finanças são hoje a mesma coisa. E tão graves são os negócios financeiros, que escrever isto só, pingar-lhe um ponto e mandar o papel para a imprensa, seria o melhor modo de cumprir o meu dever. Mas o leitor quer os seus poetas menores. Que os poetas magnos tratem os sucessos magnos; ele não dispensa aqui os assuntos mínimos, se os houve, e se os não houve, as reflexões leves e curtas. Força é reproduzir o famoso *Marche! Marche!* de Bossuet... Perdão, leitor! Bousset! eis-me aqui mais grave que nunca.

E por que não sei eu finanças? Por que, ao lado dos dotes nativos com que aprouve ao céu distinguir-me entre os homens, não possuo a ciência financeira? Por que ignoro eu a teoria do imposto, a lei do câmbio, e mal distingo dez mil-réis de dez tostões? Nos bondes é que me sinto vexado. Há sempre três e quatro pessoas (principalmente agora) que tratam das coisas financeiras e econômicas, e das causas das coisas, com tal ardor e autoridade, que me oprimem. É então que eu leio algum jornal, se o levo, ou roo as unhas, – vício dispensável; mas antes vicioso que ignorante.

Quando não tenho jornal, nem unhas, nem atiro-me às tabuletas. Miro ostensivamente as tabuletas, como quem estuda o comércio e a indústria, a pintura e a ortografia. E não é novo este meu costume, em casos de aperto. Foi assim que um dia, há anos, não me lembro em que loja, nem em que rua, achei uma tabuleta que dizia: *Ao Planeta do Destino*. Intencionalmente obscuro, este título era uma nova edição da esfinge. Pensei nele, estudei-o, e não podia dar com o sentido, até que me lembrou virá-lo do avesso: *Ao Destino do Planeta*. Vi logo que, assim virado, tinha mais senso; porque, em suma, pode admitir-se um destino ao planeta em que pisamos... Talvez a ciência econômica e financeira seja isto mesmo, o avesso do que dizem os discutidores de bondes. Quantas verdades escondidas em frases trocadas! Quando fiz esta reflexão, exultei. Grande consolação é persuadir-se um homem de que os outros são asnos.

E aí estão quatro tiras escritas, e aqui vai mais uma, cujo assunto não sei bem qual seja, tantos são eles e tão opostos. Vamos ao Senado. O Senado discutiu o chim, o arroz, e o chá, e naturalmente tratou da questão da raça chinesa, que uns defendem e outros atacam. Eu não tenho opinião; mas nunca ouso falar de raças, que me não lembre do Honório Bicalho. Estava ele no Rio Grande do Sul, perto de uma cidade alemã. Iam com ele moças e homens a cavalo; viram uma flor muito bonita no alto de uma árvore, Bicalho ou outro quis colhê-la, apoiando os pés no dorso do cavalo, mas não alcançava a flor. Por fortuna, vinha da povoação um moleque, e o Bicalho foi ter com ele.

– Vem cá, trepa àquela árvore, e tira a flor que está em cima...

Estacou assombrado. O moleque respondeu-lhe em alemão, que não entendia português. Quando Bicalho entrou na cidade, e não ouviu nem leu outra língua senão a alemã, a rica e forte língua de Goethe e de Heine, teve uma impressão que ele resumia assim: "Achei-me estrangeiro no meu próprio país!" Lembram-se dele? Grande talento, todo ele vida e espírito.

Isto, porém, não tem nada com os chins, nem os judeus, nem particularmente com aquela moça que acaba de impedir a canonização de Colombo. Hão de ter lido o telegrama que dá notícia de haver sido posta de lado a ideia de canonização do grande homem, por motivo de uns amores que ele trouxera com uma judia. Todos os escrúpulos são respeitáveis, e seria impertinência querer dar lições ao Santo Padre em matéria de economia católica. Colombo perdeu a canonização sem perder a glória, e a própria Igreja o sublima por ela. Mas...

Mas, por mais que a gente fuja com o pensamento ao caso, o pensamento escapa-se, rompe os séculos, e vai farejar essa judia que tamanha influência devia ter na posteridade. E compõe a figura pelas que conhece. Há-as de olhos negros e de olhos garços, umas que deslizam sem pisar no chão, outras que atam os braços ao descuidado com a simples corda das pestanas infinitas. Nem faltam as que embebedam e as que matam. O pensamento evoca a sombra da filha de Moisés, e pergunta como é que aquele grande e pio genovês, que abriu à fé cristã um novo mundo, e não se abalançou ao descobrimento sem encomendar-se a Deus, podia ter consigo esse pecado mofento, esse *fedor judaico*, – deleitoso, se querem, mas de entontecer e perder uma alma por todos os séculos dos séculos.

Eu ainda quero crer que ambos, sabendo que eram incompatíveis, fizeram um acordo para dissimular e pecar. Combinaram em ler o *Cântico dos Cânticos*; mas Colombo daria ao texto bíblico o sentido espiritual e teológico, e ela o sentido natural e molemente hebraico.

– O meu amado é para mim como um cacho de Chipre, que se acha nas vinhas de Engadi.

– Os teus olhos são como os das pombas, sem falar no que está escondido dentro. Os teus dois peitos são como dois filhinhos gêmeos da cabra montesa, que se apascentam entre as açucenas.

– Eu me levantei para abrir ao meu amado; as minhas mãos destilaram mirra.
– Os teus lábios são como uma fita escarlate, e o teu falar é doce.
– O cheiro dos teus vestidos é como o cheiro do incenso.
Quantas uniões danadas não se mantêm por acordos semelhantes, em consciência, às vezes! Há uma grande palavra que diz que todas as coisas são puras para quem é puro.
Tornemos à gente cristã, às eleições municipais, à senatorial, aos italianos de S. Paulo que deixam a terra, a D. Carlos de Bourbon que aderiu à República Francesa em obediência ao Papa, aos bondes elétricos, à subida ao poder do *old great man*, a mil outras coisas que apenas indico, tão aborrecido estou. Pena da minha alma, vai afrouxando os bicos; diminui esse ardor, não busques adjetivos, nem imagens, não busques nada, a não ser o repouso, o descanso físico e mental, o esquecimento, a contemplação que prende com o cochilo, o cochilo que expira no sono...

28 DE AGOSTO
DE 1892

Para um triste escriba de coisas miúdas, nada há pior que topar com o cadáver de um homem célebre. Não pode julgá-lo por lhe faltar investidura; para louvá-lo, há de trocar de estilo, sair do comum da vida e da semana. Não bastam as qualidades pessoais do morto, a bravura e o patriotismo, virtudes nem defeitos, grandes erros nem ações lustrosas. Tudo isso pede estilo solene e grave, justamente o que falta a um escriba de coisas miúdas.

Na dificuldade em que me acho, o melhor é fitar o morto, calar-me e adeus. Um só passo neste óbito público me faria deter alguns instantes. Refiro-me às declarações parlamentares do dia 23 e 25 e ao art. 8º das *Disposições transitórias* da Constituição de 24 de fevereiro de 1891. Segundo o art. 8º, o fundador da República foi Benjamim Constant; mas, segundo os discursos parlamentares, foi o Marechal Deodoro. Tendo saído do mesmo Congresso os discursos e o art. 8º, pode alguém não saber qual deles é o fundador, uma vez que a República há de ter um fundador. A imprensa mostrou igual divergência. Só o *Rio News* adotou um meio-termo e chamou ao finado marechal um dos fundadores da República. A origem anglo-saxônica da folha pode explicar essa aversão à bela unidade latina; mas bem latina é a Igreja Católica, e eis aqui o que ela fez.

A Igreja, obra da doutrina de Jesus Cristo e do apostolado de S. Paulo, não querendo desligar uma coisa de outra, meteu S. Paulo e S. Pedro no mesmo credo, com o fim de completar o *Tu és Pedro e sobre esta pedra etc. Saulo, por que me persegues?* Foi um modo de dizer que a doutrina impõe-se pela ação, e a ação vive da doutrina.

Eu, porém, que não sou Igreja Católica, nem folha anglo-saxônica, não tenho a autoridade de um, nem a índole da outra; pelo quê, não me detenho ante a contradição das opiniões. Quando muito, podia apelar para a História. Mas a História é pessoa entrada em anos, gorda, pachorrenta, meditativa, tarda em recolher documentos, mais tarda ainda em os ler e decifrar. Assim, pode ser que, entre 1930 e 1940, tendo cotejado a Constituição de 91 com os discursos de 92, e os artigos de jornais com os artigos de jornais, decida o ponto controverso, ou adote a ideia de dois fundadores, senão de três; mas onde estarei eu então? Se guardar memória da vida, terei ainda de cor os hinos de ambas as capelas. Não terei visto a catedral única.

Não basta, para que um edifício exista, haver fundadores dele; é de força que se levantem paredes e escadas, se rasguem portas e janelas, e finalmente se lhe ponham cumeeira e telhado. Sobre isto falou esta semana o Sr. Deputado Glicério, lastimando que a Câmara dos Deputados não se esforce na medida da responsabilidade que lhe cabe. Creio que a responsabilidade é grande; mas, quanto à primeira parte, se é certo que o esforço não corresponde à segunda, importa acrescentar que o melhor desejo deste mundo não faz criar vontades. O patriotismo é que pode muito, e o exemplo do passado vale alguma coisa.

Já agora vou falando gravemente até o fim. Finanças, por exemplo, aqui está um assunto de ocasião, se é certo, como acabo de ler, que o ministro da Fazenda pediu demissão. Eu nada tenho com a Fazenda, a não ser a impressão que deixa esta bela palavra. Entretanto, ocorre-

-me uma anedota de Cícero, e custa muito a um homem lembrar-se de um grande homem e não tentar ombrear com ele. Foi quando aquele cônsul tomou conta do poder, vago pela morte do colega, 24 horas antes de expirar o consulado. "Depressa, dizia Cícero aos demais senadores, – depressa, antes que achemos outro cônsul no lugar."

Depressa, depressa, antes que haja outro ministro, e me estenda e complique o assunto desta semana. Se eu nem falo do *déficit* do Piauí, e mais é objeto digno de consideração. Deixo o monopólio dos níqueis, que dizem ser grande e valioso; só um compadre meu recolheu oitocentos contos de réis, que vende com pequeno juro. Excluo a briga dos intendentes municipais, excluo as bruxas do Maranhão, alguns assassinatos e outras coisas alegres.

2 DE OUTUBRO
DE 1892

Tannhäuser e bondes elétricos. Temos finalmente na terra essas grandes novidades. O empresário do teatro lírico fez-nos o favor de dar a famosa ópera de Wagner, enquanto a Companhia de Botafogo tomou a peito transportar-nos mais depressa. Cairão de uma vez o burro e Verdi? Tudo depende das circunstâncias.

Já a esta hora algumas das pessoas que me leem, sabem o que é a grande ópera. Nem todas; há sempre um grande número de ouvintes que farão ao grande maestro a honra de não perceber tudo desde logo, e entendê-lo melhor à segunda, e de vez à terceira ou quarta execução. Mas não faltam ouvidos acostumados ao seu ofício, que distinguirão na mesma noite o belo do sublime, e o sublime do fraco.

Eu, se lá fosse, não ia em jejum. Pegava de algumas opiniões sólidas e francesas e metia-as na cabeça com facilidade; só não me valeria das muletas do bom Larousse, se ele não as tivesse em casa; mas havia de tê-las. Cai aqui, cai acolá, faria uma opinião prévia, e à noite iria ouvir a grande partitura do mestre. Um amigo:

– Afinal temos o *Tannhäuser;* eu conheço um trecho, que ouvi há tempos...

– Eu não conheço nada, e quer que lhe diga? É melhor assim. Faço de conta que assisto à primeira representação que se deu no mundo. Tudo novo.
– O que eu ouvi, é soberbo.
– Creio; mas não me diga nada, deixe-me virgem de opiniões. Quero julgar por mim, mal ou bem...

E iria sentar-me e esperar, um tanto nervoso, irrequieto, sem atinar com o binóculo para a revista dos camarotes. Talvez nem levasse binóculo; diria que as grandes solenidades artísticas devem ser estremes de quaisquer outras preocupações humanas. A arte é uma religião. O gênio é o sumo sacerdote. Em vão, Amália, posta no camarote, em frente à mãe, lançaria os olhos para mim, assustada com a minha indiferença e perguntando a si mesma que me teria feito. Eu, teso, espero que as portas do templo se abram, que as harmonias do céu me chamem aos pés do divino mestre; não sei de Amália, não quero saber dos seus olhos de turquesa.

Era assim que eu ouviria o *Tannhäuser*. Nos intervalos, visitas aos camarotes e crítica. Aquela entrada dos fagotes, lembra-se? Admirável! Os coros, o duo, os violinos, oh! o trabalho dos violinos, que coisa adorável, com aquele motivo obrigado: *la la la tra la la, la, tra la la...* Há neste ato inspirações que são, com certeza, as maiores do século. De resto, os próprios franceses emendaram a mão, dando a Wagner o preito que lhe cabe, como um criador genial... As senhoras ouvem-me encantadas; a linda Amália sente-se honrada com a indiferença de há pouco, vendo que ela e a arte são o meu culto único.

Ao fundo, o pai e um homem de suíças falam da fusão do Banco do Brasil com o da República. O irmão, encostado à divisão do camarote, conversa com uma dama vizinha, casada de fresco, ombros magníficos. Que tenho eu com ombros, nem com bancos? *La la, la tra la la la tra la la...*

Feitas as despedidas, passaria a outro camarote, para continuar a minha crítica. Dois homens, sempre ao fundo, conversam baixo, um recitando os versos de Garrett sobre a Guerra das Duas Rosas, o outro esperando a aplicação. A aplicação é a Câmara Municipal de S. Paulo, que acaba de tomar posse solene, com assistência do presidente e dos secretários do estado... Interrupção do segundo: "Pode comparar-se o caso dos dois secretários à conciliação que o poeta fez das duas rosas?" Explicação do primeiro: "Não; refiro-me à inauguração que a Câmara fez dos retratos de Deodoro e Benjamim Constant. Uniu os dois rivais póstumos em uma só comemoração, e a história ou a lenda que faça o resto".

Não espero pelo resto; falo às senhoras no duo e na entrada dos fagotes. Bela entrada de fagotes. Os coros admiráveis, e o trabalho dos violinos simplesmente esplêndido. Hão de ter notado que a música reproduz perfeitamente a lenda, como o espelho a figura; prendem-se ambas em uma só inspiração genial. Aquele motivo obrigado dos violinos é a mais bela inspiração que tenho ouvido: *la la la tra la la la tra...*

Terceiro camarote, violinos, fagotes, coros e o duo. Pormenores técnicos. Ao fundo, dois homens, que falam de um congresso psicológico em Chicago, dizem que os nossos espíritas vão ter ocasião de aparecer, porque o convite estende-se a eles. Tratar-se-á não só dos fenômenos psicofísicos, como sejam as pancadas, as oscilações em mesas, a escrita e outras manifestações espíritas, como ainda da questão da vida futura. Um dos interlocutores declara que os únicos espíritas que conhece, são dois, moram ao pé dele e já não pertencem a este mundo; estão nos intermúndios de Epicuro. Andam cá os corpos, por efeito do movimento que traziam quando habitados pelos espíritos, como aqueles astros cuja luz ainda vemos hoje, estando apagados há muitos séculos...

A orquestra chama a postos, sobe o pano, assisto ao ato, e faço a mesma peregrinação no intervalo; mudo só as citações, mas a crítica é sempre verdadeira. Ouço os mesmos homens, ao fundo, conversando sobre coisas alheias ao Wagner. Eu, entregue à crítica musical, não dou pelas rusgas da intendência, não atendo às candidaturas municipais agarradas aos eleitores, não dou por nada que não seja a grande ópera. E sento-me, e recordo prontamente o que li sobre o ato, oh! um ato esplêndido!

Fim do espetáculo. Corro a encontrar-me com a família de Amália, para acompanhá-la à carruagem. Dou o braço à mãe e critico o último ato, depois resumo a crítica dos outros atos. Elas e o pai entram na carruagem; despedidas à portinhola; aperto a bela mão da minha querida Amália... Pormenores técnicos.

9 DE OUTUBRO
DE 1892

*E*is aí uma semana cheia. Projetos bancários, debates e debates financeiros, prisão de diretores de companhias, denúncia de outros, dois mil comerciantes marchando para o palácio Itamarati, a pé, debaixo d'água, processo Maria Antônia, fusão de bancos, alça rápida de câmbio, tudo isso grave, soturno, trágico ou simplesmente enfadonho. Uma só nota idílica entre tanta coisa grave, soturna, trágica ou simplesmente enfadonha; foi a morte de Renan. A de Tennyson, que também foi esta semana, não trouxe igual caráter, apesar do poeta que era, da idade que tinha. Uma gravura inglesa recente dá, em dois grupos, os anos de 1842 e 1892, meio século de separação. No primeiro era Southey que fazia o papel de Tennyson; e o poeta laureado de 1842, como o de 1892, acompanhava os demais personagens oficiais do ano respectivo, o chefe dos *tories*, o chefe dos *whigs*, o arcebispo de Cantuária. A rainha é que é a mesma. Tudo instituições. Tennyson era uma instituição, e há belas instituições. Os seus 83 anos não lhe tinham arrancado as plumas das asas de poeta; ainda agora anunciava-se um novo escrito seu. Mas era uma glória britânica; não teve a influência nem a universalidade do grande francês.

Renan, como Tennyson, despegou-se da vida no espaço de dois telegramas, algumas horas apenas. Não penso em agonias de Renan. Afigura-se-me que ele voltou o corpo de um lado para outro e fechou os olhos. Mas agonia que fosse, e por mais longa que haja sido, ter-lhe-á custado pouco ou nada o último adeus daquele grande pensador, tão plácido para com as fatalidades, tão prestes a absorver as coisas irremissíveis.

Comparando este glorioso desfecho com aquele dia em que Renan subiu à cadeira de professor e soltou as famosas palavras: *Alors, um homme a paru...*, podemos crer que os homens, como os livros, têm os seus destinos. Recordo-me do efeito, que foi universal; a audácia produziu escândalo, e a punição foi pronta. O professor desceu da cadeira para o gabinete. Passaram-se muitos anos, as instituições políticas tombaram, outras vieram, e o professor morre professor, após uma obra vasta e luminosa, universalmente aclamado como sábio e como artista. Os seus próprios adversários não lhe negam admiração, e porventura lhe farão justiça. *J'ai tout critiqué* (diz ele em um dos seus prefácios), *et, quoi qu'on en dise, y j'ai tout maintenu*. O século que está a chegar, criticará ainda uma vez a crítica, e dirá que o ilustre exegeta definiu bem a sua ação.

A morte não pode ter aparecido a esse magnífico espírito com aqueles dentes sem boca e aqueles furos sem olhos, com que os demais pecadores a veem, mas com as feições da vida, coroada de flores simples e graves. Para Renan a vida nem tinha o defeito da morte. Sabe-se que era desejo seu, se houvesse de tornar à terra, ter a mesma existência anterior, sem alteração de trâmites nem de dias. Não se pode confessar mais vivamente a bem-aventurança terrestre. Um poeta daquele país, o velho Ronsard, para igual hipótese, preferia vir tornado em pássaro, a ser duas vezes homem. Eu (falemos um pouco de mim), se não fossem as armadilhas próprias do homem e o uso de matar o tempo matando pássaros, também quisera regressar pássaro.

Não voltou o pássaro Ronsard, como não voltará o homem Renan. Este irá para onde estão os grandes do século, que começou em França com o autor de *René*, e acaba com o da *Vida de Jesus*, páginas tão características de suas respectivas datas.

Não faço aqui análises que me não competem, nem cito obras, nem componho biografia. O jornalismo desta capital mostrou já o que valia o autor de tantos e tão adoráveis livros, falou daquele estilo incomparável, puro e sólido, feito de cristal e melodia. Nada disso me cabe. A rigor, nem me cabe cuidar da morte. Cuidei desta por ser a única nota idílica, entre tanta coisa grave, soturna, trágica ou simplesmente enfadonha.

Em verdade, que posso eu dizer das coisas pesadas e duras de uma semana, remendada de códigos e praxistas, a ponto de algarismo e citação? Prisões, que tenho eu com elas? Processos, que tenho eu com eles? Não dirijo companhia alguma, nem anônima, nem pseudônima; não fundei bancos, nem me disponho a fundá-los; e, de todas as coisas deste mundo e do outro, a que menos entendo é o câmbio. Não é que lhe negue o direito de subir; mas tantas lástimas ouvi pela queda, quantas ouço agora pela ascensão, – não sei se às mesmas pessoas, mas com estes mesmos ouvidos.

Finanças das finanças, são tudo finanças. Para onde quer que me volte, dou com a incandescente questão do dia. Conheço já o vocabulário, mas não sei ainda todas as ideias a que as palavras correspondem, e, quanto aos fenômenos, basta dizer que cada um deles tem três explicações verdadeiras e uma falsa. Melhor é crer tudo. A dúvida não é aqui sabedoria, porque traz debate ríspido, debate traz balança de comércio, por um lado, e excesso de emissões, por outro, e, afinal, um fastio que nunca mais acaba.

16 DE OUTUBRO
DE 1892

Não tendo assistido à inauguração dos bondes elétricos, deixei de falar neles. Nem sequer entrei em algum, mais tarde, para receber as impressões da nova tração e contá-las. Daí o meu silêncio da outra semana. Anteontem, porém, indo pela praia da Lapa, em um bonde comum, encontrei um dos elétricos, que descia. Era o primeiro que estes meus olhos viam andar.

Para não mentir, direi que o que me impressionou, antes da eletricidade, foi o gesto do cocheiro. Os olhos do homem passavam por cima da gente que ia no meu bonde, com um grande ar de superioridade. Posto não fosse feio, não eram as prendas físicas que lhe davam aquele aspecto. Sentia-se nele a convicção de que inventara, não só o bonde elétrico, mas a própria eletricidade. Não é meu ofício censurar essas meias glórias, ou glórias de empréstimo, como lhe queiram chamar espíritos vadios. As glórias de empréstimo, se não valem tanto como as de plena propriedade, merecem sempre algumas mostras de simpatia. Para que arrancar um homem a essa agradável sensação? Que tenho para lhe dar em troca?

Em seguida, admirei a marcha serena do bonde, deslizando como os barcos dos poetas, ao sopro da brisa invisível e amiga. Mas, como íamos em sentido contrário, não tardou que nos perdêssemos de vista, dobrando ele para o Largo da Lapa e Rua do Passeio, e entrando eu na Rua do Catete. Nem por isso o perdi de memória. A gente do meu bonde ia subindo aqui e ali, outra gente entrava adiante e eu pensava no bonde elétrico. Assim fomos seguindo; até que, perto do fim da linha e já noite, éramos só três pessoas, o condutor, o cocheiro e eu. Os dois cochilavam, eu pensava.

    De repente ouvi vozes estranhas; pareceu-me que eram os burros que conversavam, inclinei-me (ia no banco da frente); eram eles mesmos. Como eu conheço um pouco a língua dos Houyhnhnms, pelo que dela conta o famoso Gulliver, não me foi difícil apanhar o diálogo. Bem sei que cavalo não é burro; mas reconheci que a língua era a mesma. O burro fala menos, decerto; é talvez o trapista daquela grande divisão animal, mas fala. Fiquei inclinado e escutei:

    — Tens e não tens razão, respondia o da direita ao da esquerda.

    O da esquerda:

    — Desde que a tração elétrica se estenda a todos os bondes, estamos livres, parece claro.

    — Claro, parece; mas entre parecer e ser, a diferença é grande. Tu não conheces a história da nossa espécie, colega; ignoras a vida dos burros desde o começo do mundo. Tu nem refletes que, tendo o salvador dos homens nascido entre nós, honrando a nossa humildade com a sua, nem do dia de Natal escapamos da pancadaria cristã. Quem nos poupa no dia, vinga-se no dia seguinte.

    — Que tem isso com a liberdade?

    — Vejo, redarguiu melancolicamente o burro da direita, vejo que há muito de homem nessa cabeça.

    — Como assim?, bradou o burro da esquerda estacando o passo.

    O cocheiro, entre dois cochilos, juntou as rédeas e golpeou a parelha.

    — Sentiste o golpe?, perguntou o animal da direita. Fica sabendo que, quando os bondes entraram nesta cidade,

vieram com a regra de se não empregar chicote. Espanto universal dos cocheiros: onde é que se viu burro andar sem chicote? Todos os burros desse tempo entoaram cânticos de alegria e abençoaram a ideia dos trilhos, sobre os quais os carros deslizariam naturalmente. Não conheciam o homem.
— Sim, o homem imaginou um chicote, juntando as duas pontas das rédeas. Sei também que, em certos casos, usa um galho de árvore, ou uma vara de marmeleiro.
— Justamente. Aqui acho razão ao homem. Burro magro não tem força; mas levando pancada, puxa. Sabes o que a diretoria mandou dizer ao antigo gerente Shannon? Mandou isto: "Engorde os burros, dê-lhes de comer, muito capim, muito feno, traga-os fartos, para que eles se afeiçoem ao serviço; oportunamente mudaremos de política, *all right!*"
— Disso não me queixo eu. Sou de poucos comeres; e quando menos trabalho, é quando estou repleto. Mas que tem capim com a nossa liberdade, depois do bonde elétrico?
— O bonde elétrico apenas nos fará mudar de senhor.
— De que modo?
— Nós somos bens da companhia. Quando tudo andar por arames, não somos já precisos, vendem-nos. Passamos naturalmente às carroças.
— Pela burra de Balaão!, exclamou o burro da esquerda. Nenhuma aposentadoria? nenhum prêmio? nenhum sinal de gratificação? Oh! mas onde está a justiça deste mundo?
— Passaremos às carroças — continuou o outro pacificamente — onde a nossa vida será um pouco melhor; não que nos falte pancada, mas o dono de um só burro sabe mais o que ele lhe custou. Um dia, a velhice, a lazeira, qualquer coisa que nos torne incapaz, restituir-nos-á a liberdade...
— Enfim!
— Ficaremos soltos, na rua, por pouco tempo, arrancando alguma erva que aí deixem crescer para recreio da vista. Mas que valem duas dentadas de erva, que nem sempre é viçosa? Enfraqueceremos; a idade ou a lazeira ir-nos-á

matando, até que, para usar esta metáfora humana, – esticaremos a canela. Então teremos a liberdade de apodrecer. Ao fim de três dias, a vizinhança começa a notar que o burro cheira mal; conversação e queixumes. No quarto dia, um vizinho, mais atrevido, corre aos jornais, conta o fato e pede uma reclamação. No quinto dia sai a reclamação impressa. No sexto dia, aparece um agente, verifica a exatidão da notícia; no sétimo, chega uma carroça, puxada por outro burro, e leva o cadáver.

Seguiu-se uma pausa.

– Tu és lúgubre, disse o burro da esquerda. Não conheces a língua da esperança.

– Pode ser, meu colega; mas a esperança é própria das espécies fracas, como o homem e o gafanhoto; o burro distingue-se pela fortaleza sem par. A nossa raça é essencialmente filosófica. Ao homem que anda sobre dois pés, e provavelmente à águia, que voa alto, cabe a ciência da astronomia. Nós nunca seremos astrônomos; mas a filosofia é nossa. Todas as tentativas humanas a este respeito são perfeitas quimeras. Cada século...

O freio cortou a frase ao burro, porque o cocheiro encurtou as rédeas, e travou o carro. Tínhamos chegado ao ponto terminal. Desci e fui mirar os dois interlocutores. Não podia crer que fossem eles mesmos. Entretanto, o cocheiro e o condutor cuidaram de desatrelar a parelha para levá-la ao outro lado do carro; aproveitei a ocasião e murmurei baixinho, entre os dois burros:

– *Houyhnhnms!*

Foi um choque elétrico. Ambos deram uma estremeção, levantaram as patas e perguntaram-me cheios de entusiasmo:

– Que homem és tu, que sabes a nossa língua?

Mas o cocheiro, dando-lhes de rijo uma lambada, bradou para mim, que lhe não espantasse os animais. Parece que a lambada devera ser em mim, se era eu que espantava os animais; mas como dizia o burro da esquerda, ainda agora: – Onde está a justiça deste mundo?

23 DE OUTUBRO
DE 1892

*T*odas as coisas têm a sua filosofia. Se os dois anciãos que o bonde elétrico atirou para a eternidade esta semana houvessem já feito por si mesmos o que lhes fez o bonde, não teriam entestado com o progresso que os eliminou. É duro de dizer; duro e ingênuo, um pouco à La Palice, mas é verdade. Quando um grande poeta deste século perdeu a filha, confessou, em versos doloridos, que a criação era uma roda que não podia andar sem esmagar alguém. Por que negaremos a mesma fatalidade aos nossos pobres veículos?

Há terras, onde as companhias indenizam as vítimas dos desastres (ferimentos ou mortes) com avultadas quantias, tudo ordenado por lei. É justo; mas essas terras não têm, e deviam ter, outra lei que obrigasse os feridos e as famílias dos mortos a indenizarem as companhias pela perturbação que os desastres trazem ao horário do serviço. Seria um equilíbrio de direitos e de responsabilidades. Felizmente, como não temos a primeira lei, não precisamos da segunda, e vamos morrendo com a única despesa do enterro e o único lucro das orações.

Falo sem interesse. Dado que venhamos a ter as duas leis, jamais a minha viúva indenizará ou será indenizada por nenhuma companhia. Um precioso amigo meu, hoje morto, costumava dizer que não passava pela frente de um bonde, sem calcular a hipótese de cair entre os trilhos e o tempo de levantar-se e chegar ao outro lado. Era um bom conselho, como o *Doutor Sovina* era uma boa farsa, antes das farsas do Pena. Eu, o Pena dos cautelosos, levo o cálculo adiante: calculo ainda o tempo de escovar-me no alfaiate próximo. Próximo pode ser longe, mas muito mais longe é a eternidade.

Em todo caso, não vamos concluir contra a eletricidade. Logicamente, teríamos de condenar todas as máquinas, e, visto que há naufrágios, queimar todos os navios. Não, senhor. A necrologia dos bondes tirados a burros é assaz comprida e lúgubre para mostrar que o governo de tração não tem nada com os desastres. Os jornais de quinta-feira disseram que o carro ia apressado, e um deles explicou a pressa, dizendo que tinha de chegar ao ponto à hora certa, com prazo curto. Bem; poder-se-iam combinar as coisas, espaçando os prazos e aparelhando carros novos, elétricos ou muares, para acudir à necessidade pública. Digamos mais cem, mais duzentos carros. Nem só de pão vive o acionista, mas também da alegria e da integridade dos seus semelhantes.

Convenho que, durante uns quatro meses, os bondes elétricos andem muito mais aceleradamente que os outros, para fugir ao risco dos vadios e à toleima dos ignaros. Uns e outros imaginam que a eletricidade é uma versão do processo culinário *à la minute*, e podem vir a enlamear o veículo com alcunhas feias. Lembra-me (era bem criança) que, nos primeiros tempos do gás no Rio de Janeiro, houve uns dias de luz frouxa, de onde os moleques sacaram este dito: *o gás virou lamparina*. E o dito ficou e impôs-se, e eu ainda o ouvi aplicar aos amores expirantes, às belezas murchas, a todas as coisas decaídas.

Ah! se eu for a contar memórias da infância, deixo a semana no meio, remonto os tempos e faço um volume.

Paro na primeira estação, 1864, famoso ano da suspensão de pagamentos (ministério Furtado); respiro, subo e paro em 1867, quando a febre das ações atacou a esta pobre cidade, que só arribou à força do quinino do desengano. Remonto ainda e vou a...

Aonde? Posso ir até antes do meu nascimento, até Law. Grande Law! Também tu tiveste um dia de celebridade; depois, viraste embromador e caíste na casinha da história, o lugar dos lava-pratos. E assim irei de século a século, até o paraíso terrestre, forma rudimentária do encilhamento, onde se vendeu a primeira ação do mundo. Eva comprou-a à serpente, com ágio, e vendeu-a a Adão, também com ágio, até que ambos faliram. E irei ainda mais alto, antes do paraíso terrestre, ao *Fiat lux*, que, bem estudado ao gás do entendimento humano, foi o princípio da falência universal.

Não: cuidemos só da semana. A simples ameaça de contar as minhas memórias diminuiu-me o papel em tal maneira, que é preciso agora apertar as letras e as linhas.

Semana quer dizer finanças. Finanças implicam financeiros. Financeiros não vão sem projetos, e eu não sei formular projetos. Tenho ideias boas, e até bonitas, algumas grandiosas, outras complicadas, muito 2%, muito lastro, muito resgate, toda a técnica da ciência; mas falta-me o talento de compor, de dividir as ideias por artigos, de subdividir os artigos em parágrafos, e estes em letras *a b c*; sai-me tudo confuso e atrapalhado. Mas por que não farei um projeto financeiro ou bancário, lançando-lhe no fim as palavras da velha praxe: *salva a redação?* Poderia baralhar tudo, é certo; mas não se joga sem baralhar as cartas; de outro modo é embaçar os parceiros.

Adeus. O melhor é ficar calado. Sei que a semana não foi só de finanças, mas também de outras coisas, como a crise de transportes, a carne, discursos extraordinários ou explicativos, um projeto de estrada de ferro que nos põe às portas de Lisboa, e a mulher de César, que reapareceu no seio do parlamento. Vi entrar esta célebre senhora por aquela casa, e, depois de alguns minutos, vi-a sair. Corri à porta e detive-a: – "Ilustre Pompeia, que vieste fazer a esta casa?" – "Obedecer ainda uma vez à citação da minha pessoa. Que queres tu? meu marido lembrou-se de fazer uma bonita frase, e entregou-me por todos os séculos a amigos, conhecidos e desconhecidos".

13 DE NOVEMBRO
DE 1892

"Quem se não preocupar com saber (escreveu Grimm) que tal estava o tempo em Roma no dia em que César foi assassinado, nunca há de saber história." Há aqui uma grande verdade. Quando não a haja para o resto do mundo, poderemos crer que a há para nós. Um exemplo:

O Senado rejeitou na sessão noturna de sexta-feira o projeto da Câmara dos Deputados, prorrogando a sessão legislativa até o dia 22 do corrente. Era um duelo entre os dois ramos do Congresso. A Câmara queria prorrogação para discutir a questão financeira e os créditos militares. O Senado, que não queria a questão financeira, rejeitou o projeto de prorrogação. Os superficiais contentam-se em ler a notícia do voto; os curiosos irão até a leitura dos nomes dos senadores favoráveis e dos adversos. Os espíritos profundos, desde que aceitem a doutrina de Grimm, procurarão saber se na noite de sexta-feira chovia ou ventava.

Ventava e chovia. Vou contar-lhes o que se passou. De tarde, perto das seis horas, estando eu na Rua do Ouvidor, soube que o Senado faria sessão noturna para resolver sobre a prorrogação; isto é, rejeitá-la, como lhe parecia bem. Resolvi ir ao Senado. Corri para casa, jantei às pressas, e, mal começava a beber o café, o vento, que já era rijo alguns minutos antes, entrou a soprar com violência; logo depois principiou a chover grosso, mais grosso, uma noite ríspida. Três vezes tentei sair; recuei sem ânimo.

Suponhamos agora que não chovia; eu ia ao Senado, trepava a uma das galerias para assistir aos debates. Ouviria as melhores razões dos adversos à prorrogação, e, no meio do pasmo de todos, fazia de cima este breve discurso:

– Senhores, ouço que recusais a prorrogação por falta de tempo necessário ao debate do projeto financeiro. Realmente, dez dias não parecem muito para matéria tão relevante. Permiti, porém, que vos cite um velho parlamentar. Uma folha europeia, não há muitas semanas, lembrava este dito de Disraeli: "Tenho ouvido muitos discursos em minha vida; alguns conseguiram mudar a minha opinião; *nenhum mudou o meu voto*. Basta, pois, uma prorrogação de cinco minutos," dez, vinte, o tempo de votar, verificar a votação e arquivar o projeto. Não façamos correr mundo o boato falso de que os debates alteram os votos preexistentes. Disraeli, com todo o seu talento, não era único.

Esse simples discurso mudaria a orientação dos espíritos. Não o fiz porque não saí de casa, e não saí de casa porque choveu. E assim se podem explicar muitos outros sucessos políticos.

Com certeza, não choveu em Ouro Preto, por ocasião da revolução e da contrarrevolução municipal. As águas do céu, ou por serem do céu, ou por qualquer razão meteorológica que me escapa, não deixam sair as revoluções à rua. Em verdade, o guarda-chuva não é revolucionário, nem estético. O único homem que venceu com ele foi o Rei Luís Filipe, e daí lhe veio o apoio dos chapeleiros e toda a grande e pequena burguesia. Mais tarde, não tendo querido unir o martelo ao guarda-chuva, perdeu este e o cetro. Mas tudo isto é história antiga.

Moderno e antigo a um tempo é o novo desastre produzido pelo bonde elétrico, não por ser elétrico, mas por ser bonde. Parece que contundiu, esmagou, fez não sei que lesão a um homem. O cocheiro evadiu-se.

O cocheiro evadiu-se. Há estribilhos mais animados que este; não creio que nenhum o alcance na regularidade e na graça do ritmo. O cocheiro evadiu-se. O bonde mata uma pessoa; dou que não a mate, que a vítima perca simplesmente uma perna, um dedo ou os sentidos. O cocheiro evadiu-se. Ninguém ignora que todas as revisões de jornais têm ordem de traduzir por aquelas palavras um sinal posto no fim das notícias relativas a desastres veiculares. Vá, aceitem o adjetivo; é novo, mas lógico. Veículo, patíbulo. Patibulares, veiculares.

Há tempos (ponhamos cinquenta anos), um cocheiro de bonde descuidou-se e foi preso; mas o público teve notícia de que, além das qualidades técnicas que o recomendavam, o automedonte ensinava um sobrinho a ler e escrever, e foi esta afirmação doméstica do grande princípio da instrução gratuita e obrigatória que o salvou. Talvez não fosse bem assim; eu mal era nascido; ouvi a história entre outras da minha infância. Também não sei se o bonde era elétrico.

Nem se diga que há culpa da parte das testemunhas, em não prender os delinquentes e entregá-los à primeira praça que acudir. Estudemos o espírito dos tempos. Há trinta anos, dado um delito, o grito dos populares era este: *pega! pega!* Nos últimos dez ou quinze anos, o grito, em caso de prisão, é este outro: *não pode! não pode!* Tudo está nesses dois clamores. No primeiro caso, o povo constituía-se gratuita e estouvadamente em auxiliar da força. No segundo, converteu-se em protesto vivo e baluarte das liberdades públicas.

Entenda-se bem que, falando de cocheiros, não me restrinjo aos modestos funcionários que têm exclusivamente esse nome, nem particularmente às companhias de bondes. Há outras companhias, cujos cocheiros também fogem, logo que há desastre, – ou desde que os passageiros descobrem que continuam sentados, mas que há muito tempo perderam as calças e as pernas. Há ainda outra espécie de cocheiros mais alevantados. Agora mesmo, em Venezuela, quando o General Crespo tomou conta do carro do Estado, o cocheiro intruso que lá estava evadiu-se com dois milhões. Fugir, afinal de contas, é um instinto universal.

20 DE NOVEMBRO
DE 1892

Cariocas, meus patrícios, meus amigos, coroai-vos de flores, trazei palmas nas mãos e dançai em torno de mim, com pé alterno, à maneira antiga. Sus, triste gente malvista e malquista da outra gente brasileira, que não adora a vossa frouxidão, a vossa apatia, a vossa personalidade perdida no meio deste grande e infinito bazar! Sus! Aqui vos trago alguma coisa que repara as lacunas da história, o mau gosto dos homens e o equívoco dos séculos. Eia, amigos meus, patrícios meus, escutai!

Depois de um exórdio destes, é impossível dizer nada que produza efeito; pelo que – e para imitar os pregadores, que depois do exórdio ajoelham-se no púlpito, com a cabeça baixa, como a receber a inspiração divina – inclino-me por alguns instantes, até que a impressão passe; direi depois a grande notícia. Ajoelhai-vos também, e pensai em outra coisa.

Pensai nas festas de 15 de novembro e na espécie de julgamento egípcio, que toda a imprensa fez nesse dia acerca da República. Houve acordo em reconhecer a aceitação geral das instituições, e a necessidade de esforço para evitar erros cometidos. As festas estiveram brilhantes. Notou-se, é verdade, a ausência do corpo diplomático no palácio do Governo.

Espíritos desconfiados chegaram a crer em algum acordo prévio; mas esta ideia foi posta de lado, por absurda.

Não importa! Crédulo, quando teima, teima. Não faltou quem citasse o fato da nota coletiva acerca de uns tristes lazaretos, para concluir que não somos amados dos outros homens, e dar assim à ausência coletiva um ar de nota coletiva. Explicação que nada explica, porque se a gente fosse a amar a todas as pessoas a quem tem obrigação de tirar o chapéu, este mundo era vale de amores, em vez de ser um vale de lágrimas.

Não penseis mais nisso. Pensai antes nas festas nacionais dos estados, posto seja difícil, a respeito de alguns, saber a verdade dos telegramas. Aqui estão dois da Fortaleza, Ceará, datados de 16. Um: "Foi imenso o regozijo pelo aniversário da proclamação da República." Outro: "O dia 15 de novembro correu frio, no meio da maior indiferença pública". Vá um homem crer em telegramas! A mim custa-me muito; Bismarck não cria absolutamente, tanto que confessa agora haver alterado a notícia de um, para obrigar à guerra de 1870. Assim o diz um telegrama publicado aqui, sexta-feira; mas é verdade que isto, dito por telegrama, não pode merecer mais fé que o dizer de outros telegramas. O melhor é esperar cartas.

Aqui está uma delas, e com tal notícia que, antes de inspirar piedade, encher-nos-á de orgulho. Não há telegrafices, nem para bem, nem para mal. Refiro-me àquele engenheiro Bacelar e àquele empreiteiro Dionísio, que em Aiuruoca foram presos por um grupo de calabreses, trabalhadores da linha férrea. O pagamento andava atrasado; os calabreses, para haver dinheiro, pegaram dos dois pobres-diabos, que iam de viagem, e disseram a um terceiro, que antes de pagos, não lhes dariam liberdade, e dar-lhe-iam a morte, se vissem aparecer força. O companheiro veio aqui ver se há meio de os resgatar. O caso é de meter piedade.

Sobretudo, como disse, é de causar orgulho. Maomé chamou a montanha, e, não querendo ela vir, foi ele ter com ela. Nós chamamos a Calábria, e a Calábria acudiu logo. Vivam as regiões dóceis! É certo que pagamos-lhe a passagem; mas era o menos que pedia a justiça. O ato agora praticado difere sensivelmene dos velhos costumes, porque a Calábria, desta vez, era e é credora; trabalhou e não lhe pagaram. Mas, enfim, o uso de prender gente até que ela lhe pague, com ameaça de morte, é assaz duro. Antes a citação pessoal e a sentença impressa; porque, se o devedor tem certo pejo, faz o diabo para pagar a dívida, por um ou por outro modo: se não o tem, que vale a publicidade do caso e do nome? Talvez a publicidade traga vantagens especiais ao condenado: perde os dedos e ficam-lhe os anéis. Napoleão dizia: *On est considéré à Paris, à cause de sa voiture, et non à cause de sa vertu.* Por que não há de suceder a mesma coisa na Calábria?

Outro assunto que merece particularmente a vossa atenção, é a reunião da intendência, a primeira eleita, a que vem inaugurar o regímen constitucional da cidade. Corresponderá às esperanças públicas? Vamos crer que sim; crer faz bem, crer é honesto. Quando o mal vier, se vier, dir-se--á mal dele. Se vier o bem, como é de esperar, hosanas à intendência. Por ora, boa viagem!

E agora, patrícios meus, cariocas da minha alma, vamos concluir o sermão, cujo exórdio lá ficou acima.

Sabeis que o nosso distrito é a capital interina da União. Já se está trabalhando em medir e preparar a capital definitiva. Eis a disposição constitucional; é o art. 3º, título F: "Fica pertencendo à União, no planalto central da República, uma zona de 14.400 quilômetros quadrados, que será oportunamente demarcada, para nela estabelecer-se a futura capital federal. – Parágrafo único. Efetuada a mudança da capital, o atual distrito federal passará a constituir um Estado".

Eis o ponto do sermão. Temos de constituir em breve um estado. O nome de capital federal, que aliás não é propriamente um nome, mas sim qualificativo legal, ir-se-á com a mudança para a capital definitiva. Haveis de procurar um nome. *Rio de Janeiro* não pode ser, já porque há outro estado com esse nome, já porque não é verdade; basta de aguentar com um rio que não é rio. Que nome há de ser? A primeira ideia que pode surgir em alguns espíritos distintos, mas preguiçosos, é aplicar ao estado o uso de algumas ruas, – Estado do Dr. João Mariz, por exemplo, – uso que, na América do Norte, é limitado aos chamados *homens-sanduíches*, uns sujeitos metidos entre duas tábuas, levando escrita em ambas esta ou outra notícia: *Dr. Dix's celebrated female powders; guaranteed superior to all others*. Não é bom sistema para intitular estados.

Também não vades fabricar nomes grandiosos: Nova Londres ou Novíssima York. Prata de casa, prata de casa.

Não me cabe a escolha; sou duas vezes incompetente, por lei e por natureza. E depois, dou para piegas: podia adotar Carioca mesmo, – ou Guanabara, usado pelos poetas da outra geração. Dir-me-eis que é preciso contar com o mundo, que só conhece o antigo Rio de Janeiro e não se acostumara à troca. Isso é convosco, patrícios meus. Nem eu vos anunciei a princípio uma grande descoberta senão para ter o gosto de trazer-vos até aqui, coluna abaixo, ansioso, à espera do segredo, e olhando apenas um fim de semana, um adeus e um ponto final.

27 DE NOVEMBRO
DE 1892

Um dos meus velhos hábitos é ir, no tempo das câmaras, passar as horas nas galerias. Quando não há câmaras, vou à municipal ou intendência, ao júri, onde quer que possa fartar o meu amor dos negócios públicos, e mais particularmente da eloquência humana. Nos intervalos, faço algumas cobranças, – ou qualquer serviço leve que possa ser interrompido sem dano, ou continuado por outro. Já se me têm oferecido bons empregos, largamente retribuídos, com a condição de não frequentar as galerias das câmaras. Tenho-os recusado todos; nem por isso ando mais magro.

Nas galerias das câmaras ocupo sempre um lugar na primeira fila dos bancos; leva-se mais tempo a sair, mas como eu só saio no fim, e às vezes depois do fim, importa-me pouco essa dificuldade. A vantagem é enorme; tem-se um parapeito de pau, onde um homem pode encostar os braços e ficar a gosto. O chapéu atrapalhou-me muito no primeiro ano (1857), mas desde que me furtaram um, meio novo, resolvi a questão definitivamente. Entro, ponho o chapéu no banco e sento-me em cima. Venham cá buscá-lo!

Não me perguntes a que vem esta página dos meus hábitos. É ler, se queres. Talvez haja alguma conclusão.

Tudo tem conclusão neste mundo. Eu vi concluir discursos, que ainda agora suponho estar ouvindo.

Cada coisa tem uma hora própria, leitor feito às pressas. Na galeria, é meu costume dividir o tempo entre ouvir e dormir. Até certo ponto, velo sempre. Daí em diante, salvo rumor grande, apartes, tumulto, cerro os olhos e passo pelo sono. Há dias em que o guarda vem bater-me no ombro.

– Que é?

– Saia daí, já acabou.

Olho, não vejo ninguém, recomponho o chapéu e saio. Mas estes casos não são comuns.

No Senado, nunca pude fazer a divisão exata, não porque lá falassem mal; ao contrário, falavam geralmente melhor que na outra câmara. Mas não havia barulho. Tudo macio. O estilo era tão apurado, que ainda me lembra certo incidente que ali se deu, orando o finado Ferraz, um que fez a lei bancária de 1860. Creio que era então ministro da Guerra, e dizia, referindo-se a um senador: "Eu entendo, Sr. presidente, que o nobre senador não entendeu o que disse o nobre ministro da Marinha, ou fingiu que não entendeu". O Visconde de Abaeté, que era o presidente, acudiu logo: "A palavra *fingiu* acho que não é própria". E o Ferraz replicou: "Peço perdão a V. Ex.ª, retiro a palavra".

Ora, deem lá interesse às discussões com estes passos de minuete! Eu, mal chegava ao Senado, estava com os anjos. Tumulto, saraivada grossa, caluniador para cá, caluniador para lá, eis o que pode manter o interesse de um debate. E que é a vida senão uma troca de cachações?

A República trouxe-me quatro desgostos extraordinários; um foi logo remediado; os outros três não. O que ela mesma remediou, foi a desastrada ideia de meter as câmaras no palácio da Boa Vista. Muito político e muito bonito para quem anda com dinheiro no bolso; mas obrigar-me a pagar dois níqueis de passagem por dia, ou ir a pé, era um despropósito. Felizmente, vingou a ideia de tornar a pôr as câmaras em contato com o povo, e descemos da Boa Vista.

Não me falem nos outros três desgostos. Suprimir as interpelações aos ministros, com dia fixado e anunciado; acabar com a discussão da resposta à fala do trono; eliminar as apresentações de ministérios novos...

Oh! as minhas belas apresentações de ministérios! Era um regalo ver a Câmara cheia, agitada, febril, esperando o novo gabinete. Moças nas tribunas, algum diplomata, meia dúzia de senadores. De repente, levantava-se um sussurro, todos os olhos voltavam-se para a porta central, aparecia o ministério com o chefe à frente, cumprimentos à direita e à esquerda. Sentados todos, erguia-se um dos membros do gabinete anterior e expunha as razões da retirada; o presidente do Conselho erguia-se depois, narrava a história da subida, e definia o programa. Um deputado da oposição pedia a palavra, dizia mal dos dois ministérios, achava contradições e obscuridades nas explicações, e julgava o programa insuficiente. República, tréplica, agitação, um dia cheio.

Justiça, justiça. Há usos daquele tempo que ficaram. Às vezes, quando os debates eram calorosos, – e principalmente nas interpelações, – eu da galeria entrava na dança, dava palmas. Não sei quando começou este uso de dar palmas nas galerias. Deve vir de muitos anos. O presidente da Câmara bradava sempre: "As galerias não podem fazer manifestações!" Mas era como se não dissesse nada. Na primeira ocasião, tornava a palmear com a mesma força. Vieram vindo depois os bravos, os apoiados, os não apoiados, uma bonita agitação. Confesso que eu nem sempre sabia das razões do clamor, e não raro me aconteceu apoiar dois contrários. Não importa; liberdade, antes confusa, que nenhuma.

Esse costume prevaleceu, não acompanhou os que perdi, felizmente. Em verdade, seria lúgubre, se, além de me tirarem as interpelações e o resto, acabassem metendo-

-me uma rolha na boca. Era melhor assassinar-me logo, de uma vez. A liberdade não é surda-muda, nem paralítica. Ela vive, ela fala, ela bate as mãos, ela ri, ela assobia, ela clama, ela vive da vida. Se eu na galeria não posso dar um berro, onde é que o hei de dar? Na rua, feito maluco?

Assim continuei a intervir nos debates, e a fazer crescer o meu direito político; mas estava longe de esperar o reconhecimento imediato, pleno e absoluto que me deu a intendência nova. Tinha ganho muito na outra galeria; enriqueci na da intendência, onde o meu direito de gritar, apupar e aplaudir foi bravamente consagrado. Não peço que se ponha isto por lei, porque então, gritando, apupando ou aplaudindo, estarei cumprindo um preceito legal, que é justamente o que eu não quero. Não que eu tenha ódio à lei; mas não tolero opressões de espécie alguma, ainda em meu benefício.

O melhor que há no caso da intendência nova, é que ela mesma deu o exemplo, exitando-se de tal maneira, que me fez esquecer os mais belos dias da Câmara. Em minha vida de galeria, que já não é curta, tenho assistido a grandes distúrbios parlamentares; raros se terá aproximado das estreias da nova representação do município. Não desmaie a nobre corporação. Berre, ainda que seja preciso trabalhar.

Pela minha parte, fiz o que pude, e estou pronto a fazer o que puder e o que não puder. Embora não tenha a superstição do respeito, quero que me respeitem no exercício de um jus adquirido pela vontade e confirmado pelo tempo. *J'y suis, j'y reste*, como tenho ouvido dizer nas câmaras. Creio que é latim ou francês. Digo, por linguagem, que ainda posso ir adiante; e finalmente que, se há por aí alguma frase menos incorreta, é reminiscência da tribuna parlamentar ou judiciária. Não se arrasta uma vida inteira de galeria em galeria sem trazer algumas amostras de sintaxe.

4 DE DEZEMBRO DE 1892

Os acontecimentos parecem-se com os homens. São melindrosos, ambiciosos, impacientes, o mais pífio quer aparecer antes do mais idôneo, atropelam tudo, sem justiça nem modéstia... E quando todos são graves? Então é que é ver um miserável cronista, sem saber em qual pegue primeiro. Se vai ao que lhe parece mais grave de todos, ouve clamar outro que lhe não parece menos grave, e hesita, escolhe, torna a escolher, larga, pega, começa e recomeça, acaba e não acaba...

Justamente o que ora me sucede. Toda esta semana falou-se na invasão do Rio Grande do Sul. Realmente, a notícia era grave, e, embora não se tivesse dado invasão, falou-se dela por vários modos. Alguns a têm como iminente, outros provável, outros possível, e não raros a creem simples conjetura. Trouxe naturalmente sustos, ansiedade, curiosidade, e tudo o mais que aquela parte da República tem o condão de acarretar para o resto do país. Imaginei que era assunto legítimo para abrir as portas da crônica.

Mal começo, chega-me aos ouvidos o clamor dos banqueiros que voltam do palácio do Governo, aonde foram conferenciar sobre a crise do dinheiro. E dizem-me eles que a questão financeira e bancária afeta a toda a República, ao passo que a invasão, grave embora, toca a um só Estado.

A prioridade é da crise, além do mais, porque existia e existirá, até que alguém a decifre e resolva.

Bem; atendamos à crise financeira. Mas, eis aqui, ouço a voz do General Pego dizendo que a crise política do sul afeta a todos os estados, e pode pôr em risco as próprias instituições. Uma folha desta capital, o *Tempo*, pesando as palavras daquele ilustre chefe, declara que qualquer que seja o desenlace da luta (se luta houver) "não crê que a federação fique perdida, e com ela a forma republicana". De onde se infere que faz depender a República da federação, – ao contrário de outra folha desta mesma capital, o *Rio News*, que acha a República praticável, e a federação impraticável. Eu, sempre divergente do gênero humano, quisera adotar uma opinião média, mas não posso, – ao menos, por ora; esperemos que os acontecimentos me deem lugar.

Como não me dão lugar, vou fazer com eles o que o Senado não quis fazer com a questão financeira: resolvê-los, liquidá-los. Talvez alguém prefira ver-me calar, como o Senado, e ir para casa dormir. Mas, ai! uma coisa é ser legislador, outra é ser narrador. O Senado tem o poder de fechar os olhos, esperar o sono, não ver as coisas, nem sonhar com elas; tem até o poder de ficar admirado, quando acordar e vir que elas cresceram, tais como crescem as plantas, quando dormimos, – ou como nós crescemos também. Todos estes poderes faltam ao simples contador da vida.

Vá, liquido tudo. Liquido a jovem intendência, que aqui vem eleita e verificada. Grave sucesso, relativamente ao distrito federal, pede, reclama o seu posto, e eu respondo que ela o tem aí, ao pé dos maiores. Não parece logo, por causa do nosso método de escrever seguido. Felizes os povos que escrevem por linhas verticais! Podem arranjar as crônicas de maneira que os acontecimentos fiquem sempre em cima; a parte inferior das linhas cabe às considerações de menor monta, ou absolutamente estranhas. Moralmente, é assim que escrevo.

Fica aí, intendência amiga, onde te ponho, para que todos te vejam e te perguntem o que sairá de ti. Responde que só desejas o bem e o acertado; mas que tu mesma não sabes se há de sair o bem, se o mal. O futuro a Deus pertence, dizem os cristãos. Os pagãos diziam mais praticamente: – o futuro repousa nos joelhos dos deuses. E sendo certo que, por uma lei de linguagem, figuram as deusas entre os deuses, é doce crer que o futuro esteja também nos joelhos das moças celestes. Antes a nossa cabeça que o futuro. A intendência, deusa desta cidade, tem nos seus joelhos o futuro dela. Cabe-lhe ensaiá-la a governar-se a si própria – ou a confessar que não tem vocação representativa.

E aí chegam outros acontecimentos graves da semana. Para longe, café falsificado, café composto de milho podre e carnaúba! Gerações de lavradores, que dormis na terra mãe do café; lavradores que ora suais trabalhando, portos de café, alfândega, saveiros, navios que levais este produto--rei para toda a terra, ficai sabendo que a capital do café bebe café falsificado. Como faremos eleições puras, se falsificamos o café, que nos sobra? Espírito da fraude, talento da embaçadela, vocação da mentira, força é engolir-vos também de mistura com a honestidade de tabuleta.

Outro acontecimento grave, o anarquismo, também aqui fica mencionado, com o seu lema: *Chi non lavora non mangia*. Há divergências sobre os limites da propaganda de uma opinião. O positivismo, por órgão de um de seus mais ilustres e austeros corifeus, veio à imprensa defender o direito de propagar as ideias anarquistas, uma vez que não cheguem à execução. Acrescenta que só a religião da humanidade pode resolver o problema social, e conclui que *os maus constituem uma pequena minoria...*

Uma pequena minoria! Estás bem certo disso, Positivismo ilustre? Uma pequena minoria de maus, – e tudo o mais puro, santo e benéfico... Talvez não seja tanto, amigo meu, mas não brigaremos por isso. Para ti, que prometes o reino da Humanidade na terra, deve ser assim mesmo. Jesus, que prometia o reino de Deus nos céus, achava que muitos seriam os chamados e poucos os escolhidos. Tudo depende da região e da coroa. Em um ponto estão de acordo a igreja positivista e a Igreja Católica. "Estas (assustadoras utopias) só podem ser suplantadas pelas teorias científicas sobre o mundo, a sociedade e o homem, que acabarão por fazer com que a razão reconheça a sua impotência, e a necessidade de subordinar-se *à fé...*" que fé? Eis a conclusão do trecho de Teixeira Mendes: "não mais em Deus; mas na Humanidade". Eis aí a diferença.

Pelo que me toca, eterno divergente, não tenho tempo de achar uma opinião média. Temo que a Humanidade, viúva de Deus, se lembre de entrar para um convento; mas também posso temer o contrário. Questão de humor. Há ocasiões em que, neste fim de século, penso o que pensava há mil e quatrocentos anos um autor eclesiástico, isto é, que o mundo está ficando velho. Há outras ocasiões em que tudo me parece verde em flor.

8 DE JANEIRO
DE 1893

Quem houver acompanhado, durante a semana, as recapitulações da imprensa, ter-se-á admirado de ver o que foi aquele ano de 1892.
    A Igreja recomenda a confissão, ao menos, uma vez cada ano. Esta prática, além das suas virtudes espirituais, é útil ao homem, porque o obriga a um exame de consciência. Vivemos a retalho, dia por dia, esquecendo uma semana por outra, e os onze meses pelo último. Mas o exame de consciência evoca as lembranças idas, congrega os sucessos distanciados, recorda as nossas malevolências, uma ou outra dentada nos amigos e até nos simples indiferentes. Tudo isso junto, em poucas horas, traz à alma um espetáculo mais largo e mais intenso que a simples vida seguida de um ano.
    O mesmo sucede ao povo. O povo precisa fazer anualmente o seu exame de consciência: é o que os jornais nos dão a título de retrospecto. A imprensa diária dispersa a atenção. O seu ofício é contar, todas as manhãs, as notícias da véspera, fazendo suceder ao homicídio célebre o grande roubo, ao grande roubo a ópera nova, à ópera o discurso, ao discurso o estelionato, ao estelionato a absolvição, etc. Não é muito que um dia pare, e mostre ao povo, em breve quadro, a multidão de coisas que passa-

ram, crises, atos, lutas, sangue, ascensões e quedas, problemas e discursos, um processo, um naufrágio. Tudo o que nos parecia longínquo aproxima-se; o apagado revive; questões que levavam dias e dias são narradas em dez minutos; polêmicas que se estenderam das câmaras à imprensa e da imprensa aos tribunais, cansando e atordoando, ficam agora claras e precisas. As comoções passadas tornam a abalar o peito.

Mas vamos ao meu ofício, que é contar semanas. Contarei a que ora acaba e foi mui triste. A desolação da Rua Primeiro de Março é um dos espetáculos mais sugestivos deste mundo. Já ali não há turcas, ao pé das caixas de bugigangas; os engraxadores de sapatos com as suas cadeiras de braços e os demais aparelhos desapareceram; não há sombra de tabuleiro de quitanda, não há samburá de fruta. Nem ali nem alhures. Todos os passeios das calçadas estão despejados dela. Foi o prefeito municipal que mandou pôr toda essa gente fora do olho da rua, a pretexto de uma postura, que se não cumpria.

Eu de mim confesso que amo as posturas, mas de um amor desinteressado, por elas mesmas, não pela sua execução. O prefeito é da escola que dá à arte um fim útil, escola degradante, porque (como dizia um estético) de todas as coisas humanas a única que tem o seu fim em si mesma é a arte. Municipalmente falando, é a postura. Que se cumpram algumas, é já uma concessão à escola utilitária; mas deixai dormir as outras todas nas coleções edis. Elas têm o sono das coisas impressas e guardadas. Nem se pode dizer que são feitas *para inglês ver*.

Em verdade, a posse das calçadas é antiga. Há vinte ou trinta anos, não havia a mesma gente nem o mesmo negócio. Na velha Rua Direita, centro do comércio, dominavam as quitandas de um lado e de outro, africanas e crioulas. Destas, as baianas eram conhecidas pela trunfa, – um lenço interminavelmente enrolado na cabeça, fazendo lembrar o famoso retrato de Mme. de Staël. Mais de um lorde Oswald do lugar achou ali a sua Corina. Ao lado da igreja da Cruz vendiam-se folhetos de várias espécies, pendurados em barbantes. Os pretos-minas teciam e cosiam chapéus de palha. Havia ainda... Que é que não havia na Rua Direita?

Não havia turcas. Naqueles anos devotos, ninguém podia imaginar que gente de Maomé viesse quitandar ao pé de gente de Jesus. Afinal um turco descobriu o Rio de Janeiro e tanto foi descobri-lo como dominá-lo. Vieram turcos e turcas. Verdade é que, estando aqui dois padres católicos, do rito maronita, disseram missa e pregaram domingo passado, com assistência de quase toda a colônia turca, se é certa a notícia que li anteontem. De maneira que os nossos próprios turcos são cristãos. Compensam-nos dos muitos cristãos nossos, que são meramente turcos, mas turcos de lei.

Cristãos ou não, os turcos obedecem à postura, como os demais mercadores das calçadas. Os italianos, patrícios do grande Nicolau, têm o maquiavelismo de a cumprir sem perder. Foram-se, levando as cadeiras de braços, onde o freguês se sentava, enquanto lhe engraxavam os sapatos; levaram também as escovas da graxa, e mais a escova particular que transmitia a poeira das calças de um freguês às calças de outro – tudo por dois vinténs.

O tostão era preço recente; não sei se anterior, se posterior à Geral. Creio que anterior. Em todo caso, posterior à Revolução Francesa. Mas aqui está no que eles são finos; os filhos, introdutores do uso de engraxar os sapatos ao ar livre, já saíram à rua com a caixeta às costas, a servir os necessitados. Irão pouco a pouco estacionando; depois, irão os pais, e, quando se for embora o prefeito, tornarão à rua as cadeiras de braços, as caixas das turcas e o resto.

Assim renascem, assim morrem as posturas. Está prestes a nascer a que restitui o carnaval aos seus dias antigos.

O ensaio de fazer dançar, mascarar e pular no inverno durou o que duram as rosas; *l'espace d'un matin*. Não me cortem esta frase batida e piegas; a falta de carne ao almoço e ao jantar desfibra um homem, preciso ser chato com esta folha de papel que recebe os meus suspiros. Felizmente uma notícia compensa a outra. A volta do carnaval é uma lição científica. O conselho municipal, em grande parte composto de médicos, desmente assim a ilusão de serem os folguedos daqueles dias incompatíveis com o verão. Aí está uma postura que vai ser cumprida com delírio.

29 DE JANEIRO
DE 1893

Gosto deste homem pequeno e magro chamado Barata Ribeiro, prefeito municipal, todo vontade, todo ação, que não perde o tempo a ver correr as águas do Eufrates. Como Josué, acaba de pôr abaixo as muralhas de Jericó, vulgo *Cabeça de Porco*. Chamou as tropas, segundo as ordens de Javé; durante os seis dias da escritura, deu volta à cidade e depois mandou tocar as trombetas. Tudo ruiu, e, para mais justeza bíblica, até carneiros saíram de dentro da *Cabeça de Porco*, tal qual da outra Jericó saíram bois e jumentos. A diferença é que estes foram passados a fio de espada. Os carneiros, não só conservaram a vida mas receberam ontem algumas ações de sociedades anônimas.

Outra diferença. Na velha Jericó houve, ao menos, uma casa de mulher que salvar, porque a dona tinha acolhido os mensageiros de Josué. Aqui nenhuma recebeu ninguém. Tudo pereceu portanto, e foi bom que perecesse. Lá estavam para fazer cumprir a lei a autoridade policial, a autoridade sanitária, a força pública, cidadãos de boa vontade, e cá fora é preciso que esteja aquele apoio moral, que dá a opinião pública aos varões provadamente fortes.

Não me condenem as reminiscências de Jericó. Foram os lindos olhos de uma judia que me meteram na cabeça os passos da Escritura. Eles é que me fizeram ler no livro do *Êxodo* a condenação das imagens, lei que eles entendem mal, por serem judeus, mas que os olhos cristãos entendem pelo único sentido verdadeiro. Tal foi a causa de não ir, desde anos, à procissão de S. Sebastião, em que a imagem do nosso padroeiro é transportada da catedral ao Castelo. Sexta-feira fui vê-la sair. Éramos dois, um amigo e eu; logo depois éramos quatro, nós e as nossas melancolias. Deus de bondade! Que diferença entre a procissão de sexta-feira e as de outrora. Ordem, número, pompa, tudo o que havia quando eu era menino, tudo desapareceu. Valha a piedade, posto não faltaram olhos cristãos, e femininos, – um par deles, – para acompanhar com riso amigo e particular uma velha opa encarnada e inquieta. Foi o meu amigo que notou essa passagem do *Cântico dos Cânticos*. Todo eu era pouco para evocar a minha meninice...

E tu, Belém Efrata... Vede ainda uma reminiscência bíblica; é do profeta Miqueias... Não tenho outra para significar a vitória de Teresópolis. De Belém tinha de vir o salvador do mundo, como de Teresópolis há de vir a salvação do estado fluminense. Está feito capital o lindo e fresco deserto das montanhas. Peso de Campos (agora é imitar o profeta Isaías), peso de Vassouras, peso de Niterói. Não valeram riquezas, nem súplicas. A ti, pobre e antiga Niterói, não te valeu a eloquência do teu Belisário Augusto, nem sequer a rivalidade das outras cidades pretendentes. Tinha de ser Teresópolis. "E tu, Belém Efrata, tu és pequenina entre as milhares de Judá..." Pequenina também é Teresópolis, mas pequenina em casas; terras há muitas, pedras não faltam, nem cal, nem trolhas, nem tempo. Falta o meu velho amigo Rodrigues, – ora morto e enterrado, – que possuía uma boa parte daquelas terras desertas. Aí, Justiniano! Os teus dias passaram como as águas que não voltam mais. É ainda uma palavra da Escritura.

Fora com estes sapatos de Israel. Calcemo-nos à maneira da Rua do Ouvidor, que pisamos, onde a vida passa um burburinho de todos os dias e de cada hora. Chovem assuntos modernos. O banco, por exemplo, o novo banco, filho de dois pais, como aquela criança divina que era, dizia Camões, nascida de duas mães. As duas mães, como sabeis, eram a madre de sua madre, e a coxa de seu padre, porque no tempo em que Júpiter engendrou esse pequerrucho, ainda não estava descoberto o remédio que previne a concepção para sempre, e de que ouço falar na Rua do Ouvidor. Dizem até que se anuncia, mas eu não leio anúncios.

No tempo em que os lia, até os ia catar nos jornais estrangeiros. Um destes, creio que americano, trazia um de excelente remédio para não sei que perturbações gástricas; recomendava, porém, às senhoras que o não tomassem, em estado de gravidez, pelo risco que corriam de abortar... O remédio não tinha outro fim senão justamente este; mas a polícia ficava sem haver por onde pegar do invento e do inventor. Era assim, por meios astutos e grande dissimulação, que o remédio se oferecia às senhoras cansadas de aturar crianças.

A moeda falsa, que previne a miséria, não a previne para sempre, visto que a polícia tem o poder iníquo de interromper os estudos de gravura e meter toda uma academia na Detenção. Já li que se trata de *demolir caracteres*, e também que a autoridade está *atacando o capital*. Eu, em se me falando esta linguagem, fico do lado do capital e dos caracteres. Que pode, sem eles, uma sociedade?

Um criado meu, que perdeu tudo o que possuía na compra de *desventuras*... perdoem-lhe; é um pobre homem que fala mal. Ensinei-lhe a correta pronúncia de *debêntures*, mas ele disse-me que desventuras é o que eram, desventuras e patifarias. Pois esse criado também defende o capital; a diferença é que não se acusa a si de atacar o dos outros, e sim os outros de lhe terem levado o seu. Quanto aos caracteres, entende que, se alguma coisa quer demolir, não são os caracteres, mas as próprias caras, que são os caracteres externos, e não o faz por medo da polícia.

Lê tudo o que os jornais publicam, este homem. Foi ele que me deu notícia da nova denúncia contra a Geral; ele chama-lhe nova, não sei se houve outra. Contou-me também uma história de discursos, paraninfos e retratos, e mais um contrabando de objetos de prata dentro de um canapé velho.

– Não ganho dinheiro com isto, conclui ele; mas consolo-me das minhas desventuras.

– Debêntures, José Rodrigues.

12 DE FEVEREIRO
DE 1893

*F*aleci ontem, pelas sete horas da manhã. Já se entende que foi sonho; mas tão perfeita a sensação da morte, a despegar-me da vida, tão ao vivo o caminho do céu, que posso dizer haver tido um antegosto da bem--aventurança.

Ia subindo, ouvia já os coros de anjos, quando a própria figura do Senhor me apareceu em pleno infinito. Tinha uma ânfora nas mãos, onde espremera algumas dúzias de nuvens grossas, e inclinava-a sobre esta cidade, sem esperar procissões que lhe pedissem chuva. A sabedoria divina mostrava conhecer bem o que convinha ao Rio de Janeiro; ele dizia enquanto ia entornando a ânfora:

– Esta gente vai sair três dias à rua com o furor que traz toda a restauração. Convidada a divertir-se no inverno, preferiu o verão, não por ser melhor, mas por ser a própria quadra antiga, a do costume, a do calendário, a da tradição, a de Roma, a de Veneza, a de Paris. Com temperatura alta, podem vir transtornos de saúde, – algum aparecimento de febre, que os seus vizinhos chamem logo amarela, não lhe podendo chamar pior... Sim, chovamos sobre o Rio de Janeiro.

Alegrei-me com isto, posto já não pertencesse à terra. Os meus patrícios iam ter um bom carnaval, – velha festa, que está a fazer quarenta anos, se já os não fez. Nasceu um pouco por decreto, para dar cabo do entrudo, costume velho, datado da Colônia e vindo da metrópole. Não pensem os rapazes de 22 anos que o entrudo era alguma coisa semelhante às tentativas de ressurreição, empreendidas com bisnagas. Eram tinas d'água, postas na rua ou nos corredores, dentro das quais metiam à força um cidadão todo, – chapéu, dignidade e botas. Eram seringas de lata; eram limões de cera. Davam-se batalhas porfiadas de casa a casa, entre a rua e as janelas, não contando as bacias d'água despejadas à traição. Mais de uma tuberculose caminhou em três dias o espaço de três meses. Quando menos, nasciam as constipações e bronquites, rouquidões e tosses, e era a vez dos boticários, porque, naqueles tempos infantes e rudes, os farmacêuticos ainda eram boticários.

Cheguei a lembrar-me, apesar de ir a caminho do céu, dos episódios de amor que vinham com o entrudo. O limão de cera, que de longe podia escalavrar um olho, tinha um ofício mais próximo e inteiramente secreto. Servia a molhar o peito das moças; era esmigalhado nele pela mão do próprio namorado, maciamente, amorosamente, interminavelmente...

Um dia veio, não Malherbe, mas o carnaval, e deu à arte da loucura uma nova feição. A alta-roda acudiu de pronto; organizaram-se sociedades, cujos nomes e gestos ainda esta semana foram lembrados por um colaborador da *Gazeta*. Toda a fina flor da capital entrou na dança. Os personagens históricos e os vestuários pitorescos, um doge, um mosqueteiro, Carlos V, tudo ressurgia às mãos dos alfaiates, diante de figurinos, à força de dinheiro. Pegou o gosto das sociedades, as que morriam eram substituídas, com vária sorte, mas igual animação.

Naturalmente, o sufrágio universal, que penetra em todas as instituições deste século, alargou as proporções do carnaval, e as sociedades multiplicaram-se, como os homens.

O gosto carnavalesco invadiu todos os espíritos, todos os bolsos, todas as ruas. *Evohé! Bacchus est roi!*, dizia um coro de não sei que peça do Alcazar Lírico, – outra instituição velha, mas velha e morta. Ficou o coro, com esta simples emenda: *Evohé! Momus est roi!*

Não obstante as festas da terra, ia eu subindo, subindo, subindo, até que cheguei à porta do céu, onde S. Pedro parecia aguardar-me, cheio de riso.

– Guardaste para ti tesouros no céu ou na terra?, perguntou-me.

– Se crer em tesouros escondidos na terra é o mesmo que escondê-los, confesso o meu pecado, porque acredito nos que estão no morro do Castelo, como nos 150 contos fortes do homem que está preso em Valhadolide. São fortes, segundo o meu criado José Rodrigues, quer dizer que são trezentos contos. Creio neles. Em vida fui amigo de dinheiro, mas havia de trazer mistério. As grandes riquezas deixadas no Castelo pelos jesuítas foram uma das minhas crenças da meninice e da mocidade; morri com ela, e agora mesmo ainda a tenho. Perdi saúde, ilusões, amigos e até dinheiro; mas a crença nos tesouros do Castelo não a perdi. Imaginei a chegada da ordem que expulsava os jesuítas. Os padres do colégio não tinham tempo nem meios de levar as riquezas consigo; depressa, depressa, ao subterrâneo, venham os ricos cálices de prata, os cofres de brilhantes, safiras, corais, as dobras e os dobrões, os vastos sacos cheios de moeda, cem, duzentos, quinhentos sacos. Puxa, puxa este Santo Inácio de ouro maciço, com olhos de brilhantes, dentes de pérolas; toca a esconder, a guardar, a fechar...

– Para, interrompeu-me S. Pedro; falas como se estivesses a representar alguma coisa. A imaginação dos homens é perversa. Os homens sonham facilmente com dinheiro. Os tesouros que valem são os que se guardam no céu, onde a ferrugem os não come.

— Não era o dinheiro que me fascinava em vida, era o mistério. Eram os trinta ou quarenta milhões de cruzados escondidos, há mais de século, no Castelo; são os trezentos contos do preso de Valhadolide. O mistério, sempre o mistério.

— Sim, vejo que amas o mistério. Explicar-me-ás este de um grande número de almas que foram daqui para o Brasil e tornaram sem se poderem incorporar?

— Quando, divino apóstolo?

— Ainda agora.

— Há de ser obra de um médico italiano, um doutor... esperai... creio que Abel, um doutor Abel, sim Abel... É um facultativo ilustre. Descobriu um processo para esterilizar as mulheres. Correram muitas, dizem; afirma-se que nenhuma pode já conceber; estão prontas.

— As pobres almas voltavam tristes e desconsoladas; não sabiam a que atribuir essa repulsa. Qual é o fim do processo esterilizador?

— Político. Diminuir a população brasileira, à proporção que a italiana vai entrando; ideia de Crispi, aceita por Giolitti, confiada a Abel...

— Crispi foi sempre tenebroso.

— Não digo que não; mas, em suma, há um fim político, e os fins políticos são sempre elevados... Panamá, que não tinha fim político...

— Adeus, tu és muito falador. O céu é dos grandes silêncios contemplativos.

9 DE ABRIL
DE 1893

O conselho municipal vai regulamentar o serviço doméstico. Já há um projeto, apresentado esta semana pelo Sr. Intendente João Lopes, para substituir o que se adiara, e em breve estará, como se diz em dialeto parlamentar, no tapete da discussão.

Não me atribuam nenhuma trapalhice de linguagem, chamando intendente a um membro do conselho municipal. Assim se chamam eles entre si. Podem retrucar que, no tempo das câmaras municipais, os respectivos membros eram vereadores. É verdade; mas, nesse caso, fora melhor ter conservado os nomes antigos, que eram uma tradição popular, uma ligação histórica, e creio até que a intendência que primeiro substituiu a câmara, é menos democrática. Intendência e intendente cheiram a ofício executivo.

Mas, seja câmara, intendência ou conselho, vai reformar o serviço doméstico, e desde já tem o meu apoio, embora os balanços da fortuna possam levar-me algum dia a servir, quando menos, o ofício de jardineiro. As flores (não é poesia) são a minha alma. Eu daria a coroa de Madagáscar por uma rosa do Japão. Outros sacrificariam todas as flores de leste e de oeste pela coroa da ilha das Enxadas. São gostos. Agora mesmo, o corretor Souto, achando-se em graves embaraços pecuniários, pôs termo à vida. Pessoas há que, nas mesmas circunstâncias, criam alma nova. Pontos de vista.

Enquanto, porém, não me chega o infortúnio, quero o regulamento, que é muito mais a meu favor do que a favor do meu criado. Na parte em que me constrange, não será cumprido, porque eu não vim ao mundo para cumprir uma lei, só porque é lei. Se é lei, traga um pau; se não traz um pau, não é nada.

Um exemplo à mão. Qual é a primeira das liberdades, depois da de respirar? É a da circulação, suponho. Pois para que a tenhamos no meio da Rua da Candelária, e no princípio da da Alfândega, vulgo *Encilhamento*, é preciso que andem ali a defendê-la duas praças de cavalaria. Desde 1890 estabeleceu-se naquele lugar uma massa compacta de cidadãos, que não deixava passar ninguém. Não digo que o motivo fosse expressamente restringir a liberdade alheia; pode ser que o intuito da reunião fosse tão somente formar um istmo, que de algum modo imitasse o de Panamá. Um Panamá que se desfazia todas as tardes, à mesma hora em que as antigas quitandeiras da Rua Direita levantavam as suas tendas. Pode ser; o espírito de imitação é altamente fecundo.

Entretanto (é a minha tese), tirem dali as duas praças de cavalaria, e o *Encilhamento* continua. Já ali estiveram duas, e para manter a liberdade da circulação eram obrigadas a disparar de vez em quando. Dispersavam a gente, é verdade, mas faziam perder e ganhar muito conto de réis, porque os jogadores apostavam sobre elas mesmas, a saber, qual das duas praças chegaria a uma dada linha da rua. Saíram as praças, refez-se o istmo.

Mas venhamos ao nosso projeto municipal. Tem coisas excelentes; entre outras, o art. 18, que manda tratar os criados com bondade e caridade. A caridade, posta em regulamento, pode ser de grande eficácia, não só doméstica, mas até pública. Outra disposição que merece nota, é a que respeita aos atestados passados pelo amo em favor dos criados; segundo o regulamento, devem ser conscienciosos. Na crise moral deste fim de século, a decretação da consciência é um grande ato político e filosófico. Pode criar-se assim uma geração capaz de encarar os tremendos problemas do futuro e refazer o caráter humano. Que tenha defeitos, admito. Assim, por exemplo, o art. 19 obriga amo e criado a darem parte à polícia dos seus ajustes, sob pena de pagar o amo trinta mil-réis de multa e de sofrer o criado cinco dias de prisão; – isto é, ao amo tira-se o dinheiro, e ao criado ainda se lhe dá casa, cama e mesa. É irrisório; mas pode emendar-se.

Quando os criados fizerem os regulamentos, não creiam que sejam tão benignos com os amos. A primeira de suas disposições será naturalmente que toda a pessoa que contratar um criado, pagar-lhe-á certa quantia, a título de indenização, pelo incômodo de o tirar de seus lazeres. A segunda proverá a composição de um pequeno dicionário, em que se inscrevam as palavras duras, ou simplesmente imundas, que os criados poderão dizer aos amos, quando estes achem um copo menos transparente. A terceira definirá os casos em que um gatuno possa perder paulatinamente o vício, servindo a um homem e fumando-lhe os charutos, com tal graduação que, antes de vinte meses, só os fume comprados com o seu dinheiro.

Tudo isto quer dizer que a legislação, como a vida, é uma luta, cujo resultado obedece à influência mesológica. Oh! a influência do meio é grande. Que vemos no Rio Grande do Sul? Combate-se e morre-se para derrocar e defender um governo. Venhamos a Niterói, mais próximo do teatro lírico. Trata-se de depor a intendência. Reúnem-se os autores e propugnadores da ideia, escrevem e assinam uma mensagem, nomeiam uma comissão, que sai a cumprir o mandato. A intendência, avisada a tempo, está reunida; talvez de casaca. A comissão sobe, entra, corteja, fala:

– Vimos pedir, em nome do povo, que a intendência deponha os seus poderes.

A intendência, para imitar alguém, imita Mirabeau:

– Ide dizer ao povo, que estamos aqui pelos seus votos, e só sairemos pela força das baionetas!

A comissão corteja e vai levar a resposta ao povo. O povo, na sua qualidade de Luís XVI, exclama:

– É pois uma rebelião?

– Não, real senhor, é uma conservação.

Tudo isto limpo, correto, sem ódio nem teimosia, antes do jantar, antes do voltarete, antes do sono. Se alguém ficou sem pinga de sangue, não o perdeu na ponta de uma espada; foi só por metáfora, uma das mais belas metáforas da nossa língua, e ainda assim duvido que ninguém empalidecesse. Talvez houvesse programa combinado. Quantos fatos na história, que, parecendo espontâneos, são filhos de acordo entre as partes!

21 DE MAIO
DE 1893

Tudo se desmente neste mundo, e o século acaba com os pés na cabeça. Podia acabar pior. Quem se não lembra com saudades do último verão? Dias frescos, chuvas temperando os dias de algum calor, e obituário pobre. Chegou março, abotoou abril, desabotoou maio, parecia que entrávamos em um período de delícias ainda maiores. Justamente o oposto. Calor, doenças, grande obituário.

A própria ciência parece não saber a quantas anda. Tempo há de ir em que o xarope de Cambará não cure, e talvez mate. Já agora são os bondes que empurram as bestas; esperemos que os passageiros os não puxem um dia. Quando éramos alegres, – ou, o que dá no mesmo, quando eu era alegre, – aconteceu que o gás afrouxou enormemente. Como se despicou o povo da calamidade? Com um mote: O *gás virou lamparina*. Ouvia-se isto por toda a parte, lia-se no meio de grande riso público. Lá vão trinta anos. Agora nem já sabemos pagar-nos com palavras. Quando, há tempos, o gás teve um pequeno eclipse, levantamos as mãos ao céu, clamando por misericórdia.

A semana foi cheia desde os primeiros dias. Novidades de todos os tamanhos e cores. Para os que as buscam por todos os recantos da cidade, deve ter sido uma semana trapalhona; para mim, que não as procuro fora da Rua do

Ouvidor, a semana foi interessante e plácida. Pode ser que erre; mas ninguém me há de ver pedir notícias em outras ruas. Às vezes perco uma verdade da Rua da Quitanda por uma invenção da Rua do Ouvidor; mas há nesta rua um cunho de boa roda, que dá mais brilho ao exato, e faz parecer exato o inventado. Acresce a qualidade de plasmatório. As ruas de simples passagem não têm graça nem excitam o desejo de saber se há alguma coisa. O pasmatório obriga ao cotejo. Enquanto um grupo nos dá uma notícia, outro, ao lado, repete a notícia contrária; a gente coteja as duas e aceita uma terceira.

Foi o que me aconteceu anteontem. Deram-me duas versões do que se passava na Câmara dos Deputados; segundo uma, não se estava passando nada; segundo outros, passava-se o diabo. Cheguei a ouvir citar o ano de 93, como sendo o primeiro aniversário secular do Terror. E diziam-me que, assim como há bodas de prata, bodas de ouro, bodas de diamante, havia também bodas de sangue, as bodas de sangue da liberdade: eram os cem anos da Convenção. Achei plausível; corri à Câmara. Primeira decepção: não vi Robespierre. Discutia-se uma questão de votação, e a Câmara resolvia continuar no dia seguinte, ontem, em comissão-geral. Eram quatro horas e meia da tarde; a sessão começara ao meio-dia.

Saí murcho e contente. Murcho por não achar nada, e contente por não serem as comissões-gerais daqui semelhantes às da Câmara dos Comuns, que são medonhas. Não há dúvida de que a Câmara dos Comuns governa; mas governa a troco de quê? Governar assim e matar-se é a mesma coisa.

Para não ir mais longe, aqui está a sessão do dia 24 de março último, em que houve comissão-geral. Principiou pela sessão ordinária, às duas horas e cinco minutos da tarde. O chefe da oposição perguntou ao primeiro-ministro se podia responder a um *voto de censura* que lhe faria em dia que designou; respondeu o Sr. Gladstone; e começou a discussão de um bil financeiro. Ouviram-se cinco ou seis discursos; às três e pouco, entrou em discussão outro bil, que levou até perto de sete horas. Interrompeu-se a sessão às sete, jantaram ali mesmo, e continuou às nove. Tratou-se então do subsídio aos deputados; ouviram-se sete discursos até que caiu o projeto, votando 276 contra e 229 a favor. Era meia-noite. Parece que estava ganho o dia; oito horas de trabalho (descontadas as do jantar) eram de sobra. Mas é não conhecer a Câmara dos Comuns, que possui o gênio do tédio.

Era meia-noite; foi então que a Câmara se converteu em comissão-geral, para discutir o quê? O bil de forças de terra. À uma e meia da noite, rejeitava o art. 2º, por 234 votos contra 110. Antes das duas rejeitava uma emenda; eram três horas, discutiam já o art. 7º; às quatro, o art. 8º; às quatro e meia estava discutido e votado o art. 9º. Seguiu-se o art. 10, depois o art. 11. Querendo um Sr. Bartley propor uma coisa fora de propósito, gritaram-lhe que era *obstrução*. Obstrução de madrugada! Votou-se o encerramento entre aplausos, por uma maioria de 154 votos. Eram cinco horas e um quarto da manhã.

Não contesto que a Câmara dos Comuns governe; mas arrenego de tal governo. Eu, que não governo, passei a noite de 24 de março e todas as outras debaixo de lençóis. A primeira coisa que eu propunha, se fosse inglês, era a reforma de tal câmara. Uma instituição que me obriga a cuidar dos negócios públicos desde as duas horas e cinco minutos da tarde até as cinco e um quarto da manhã, com intervalo de duas horas para comer, pode ser muito boa a outros respeitos; mas não é instituição de liberdade. Quando é que esses homens vão ao teatro lírico?

11 DE JUNHO
DE 1893

*A*ntes de relatar a semana, costumo passar pelos olhos os jornais dos sete dias. É um modo de refrescar a memória. Pode ser também um recurso para achar uma ideia que me falha. As ideias estão em qualquer coisa; toda a questão é descobri-las.

Há algumas ideias boas nesta casaca, dizia o alfaiate de um grande poeta. *Es liegen einige gute Ideen in diesen Rocke.* Quantas não acharia ele em uma loja de casacas da Rua Sete de Setembro... Não digo o número, para me não suporem sócio comanditário; mas procurem nos anúncios. Note-se que nada houve mais casual do que a achada deste anúncio, porque a semana foi, entre todas, cheia de lanches, debates, cóleras, acontecimentos, notícias e boatos; tais coisas não deixam tempo à leitura de anúncios. Mas eu ia a dobrar uma folha para passar à outra, quando ele me chamou a atenção com as suas grossas letras normandas, e um título por cima.

Nada mais simples: "Casacas e coletes para todos os corpos; *alugam-se* na rua..." Isto só, e não foi preciso mais para esquecer por instantes o resto do mundo. Uma pedrinha, uma folha seca, um fiapo de pano, têm dessas virtudes de exclusão e absorção! Eis aqui uma pequena concha velha, enegrecida, sem valor nem graça; foi arrancada a um sofá de concha, – como eles se faziam antigamente, – de uma chácara sem cultura, em que há uma casa sem conserto, paredes sem caio, varanda sem limpeza, tudo debaixo de muitos anos sem regresso. Muitos, mas não tantos que não caibam na pequena concha enegrecida, que os encerra a todos, com os seus óbitos e núpcias, alegrias e desesperos... Tornemos às casacas e coletes de aluguel.

Quando acabei de ler o anúncio, entrei a malucar. Imaginei um baile, para o qual fossem convidados cem homens que não possuíssem casaca, nem dinheiro para mandar fazê-la. Comparecimento obrigado; corriam todos à loja, onde havia justamente cem casacas e cem coletes. É muita imaginação; mas eu não estou dosando um elixir para cérebros práticos. Estou contando o que me aconteceu. Naturalmente, os fregueses não correram a uma; como, porém, tinham poucas horas, houve certa aglomeração. Os matinais levaram as casacas mais adequadas; os retardatários saíam menos bem servidos. De quando em quando, um trecho de diálogo:

– Aquela que aquele sujeito está vestindo, é que me servia.

– Se ele não ficar com ela...

– Fica; mandou embrulhar.

– Não importa; as casacas agora usam-se um pouco folgadas. As pessoas magras, como o senhor, precisam justamente de arredondar a figura. Menino, embrulha esta casaca. Que é que o senhor quer?

– Acha esta casaca demasiado estreita, comprime-me as costelas; a gola enforca-me...

– Mas então o senhor queria meter o seu corpo num saco? As pessoas cheias precisam disfarçar qualquer excesso de gordura vestindo casacas apertadas. Demais, é a moda.

– Assim, com estas abazinhas pendidas lá atrás?

– É boa! Então as abas deviam estar adiante? As abas da casaca não são feitas para os olhos da pessoa que a põe,

mas para os dos outros. As suas estão muito bem. Veja-se a este espelho, assim, volte-se, volte-se mais, mais...
– Não posso mais, e não vejo nada.
– Mas, vejo eu, senhor!
A última casaca foi alugada sem exame, não havia onde escolher, e o comparecimento era obrigado.
 Corri a espiar o baile. Os cem convidados tinham acabado de dançar uma polca e passeavam pelos salões as suas casacas alugadas. Vi então uma coisa única. Metade das casacas não se ajustavam aos corpos. Vi corpos grossos espremidos em casacas estreitas; outros, magros, nadavam dentro de casacas infinitas. Alguns, de pequena estatura, traziam abas que pareciam buscar o chão, enquanto as golas tendiam a subir pelos lustres. Outros, de tronco extenso e pernas compridas, pareciam estar de jaqueta, tal era a exiguidade das abas. E jaqueta curta, porque mal passava da metade do tronco.
 Deu-me vontade de apitar, como nos teatros, quando se faz mutação à vista, a fim de ver trocadas as casacas e restituída a ordem e a elegância; mas nem tinha apito comigo, nem era certo que a troca das casacas melhorasse grandemente o espetáculo. Quando muito, aliviaria alguns corpos e daria a outros a sensação de estarem realmente vestidos; nada mais. Havia satisfação relativa em todos, posto que nem sempre; uma ou outra vez detinham-se, lançavam um olhar rápido sobre si e ficavam embaraçados, ou então buscavam um canto ou um vão de janela. Consolava-os a vista dos companheiros; persuadiam-se talvez de que era uma epidemia de casacas mal-ajustadas. A música chamava à dança; todos corriam a convidar pares.
 Quando a minha imaginação cansou, deixei o baile e recolhi-me ao gabinete. Vi as folhas de papel diante de mim, esperando as palavras e as ideias. E eu tive uma ideia. Sim, considerei a vida, remontei os anos, vim por eles abaixo, remirei o espetáculo do mundo, o visto e o contado,

cotejei tantas coisas diversas, evoquei tantas imagens complicadas, combinei a memória com a história, e disse comigo:
– Certamente, este mundo é um baile de casacas alugadas.

Meditei sobre essa ideia, e cada vez me pareceu mais verdadeira. Os desconcertos da vida não têm outra origem, senão o contraste dos homens e das casacas. Há casacas justas, bem-postas, bem-cabidas, que valem o preço do aluguel; mas a grande maioria delas diverge dos corpos, e porventura os aflige. A dança dissimula o aspecto dos homens e faz esquecer por instantes o constrangimento e o tédio. Acresce que o uso tem grande influência, acabando por acomodar muitos homens à sua casaca.

Condoído desse melancólico espetáculo, Jesus achou um meio de corrigir os desconcertos, removendo deste mundo para o outro a esperança das casacas justas. Bem-aventurados os mal-encasacados, porque eles serão vestidos no céu! Profetas há, porém, que entendem que o mal do mundo deve ser curado no próprio mundo. E muitos foram os alvitres, vários os processos, alguns não provaram nada, outros dizem que serão definitivos. Pode ser; mas o mal está no único ponto de serem alugadas as casacas. Que a Fortuna ou a Providência, com a melhor tesoura do globo, talhe as casacas por medida, e as prove uma e muita vez no corpo de cada pessoa, e não as haverá largas nem estreitas, longas nem curtas, todas parecerão ter sido cosidas na própria pele dos convidados. Sem isso, o baile será esplêndido pela profusão de luzes e flores, pelo serviço de boca, pela multidão e variedade das danças, mas não haverá perdido este pecado original de ser um baile de casacas alugadas.

2 DE JULHO
DE 1893

Uns cheques falsos estiveram quase a dar aos seus autores cerca de quatrocentos contos. Descoberto a tempo este negócio, interveio a polícia, e os inventores viram burlada a invenção. Salvo a quantia, que era grossa, o caso é de pouca monta, e não entraria nesta coluna, se não fora a lição que se pode tirar dele.

De fato, eu creio que foi um erro acabar com o movimento de três anos atrás. Então, os mesmos quatrocentos contos seriam tirados, mas com cheques verdadeiros. Vede bem a diferença. Os cheques verdadeiros tinham por si a legitimidade e a segurança. Centenares e milhares de contos podiam andar assim, às claras, sem canseiras da polícia, nem aborrecidos inquéritos. A moral não condena a saída do dinheiro de uma algibeira para outra, e a economia política o exige. Uma sociedade em que os dinheiros ficassem parados seria uma sociedade estagnada, um pântano.

Com o desaparecimento quase absoluto dos cheques verdadeiros, entraram os falsos em ação. Foi, por assim dizer, um convite à fraude. Perderam-se as chaves, surdiram as gazuas, naturais herdeiras de suas irmãs mais velhas. Tornemos às chaves; empulhemos os empulhadores.

Tirando o caso dos cheques, a morte do preto Timóteo, indigitado autor do assassinato de Maria de Macedo, o benefício de Sarah Bernhardt, a perfídia de dois sujeitos que venderam a um homem, como sendo notas falsas, simples papéis sujos, zombando assim da lealdade da vítima, e pouco mais, todo o interesse da semana concentrou-se no Congresso. O benefício da filha de Minos e de Pasífae deu ensejo a uma bela festa ao seu grande talento; a morte de Timóteo veio suspender um processo interminável, e o logro das notas falsas põe ainda uma vez em evidência que a boa-fé deve fugir deste mundo; não é aqui o seu lugar. Contra um homem leal, há sempre dois meliantes.

Na Câmara dos Deputados, o Sr. Nilo Peçanha, em um brilhante discurso, defendeu a propriedade literária, merecendo os aplausos dos próprios que a negam, e dos que, como eu, não adotam o tratado. Mas as questões literárias não têm a importância das políticas, por mais que haja dito Garrett da ação das letras na política. "Com romances e com versos, bradava ele, fez Chateaubriand, fez Walter Scott, fez Lamartine, fez Schiller, e fizeram os nossos também, esse movimento reacionário que hoje querem sofismar e granjear para si os prosistas e calculistas da oligarquia." Respeito muito o grande poeta, mas ainda assim creio que a política está em primeiro lugar. Uma revista, dizia não sei que estadista inglês, deve ter duas pernas, uma política, outra literária, sendo a política a perna direita. Eu, se prefiro a todas as políticas de Benjamim Constant o seu único *Adolfo*, é porque este romance tem de viver enquanto viver a língua em que foi escrito, não por sentimento de exclusivismo. Assim também, se nunca pedi ao céu que me pusesse nos tempos dos homens de Plutarco para admirá-los, e fui vê-los em Plutarco e nos outros que os salvaram do esquecimento com os seus livros, foi unicamente porque, se o céu me fizesse contemporâneo de tais homens, já eu teria morrido uma e muitas vezes –, em vez de estar aqui vivo, escrevendo esta *semana*.

Houve no Senado a sessão secreta para examinar a nomeação do prefeito. Posto que secreta, a sessão foi pública. A mesma coisa aconteceu à sessão anterior. As outras também não foram reservadas. Direi mais, para acercar-me da verdade, *cercando il vero*, que as sessões secretas são ainda mais públicas que as públicas. Basta anunciar que tratam de matérias cujo exame não se pode fazer às escâncaras, antes devem ficar trancadas, para que todos as destranquem e tragam à rua. O pão vedado aguça o apetite, é verso de um poeta.

Verdade é que não basta o apetite da pessoa, é preciso que haja da parte do pão certa inércia e vontade de ser comido. Os segredos não se divulgam sem a ação da língua. Da primeira ou segunda vez que o Senado fez sessão secreta e a viu divulgada, tratou-se ali de examinar a origem da revelação. Se não me engano, o secretário afirmou que todas as portas estiveram fechadas. Um membro da casa achou difícil que se mantivesse segredo entre tantas pessoas –, o que lhe acarretou veementes protestos. Não se descobrindo nada, resolveu-se então, como agora, que a ata da sessão fosse impressa.

Esta impossibilidade de esconder o que se passa no segredo das deliberações faz-me crer no ocultismo. É ocasião de emendar Hamlet: "Há entre o palácio do Conde dos Arcos e a Rua do Ouvidor muitas bocas mais do que cuida a vossa inútil estatística".

A meu ver, o remédio é tornar públicas as sessões, anunciá-las, convidar o povo a assistir a elas. Talvez seja o meio seguro de as fazer tanto ou quanto secretas. Desde que as portas sejam francas, pouca ou nenhuma gente irá assistir ao exame das nomeações. Distância é o diabo. A Rua do Ouvidor é a principal causa desta tal ou qual inércia de que nos acusam. Em três pernadas a andamos toda, e se o não fazemos em três minutos, é porque temos o passo vagaroso; mas em três horas vamos do Beco das Cancelas ao Largo de S. Francisco.

16 DE JULHO
DE 1893

*S*arah Bernhardt é feliz. Sequiosa de emoções, não terá passado sem elas, estes poucos dias que dá ao Brasil. Grande roubo de joias aqui, em S. Paulo quase uma revolução. Eis aí quanto basta para matar a sede. Mas as organizações como a ilustre trágica são insaciáveis. Pode ser que ela acarinhe a ideia de pacificar o Rio Grande. Sim, quem sabe se, terminado o número das representações contratadas, não é plano dela meter-se em um iate e aproar ao sul? O capitão do navio terá medo, como o barqueiro de César. Ela copiará o romano: "Que temes tu? Levas Sarah e a sua fortuna".

As águas do porto, as areias, os ventos, os navios, as fortificações, a gente da terra, armada e desarmada, tudo deixará passar Semíramis. Um diadema, nem castilhista nem federalista, ou ambas as coisas, lhe será oferecido, apenas entre em Porto Alegre. A notícia correrá por todo o estado; a guerra cessará, os ódios fugirão dos corações, porque não haverá espaço bastante para o amor e a fidelidade. Começará no sul um grande reino. O Congresso Federal deliberará se deve reduzi-lo pelas armas ou reconhecê-lo, e adotará o segundo alvitre, por proposta do Sr. Nilo Peçanha, considerando que não se trata positivamente de uma monarquia, porque não há monarquia sem rei ou rainha no trono, e o gênio não tem sexo. O gênio haverá assim alcançado a paz entre os homens.

Uma vez coroada, Semíramis resolverá a velha questão das obras do porto do Rio Grande, como a sua xará de Babilônia fez com o Eufrates, apagará os males da guerra e decretará a felicidade, sob pena de morte. Um dia, amanhecendo aborrecida, imitará Salomão –, se é certo que este rei escreveu o *Eclesiastes* –, e repetir-nos-á, como o grande enjoado daquele livro, que tudo é vaidade, vaidade e vaidade. Então abdicará; e, para maior espanto do mundo, dará a coroa, por meio de concurso, ao mais melancólico dos homens. Sou eu. Não me demorarei um instante; irei logo, mar em fora, até a bela capital do sul, e subirei ao trono. Para celebrar esse acontecimento, darei festas magníficas, e convidarei a própria rainha abdicatária a representar uma cena ou um ato do seu repertório.

– Peço a Vossa Majestade que me não obrigue à recusa, responder-me-á ela; eu provei a realidade do trono, e achei que era ainda mais vã que a simples imitação teatral. *Omnia vanitas.* Falo-lhe em latim, mas creia que o meu tédio vai até o sueco e o norueguês. Há um refúgio para todos os desenganados deste mundo; vou fundar um convento de mulheres budistas no Malabar.

E Sarah acabará budista, se é que acabará nunca.

Deixem-me sonhar, se é sonho. A realidade é o luto do mundo, o sonho é a gala. Desde que a pena me trouxe até aqui, sinto-me rei e grande rei. Já uma vez fui santo e fiz milagres. Já fui dragão, íbis, tamanduá. Mas de todas as coisas que tenho sido, em sonhos, a que maior prazer me deu, foi panarício. Questão de amores. Eu suspirava por uma moça, que fugia aos meus suspiros. Uma noite, como lhe apertasse os dedos, interrogativamente, ela puxou a mão e deitou-me um tal olhar de desprezo, que me tonteou. Vaguei até tarde, jurei matá-la, recolhi-me, e fui dormir. Dormindo, sonhei que, sob a forma de panarício, nascia e crescia no dedo da moça.

O gosto que tive não se descreve, nem se imagina. É preciso ter sido ou ser panarício, para entender esse gozo único de doer em uma carne odiosa. Ela gemia, mordia os beiços, chorava, perdia o sono. E eu doía-lhe cada vez mais. Doendo, falava; dizia-lhe que o meu gesto de afeto não merecia o seu desprezo, e que era em vingança do que me fez que eu lhe dava agora aquela imensa dor. Ela prometia a Nossa Senhora, sua madrinha, um dedo de cera, se a dor acabasse; mas eu ria-me e ia doendo. Nunca senti regalo semelhante ao meu despeito de tumor.

Mas nem tudo são panarícios. Há gozos, não tamanhos, mas ainda grandes e sadios. Esta noite, por exemplo, sonhei que era um casal de burros de bonde, creio que das Laranjeiras. Como é que a minha consciência se pôde dividir em duas, é que não atino; há aí um curioso fenômeno para os estudiosos. Mas a verdade é que era um casal de burros. Eu sentia que éramos gordos, tão gordos e tão fortes, que pedíamos ao cocheiro, por favor, que nos desse pancadas, para não parecer que puxávamos de vontade livre. Queríamos ser constrangidos. O cocheiro recusava. Não nos batia com um gancho de ferro, nem com as pontas das rédeas, não nos fazia arfar, nem gemer, nem morrer. Não nos excitava sequer com estalos contínuos de língua no paladar. Ia cheio de si, como se a nossa robustez fosse obra dele, e nós voávamos. Pagou caro a gentileza, porque chegamos antes da hora, e ele foi multado.

Na antevéspera tinha sonhado que era um mocinho de quinze a dezesseis anos, prestes a derrubar este mundo e a criar outro, tudo porque me deram a *Lúcia de Lammermoor* e a *Sonâmbula*. Quando eu senti que no lábio superior não tinha mais que um buçozinho, e na alma umas melodias novas e ternas, fiquei fora de mim. Que Mefistófeles era esse que me fizera voltar para trás? Estava aqui um Fausto; faltava achar Margarida. Ei-la que sai de uma igreja; fitei-a bem, era um anjo-cantor de procissão. O tempo do sonho era o de Bellini e das procissões, de Donizetti e das fogueiras na rua, do primeiro Verdi e do Sinhazinha, provincial dos franciscanos.

É ainda um sonho esse frade, uma flor da adolescência, que vim achar entre duas folhas secas. De onde lhe vinha a alcunha? Ignoro; já a achei, não lhe pedi os títulos de origem. As alcunhas eclesiásticas são de todos os tempos. Agora mesmo andam muitas aí, nessa questão que não acaba mais, acerca do bispo e do arcebispo. A fama do pregador Sinhazinha é que achou. Sinhazinha! Naqueles dias até as alcunhas eram maviosas. Hoje é de *perereca seca* para baixo.

6 DE AGOSTO
DE 1893

A Gazeta completou os seus dezoito anos. Ao sair da festa de família com que ela celebrou o seu aniversário, fui pensando no que me disse um conviva, excelente membro da casa, a saber, que os dois maiores acontecimentos dos últimos trinta anos nesta cidade foram a *Gazeta* e o bonde.

Tens razão, Capistrano. Um e outro fizeram igual revolução. Há um velho livro do Padre Manuel Bernardes, cujo título, *Pão partido em pequeninos*, bem se pode aplicar à ação dos dois poderosos instrumentos de transformação. Antigamente as folhas eram só assinadas; poucos números avulsos se vendiam, e, ainda assim, era preciso ir comprá-los ao balcão, e caro. Quem não podia assinar o *Jornal do Comércio*, mandava pedi-lo emprestado, como se faz ainda hoje com os livros – com esta diferença que o *Jornal* era restituído –, e com esta semelhança que voltava mais ou menos enxovalhado. As outras folhas – não tinham o domínio da notícia e do anúncio, da publicação solicitada, da parte comercial e oficial; demais, serviam a partidos políticos. A mor parte delas (para empregar uma comparação recente) vivia o que vivem as rosas de Malherbe.

Quando a *Gazeta* apareceu, o bonde começava. A moça que vem hoje à Rua do Ouvidor, sempre que lhe parece, à hora que quer, com a mamãe, com a prima, com a amiga, porque tem o bonde à porta e à mão, não sabe o que era morar fora da cidade ou longe do centro. Tínhamos diligências e ônibus; mas eram poucos, com poucos lugares, creio que oito ou dez, e poucas viagens. Um dos lugares era eliminado para o público. Ia nele o *recebedor*, um homem encarregado de receber o preço das passagens e abrir a portinhola para dar entrada ou saída aos passageiros. Um cordel, vindo pelo tejadilho, punha em comunicação o cocheiro e o recebedor; este puxava, aquele parava ou andava. Mais tarde, o cocheiro acumulou os dois ofícios. Os veículos eram fechados, como os primeiros bondes, antes que toda a gente preferisse os dos fumantes, inteiramente os desterrasse.

– Já passou a diligência? Lá vem o ônibus! Tais eram os dizeres de outro tempo. Hoje não há nada disso. Se algum homem, morador em rua que atravesse a da linha, grita por um bonde que vai passando ao longe, não é porque os veículos sejam tão raros, como outrora, mas porque o homem não quer perder este bonde, porque o bonde para, e porque os passageiros esperam dois ou três minutos, quietos. Esperar, se me não falha a memória, é a última palavra do *Conde de Monte Cristo*. Todos somos Monte Cristos, posto que o livro seja velho. Falemos à gente moça, à gente de vinte e cinco anos, que era apenas desmamada, quando se lançaram os primeiros trilhos, entre a Rua Gonçalves Dias e o Largo do Machado. O bonde foi posto em ação, e a *Gazeta* veio no encalço.

Tudo mudou. Os meninos, com a *Gazeta* debaixo do braço e o pregão na boca, espalhavam-se por essas ruas, berrando a notícia, o anúncio, a pilhéria, a crítica, a vida, em suma, tudo por dois vinténs escassos. A folha era pequena; a mocidade do texto é que era infinita. A gente grave, que, quando não é excessivamente grave, dá apreço à nota alegre, gostou daquele modo de dizer as coisas sem retesar os colarinhos. A leitura impôs-se, a folha cresceu, barbou, fez-se homem, pôs casa: toda a imprensa mudou de jeito e de aspecto.

Não me puxem as orelhas pelo que disse acerca das folhas políticas. Se não eram vivedouras outrora, se hoje o não podem ser sem outro algum condimento, a culpa não é minha. E digo mal, políticas; partidárias é que devem ser. De política também tratam as outras. A questão é um pouco mais longa que esta página, e mais profunda que esta crônica; mas sempre lhes quero contar uma história.

Um telegrama datado de Buenos Aires, 3, deu notícia de que a *Nación*, órgão do General Mitre, aconselha a união de todos os cidadãos, no meio da desordem que vai por algumas províncias argentinas. Ora, ouçam a minha história que é de 1868. Nesse ano, Mitre, que assumira o poder em 1860, depois de um revolução, conclui os dois prazos constitucionais do presidente; fizera-se a eleição do presidente e saíra eleito Sarmiento, que então era representante diplomático da república nos Estados Unidos. Vi este Sarmiento, quando passou por aqui para ir tomar conta do governo argentino. Boas carnes, olhos grandes, cara rapada. Tomava chá no Clube Fluminense, no momento em que eu ia fazer o mesmo, depois de uma partida de xadrez com o professor Palhares. Pobre Palhares! Pobre Clube Fluminense! Era um chá sossegado, entre nove e dez horas, um baile por mês, moças bonitas, uma principalmente... *Une surtout, un ange...* O resto está em Victor Hugo. *Un ange, une jeune espagnole.* A diferença é que não era espanhola. Sarmiento vinha, creio eu, do Paço de S. Cristóvão ou do Instituto Histórico; estava de casaca, bebia o chá, trincava torradas, com tal modéstia que ninguém diria que ia governar uma nação.

Quando Sarmiento chegou a Buenos Aires e tomou conta do governo, quiseram fazer a Mitre, que o entregava, uma grande manifestação política. A ideia que vingou foi criar um jornal e dar-lho. Esse jornal é esta mesma *Nación*, que é ainda órgão de Mitre, e que ora aconselha (um quarto de século depois) a união de todos os cidadãos. É um jornal enorme de não sei quantas páginas.

Em trocos miúdos, os jornais partidários precisam de partido, um partido faz-se com homens que votem, que paguem, que leiam. Há ler sem pagar; não é a isso que me refiro. Há também pagar sem ler; falo de outra coisa. Digo ler e pagar, digo votar, digo discutir, escolher, fazer opinião. Sem ela, sem uma boa opinião ativa, pode haver algumas veleidades, mas não há vontade. E a vontade é que governa o mundo.

27 DE AGOSTO
DE 1893

Quando eu cheguei à Rua do Ouvidor e soube que um empregado do correio adoecera do cólera, senti algo parecido com susto, se não era ele próprio. Contaram-me incidentes. Nenhum hospital quisera receber o enfermo. Afinal fora conduzido para o da Jurujuba, e insulado, como de regra.

Conversei, para distrair-me, mas não estava bom. Podia estar melhor. No bonde, quando me recolhia, eram seis horas da tarde, havia já três casos de cólera, – o do correio, o de uma senhora que estava comprando sapatos, e o de um carroceiro na Saúde. Na Lapa entrou um homem, que me disse ter assistido ao caso postal. A figura do doente metia medo. Chegaram a ver o bacilo...

– O bacilo?, perguntei admirado.

– Sim, senhor, o bacilo vírgula; era assim, disse ele, virgulando o ar com o dedo indicador, – e foi o diabo para matá-lo. Ele corria, abaixo e acima, no ar, no chão, nas paredes, metia-se por baixo das mesas, nos chapéus, nas malas, em tudo. Felizmente, tinham-se fechado as portas, e um servente com a vassoura deu cabo do bicho. Aquele não pega outro.

Examinei bem o homem, que podia ser um debicador, mas não era. Tinha a feição pura do crédulo eterno. Fosse como fosse, não fiquei melhor do que estava na Rua do Ouvidor, e cheguei a casa sorumbático. Jantei mal. De noite, li um pouco de Dante, e não fiz bem, porque, no círculo de voluptuosos, aqueles versos

E come i gru van cantando lor lai,
Facendo in aere di sè lunga riga,

foram a minha perseguição durante o pesadelo, um terrível pesadelo que me acometeu entre uma e duas horas.

Com efeito, sonhei que era esganado por uma vírgula, um bacilo, o próprio bacilo do cólera, tal qual o descrevera o homem do bonde. Morto em poucos minutos, desci ao inferno, enquanto cá em cima me amortalhavam, encaixotavam e levavam ao cemitério. No inferno, depois de atravessar vários círculos, fui dar a um, cujo ar espesso era povoado das mais infames criaturas que é possível imaginar. Era uma longa fila de bacilos, tamanhos como um palmo; e não só o vírgula, mas todas as figuras da pontuação.

E come i gru van cantando lor lai

cantavam eles uma trova, sempre a mesma, meia triste, meia escarninha. O que dizia a trova, não sei; era uma língua estranhíssima. Vulto humano nenhum; cuidei que ia viver ali perpetuamente, e não pude reter as lágrimas.

Nisto vi ao longe duas sombras, que se aproximaram lentamente e me pegaram na mão. – "Sou Epicuro, disse-me uma delas; este é Demócrito, que recebeu de outro a doutrina dos átomos, a qual eu perfilhei, e que tu, após tantos séculos, vais concluir. Fica sabendo que estes bacilos são próprios átomos em que fizemos consistir a matéria; por isso dissemos que eles tinham todas as figuras, desde as retilíneas até as curvas. Curvo é o tal vírgula que te trouxe a este mundo, do qual vais sair para pregar a verdade. Vamos dar-te o batismo da filosofia.

Epicuro assobiou. Correram dois bacilos, forma de parênteses, e fecharam-me entres eles, como se faz na escritura (assim); depois chegou o bacilo da interrogação, a que não pude responder nada. Vendo o meu silêncio, empertigou-se o bacilo da admiração, enquanto os dois parênteses iam-se fechando cada vez mais, mais, mais. Já me rasgavam as carnes; entravam-me como alfanjes; eu torcia-me sem voz, até que pude gritar: Epicuro, Demócrito! José Rodrigues!
– Que é, patrão?
Abri os olhos, vi ao pé da cama o meu criado José Rodrigues, – aquele mesmo ignaro que traduzia *debêntures* por *desventuras*. Ao cabo, um bom homem; pouca suficiência intelectual, mas uma alma... Deu-me água e ficou ao pé de mim, contando-me histórias alegres, até que adormeci.

De manhã corri aos jornais para saber quantos teriam morrido do cólera durante a noite; soube que nenhum; suspeita e medo, nada mais. Entretanto, choviam conselhos e vinham descrições, não só do bacilo vírgula, mas de todos os outros, causas das nossas enfermidades.

Li tudo a rir. Sobre a tarde, pensei no anúncio de Epicuro. Era um sonho vão; mas trazia uma ideia. Quem sabe se eu não tinha o bacilo do gênio... Dei um pulo, estava achada mais uma doutrina definitiva. Ei-la aqui, de graça.

Cada um de nós é um composto de cidades, não da mesma nação, mas de várias nações e diferentes línguas, um mundo romano. Isto posto, as moléstias que nos assaltam são revoluções interiores. As macacoas não passam de distúrbios, a que a polícia põe cobro. Tudo obra de bacilos; mas como também os há da saúde, bons cidadãos, ordeiros, amigos da lei, da paz e do trabalho, esses não só nos conservam a saúde, como subjugam e muitas vezes eliminam os tumultuosos. Os médicos recebem cá fora honorários que a justiça mandaria pagar a esses dignos defensores da paz interior, se eles precisassem de dinheiro. Outras vezes são vencidos; os bacilos perversos matam o homem; é a anarquia e a dissolução.

Os bacilos da saúde não são só modelos de virtudes públicas e privadas. Dotados de algum intelecto, associam-se para compor um talento ou um gênio, e são eles que formam as novas ideias, discursos e livros. Há uns poéticos, outros oratórios, outros políticos, outros cientistas. Dante era um homem de muitos bacilos. A vontade também se rege por eles; uma grande ação pode não ser mais que o esforço comum dos bacilos do coração e dos rins. Enquanto eles consolidam um tecido, Napoleão ganha a batalha de Iena.

Por outro lado, sendo a sociedade um organismo, nós somos os bacilos da sociedade. Segundo forem as qualidades desta, assim se poderá dizer que casta de bacilos é a que predomina no organismo. Não se pode dizer, por exemplo, que tenhamos o bacilo do júri. Após quatro ou cinco semanas de espera, compor-se-á em dois dias o tribunal, e ainda assim só depois de várias admoestações e lástimas por ver caída semelhante instituição. Erro dos que lastimam e admoestam. É claro que não possuímos o bacilo próprio a essa espécie de justiça. Uma instituição pode ser bonita, liberal, de boa origem, sem que todos a pratiquem eficazmente, desde que falte o bacilo criador. A consideração de julgar os pares não tira ninguém de casa, e muita gente há que confia mais na toga que na casaca, não que a casaca seja mais cruel, ao contrário. Sobre isto o melhor é ler um autor recente, o Sr. Conceição, Rua da Alegria nº 22, um homem que foi por seu pé inscrever-se na lista dos jurados, que acudia ao júri com sacrifício do trabalho e do descaso, e que, ao fim de pouco tempo, viu-se recusado sempre por ambas as partes, advogado e promotor.

Mas, enfim, tudo isso são minúcias que não importam aos lineamentos da doutrina. Talvez não nos falte o bacilo do júri, mas o da reunião, o da assembleia, o de tudo que exige presença obrigada. A razão de estar a Rua do Ouvidor sempre cheia é poder cada um ir-se embora; ficam todos. Há nada melhor que uma ópera que entra pelo ouvido, enquanto os olhos, pegados ao binóculo, percorrem a sala? São pontos que merecem estudo particular.

    Resumo a doutrina. Tudo é bacilo no mundo, o que está dentro do homem, no homem e fora do homem. A terra é um enorme bacilo, como os planetas e as estrelas, bacilos todos do infinito e da eternidade, – dois bacilos sem medida de alguém que quer guardar o incógnito.

8 DE OUTUBRO
DE 1893

Segunda-feira desta semana, o livreiro Garnier saiu pela primeira vez de casa para ir a outra parte que não a livraria. *Revertere ad locum tuum* – está escrito no alto da porta do cemitério de S. João Batista. Não, murmurou ele talvez dentro do caixão mortuário, quando percebeu para onde o iam conduzindo, não é este o meu lugar; o meu lugar é na Rua do Ouvidor 71, ao pé de uma carteira de trabalho, ao fundo, à esquerda; é ali que estão os meus livros, a minha correspondência, as minhas notas, toda a minha escrituração.

Durante meio século, Garnier não fez outra coisa senão estar ali, naquele mesmo lugar, trabalhando. Já enfermo desde alguns anos, com a morte no peito, descia todos os dias de Santa Teresa para a loja, de onde regressava antes de cair a noite. Uma tarde, ao encontrá-lo na rua, quando se recolhia, andando vagaroso, com os seus pés direitos, metido em um sobretudo, perguntei-lhe por que não descansava algum tempo. Respondeu-me com outra pergunta: *Pourriez-vous résister, si vous étiez forcé de ne plus faire ce que vous auriez fait pendant cinquante ans*? Na véspera da morte, se estou bem-informado, achando-se de pé, ainda planejou descer na manhã seguinte, para dar uma vista de olhos à livraria.

Essa livraria é uma das últimas casas da Rua do Ouvidor; falo de uma rua anterior e acabada. Não cito os nomes das que se foram, porque não as conhecereis, vós que sois mais rapazes que eu, e abristes os olhos em uma rua animada e populosa, onde se vendem, ao par de belas joias, excelentes queijos. Uma das últimas figuras desaparecidas foi o Bernardo, o perpétuo Bernardo, cujo nome achei ligado aos charutos do Duque de Caxias, que tinha fama de os fumar únicos, ou quase únicos. Há casas como a Laemmert e o *Jornal do Comércio*, que ficaram e prosperaram, embora os fundadores se fossem; a maior parte, porém, desfizeram-se com os donos.

Garnier é das figuras derradeiras. Não aparecia muito; durante os 30 anos das nossas relações, conheci-o sempre no mesmo lugar, ao fundo da livraria, que a princípio era em outra casa, n⁰ 69, abaixo da Rua Nova. Não pude conhecê-lo na da Quitanda, onde se estabeleceu primeiro. A carteira é que pode ser a mesma, como o banco alto onde ele repousava, às vezes, de estar em pé. Aí vivia sempre, pena na mão, diante de um grande livro, notas soltas, cartas que assinava ou lia. Com o gesto obsequioso, a fala lenta, os olhos mansos, atendia a toda gente. Gostava de conversar o seu pouco. Neste caso, quando a pessoa amiga chegava, se não era dia de mala, ou se o trabalho ia adiantado e não era urgente, tirava logo os óculos, deixando ver no centro do nariz uma depressão do longo uso deles. Depois vinham duas cadeiras. Pouco sabia da política da terra, acompanhava a de França, mas só o ouvi falar com interesse por ocasião da guerra de 1870. O francês sentiu-se francês. Não sei se tinha partido; presumo que haveria trazido da pátria, quando aqui aportou, as simpatias da classe média para com a monarquia orleanista. Não gostava do império napoleônico. Aceitou a república, e era grande admirador de Gambetta.

Daquelas conversações tranquilas, algumas longas, estão mortos quase todos os interlocutores, Liais, Fernandes

Pinheiro, Macedo, Joaquim Norberto, José de Alencar, para só indicar estes. De resto, a livraria era um ponto de conversação e de encontro. Pouco me dei com Macedo, o mais popular dos nossos autores, pela *Moreninha* e pelo *Fantasma branco*, romance e comédia que fizeram as delícias de uma geração inteira. Com José de Alencar foi diferente; ali travamos as nossas relações literárias. Sentados os dois, em frente à rua, quantas vezes tratamos daqueles negócios de arte e poesia, de estilo e imaginação, que valem todas as canseiras deste mundo. Muitos outros iam ao mesmo ponto de palestra. Não os cito, porque teria de nomear um cemitério, e os cemitérios são tristes, não em si mesmos, ao contrário. Quando outro dia fui a enterrar o nosso velho livreiro, vi entrar no de S. João Batista, já acabada a cerimônia e o trabalho, um bando de crianças que iam divertir-se. Iam alegres, como quem não pisa memórias nem saudades. As figuras sepulcrais eram, para elas, lindas bonecas de pedra; todos esses mármores faziam um mundo único, sem embargo das suas flores mofinas, ou por elas mesmas, tal é a visão dos primeiros anos. Não citemos nomes.

  Nem mortos, nem vivos. Vivos há-os ainda, e dos bons, que alguma coisa se lembrarão daquela casa e do homem que a fez e perfez. Editar obras jurídicas ou escolares não é mui difícil; a necessidade é grande, a procura, certa. Garnier, que fez custosas edições dessas, foi também editor de obras literárias, o primeiro e o maior de todos. Os seus catálogos estão cheios dos nomes principais, entre os nossos homens de letras. Macedo e Alencar, que eram os mais fecundos, sem igualdade de mérito, Bernardo Guimarães, que também produziu muito nos seus últimos anos, figuram ao pé de outros, que entraram já consagrados, ou acharam naquela casa a porta da publicidade e o caminho da reputação.

  Não é mister lembrar o que era essa livraria tão copiosa e tão variada, em que havia tudo, desde a teologia até a novela, o livro clássico, a composição recente, a ciência e a imaginação, a moral e a técnica. Já a achei feita; mas vi-a crescer ainda mais, por longos anos. Quem a vê agora, fechadas as portas, trancados os mostradores, à espera da justiça, do inventário e dos herdeiros, há de sentir que falta alguma coisa à rua. Com efeito, falta uma grande parte dela, e bem pode ser que não volte, se a casa não conservar a mesma tradição e o mesmo espírito.

Pessoalmente, que proveito deram a esse homem as suas labutações? O gosto do trabalho, um gosto que se transformou em pena, porque no dia em que devera libertar-se dele, não pôde mais; o instrumento da riqueza era também o do castigo. Esta é uma das misericórdias da Divina Natureza. Não importa: *laboremus*. Valha sequer a memória, ainda que perdida nas páginas dos dicionários biográficos. Perdure a notícia, ao menos, de alguém que neste país novo ocupou a vida inteira em criar uma indústria liberal, ganhar alguns milhares de contos de réis, para ir afinal dormir em sete palmos de uma sepultura perpétua. Perpétua!

1º DE ABRIL
DE 1894

*E*nfim! Vai entrar em discussão no Conselho Municipal o projeto que ali apresentou o Sr. Dr. Capelli, sobre higiene. Ainda assim, foi preciso que o autor o pedisse, anteontem. Já tenho lido que o Conselho trabalha pouco, mas não aceito em absoluto esta afirmação. Conselho Municipal ou Câmara Municipal, a instituição que dirige os serviços da nossa velha e boa cidade, foi sempre objeto de censuras, às vezes com razão, outras sem ela, como aliás acontece a todas as instituições humanas.

Trabalhe pouco ou muito, é de estimar que traga para a discussão o projeto do Sr. Dr. Capelli. Se ele não resolve totalmente a questão higiênica, nem a isso se propõe, pode muito bem resolvê-la em parte. Não entro no exame dos seus diversos artigos; basta-me o primeiro. O primeiro artigo estabelece concurso para a nomeação dos comissários de higiene, que se chamarão de ora avante inspetores sanitários.

É discutível a ideia do concurso. Não me parece claro que melhore o serviço, e pode não passar de simples ilusão. O artigo, porém, dispõe, como ficou dito, que os comissários de higiene se chamem de ora avante inspetores sanitários, e essa troca de um nome para outro é meio caminho andado para a solução. Os nomes velhos ou gastos tornam caducas as instituições. Não se melhora verdadeiramente um serviço deixando o mesmo nome aos seus oficiais. É do Evangelho, que não se põe remendo novo em pano velho. O pano aqui é a denominação. O próprio Conselho Municipal tem em si um exemplo do que levo dito. Câmara Municipal não era mau nome, tinha até um ar democrático; mas estava puído. O nome criou a personagem da coisa, e a má fama levou consigo a obra e o título. Conselho Municipal, sendo nome diverso, exprime a mesma ideia democrática, é bom e é novo.

Outro exemplo, e de fora. Sabe-se que a Câmara dos *Lords* está arriscada a descambar no ocaso, ou a ver-se muito diminuída. Não duvido que os seus últimos atos tenham dado lugar à guerra que lhe movem, com o próprio chefe do governo à frente, se é certo o que nos disse há pouco um telegrama. Mas quem sabe se, trocando oportunamente o título, não teria ela desviado o golpe iminente, embora ficasse a mesma coisa, ou quase?

Conta-se de um homem (creio que já referi esta anedota) que não podia achar bons copeiros. De dois em dois meses, mandava embora o que tinha, e contratava outro. Ao cabo de alguns anos chegou ao desespero; descobriu, porém, um meio com que resolveu a dificuldade. O copeiro que o servia então chamava-se José. Chegado o momento de substituí-lo, pagou-lhe o aluguel e disse:

– José, tu agora chamas-te Joaquim. Vai pôr o almoço, que são horas.

Dois meses depois, reconheceu que o copeiro voltava a ser insuportável. Fez-lhe as contas, e concluiu:

– Joaquim, tu passas agora a chamar-te André. Vai lá para dentro.

Fê-lo João, Manuel, fê-lo Marcos, fê-lo Rodrigo, percorreu toda a onomástica latina, grega, judaica, anglo-saxônica, conseguindo ter sempre o mesmo ruim criado, sem andar a buscá-lo por essas ruas. Entendamo-nos; eu creio que a ruindade desaparecia com a investidura do nome, e voltava quando este principiava a envelhecer. Pode ser também que não fosse assim, e que a simples novidade do nome trouxe ao amo a ilusão da melhoria. De um ou de outro modo, a influência dos nomes é certa.

Por exemplo, quem ignora a vida nova que trouxe ao ensino da infância a troca daquela velha tabuleta "Colégio de Meninos" por esta outra "Externato de Instrução Primária"? Concordo que o aspecto científico da segunda forma tenha parte no resultado; antes dele, porém, há o efeito misterioso da simples mudança. Mas eu vou mais longe.

Vou tão longe, que ouso crer nas reabilitações históricas, unicamente ou quase unicamente pela alteração do nome das pessoas. O atual processo para esses trabalhos é rever os documentos, avaliar as opiniões, e contar os fatos, comparar, retificar, excluir, incluir, concluir. Todo esse trabalho é inútil, se não trocar o nome por outro. Messalina, por exemplo. Esta imperatriz chegou à celebridade do substantivo, que é a maior a que pode aspirar uma criatura real ou fingida: uma messalina, um tartufo. Se quiserdes tirá-la da lama histórica, em que ela caiu, não vos bastará esgravatar o que disseram dela os autores; arranca-lhe violentamente o nome. Chama-lhe Anastácia. Quereis fazer uma experiência? Pegai em Suetônio e lede com o nome de Anastácia tudo o que ele se refere de Messalina; é outra coisa. O asco diminui, o horror afrouxa, o escândalo desaparece; e a figura emerge, não digo para o céu, mas para uma colina. Em história, o ocupar uma colina é alguma coisa. Gregorovius, como outros autores deste século, quis reabilitar Lucrécia Bórgia; acho que o fez, mas esqueceu-se de lhe mudar o nome, e toda gente continua a decompô-lo em prosa com Vítor Hugo, ou em verso e por música com Donizetti.

Voltando aos comissários de higiene, futuros inspetores sanitários, repito que o serviço melhorará muito com essa alteração do título, e não é pouco. Mas é preciso que, sem dizê-lo na lei, nem no parecer, nem nos debates, fiquem todos combinados em alterar periodicamente o título, desde que o serviço precise reforma. Não me compete lembrar outros, nem me ocorre nenhum. Digo só que, passados mais quatro ou cinco títulos, não será má política voltar ao primeiro. Os nomes têm, às vezes, a propriedade de criar pele nova, só com o desuso ou descanso. Comissário de higiene, que vai ser descalçado agora, desde que repouse alguns anos, ficará com sola nova e tacão direito. Assim acontecesse aos meus sapatos!

8 DE ABRIL
DE 1894

Quinta-feira à tarde, pouco mais de três horas, vi uma coisa tão interessante, que determinei logo de começar por ela esta crônica. Agora, porém, no momento de pegar na pena, receio achar no leitor menor gosto que eu para um espetáculo, que lhe parecerá vulgar, e porventura torpe. Releve-me a impertinência; os gostos não são iguais.

Entre a grade do jardim da Praça Quinze de Novembro e o lugar onde era o antigo passadiço, ao pé dos trilhos de bondes, estava um burro deitado. O lugar não era próprio para remanso de burros, donde concluí que não estaria deitado, mas caído. Instantes depois, vimos (eu ia com um amigo), vimos o burro levantar a cabeça e meio corpo. Os ossos furavam-lhe a pele, os olhos meio mortos fechavam-se de quando em quando. O infeliz cabeceava, mas tão frouxamente, que parecia estar próximo do fim.

Diante do animal havia algum capim espalhado e uma lata com água. Logo, não foi abandonado inteiramente; alguma piedade houve no dono ou quem quer que é que o deixou na praça, com essa última refeição à vista. Não foi pequena ação. Se o autor dela é homem que leia crônicas, e acaso ler esta, receba daqui um aperto de mão. O burro não comeu do capim, nem bebeu da água; estava para outros capins e outras águas, em campos mais largos e eternos.

Meia dúzia de curiosos tinham parado ao pé do animal. Um deles, menino de dez anos, empunhava uma vara, e se não sentia o desejo de dar com ela na anca do burro para espertá-lo, então eu não sei conhecer meninos, porque ele não estava do lado do pescoço, mas justamente do lado da anca. Diga-se a verdade; não o fez – ao menos enquanto ali estive, que foram poucos minutos. Esses poucos minutos, porém, valeram por uma hora ou duas. Se há justiça na terra, valerão por um século, tal foi a descoberta que me pareceu fazer, e aqui deixo recomendada aos estudiosos.

O que me pareceu, é que o burro fazia exame de consciência. Indiferente aos curiosos, como ao capim e à água, tinha no olhar a expressão dos meditativos. Era um trabalho interior e profundo. Este remoque popular: *por pensar morreu um burro* mostra que o fenômeno foi mal-entendido dos que a princípio o viram; o pensamento não é a causa da morte, a morte é que o torna necessário. Quanto à matéria do pensamento, não há dúvida que é o exame da consciência. Agora, qual foi o exame da consciência daquele burro, é o que presumo ter lido no escasso tempo que ali gastei. Sou outro Champollion, porventura maior; não decifrei palavras escritas, mas ideias íntimas de criatura que não podia exprimi-las verbalmente.

E diria o burro consigo:

"Por mais que vasculhe a consciência, não acho pecado que mereça remorso. Não furtei, não menti, não matei, não caluniei, não ofendi nenhuma pessoa. Em toda a minha vida, se dei três coices, foi o mais, isso mesmo antes de haver aprendido maneiras de cidade e de saber o destino do verdadeiro burro, que é apanhar e calar. Quanto ao zurro, usei dele como linguagem. Ultimamente é que percebi que me não entendiam, e continuei a zurrar por ser costume velho, não com ideia de agravar ninguém. Nunca dei com homem no chão. Quando passei do tílburi ao bonde, houve algumas vezes homem morto ou pisado na rua, mas a prova de que a culpa não era minha, é que nunca segui o cocheiro na fuga; deixava-me estar aguardando a autoridade.

"Passando à ordem mais elevada de ações, não acho em mim a menor lembrança de haver pensado sequer na perturbação da paz pública. Além de ser a minha índole contrária a arruaças, a própria reflexão me diz que, não havendo nenhuma revolução declarando os direitos do burro, tais direitos não existem. Nenhum golpe de Estado foi dado em favor dele; nenhuma coroa os obrigou. Monarquia, democracia, oligarquia, nenhuma forma de governo teve em conta os interesses da minha espécie. Qualquer que seja o regímen, ronca o pau. O pau é a minha instituição um pouco temperada pela teima, que é, em resumo, o meu único defeito. Quando não teimava, mordia o freio, dando assim um bonito exemplo de submissão e conformidade. Nunca perguntei por sóis nem chuvas; bastava sentir o freguês no tílburi ou o apito do bonde, para sair logo. Até aqui os males que não fiz; vejamos os bens que pratiquei.

"A mais de uma aventura amorosa terei servido, levando depressa o tílburi e o namorado à casa da namorada – ou simplesmente empacando em lugar onde o moço que ia no bonde podia mirar a moça que estava na janela. Não poucos devedores terei conduzido para longe de um credor importuno. Ensinei filosofia a muita gente, esta filosofia que consiste na gravidade do porte e na quietação dos sentidos. Quando algum homem, desses que chamam patuscos, queria fazer rir os amigos, fui sempre em auxílio dele, deixando que me desse tapas e punhadas na cara. Enfim..."

Não percebi o resto, e fui andando, não menos alvoroçado que pesaroso. Contente da descoberta, não podia furtar-me à tristeza de ver que um burro tão bom pensador ia morrer. A consideração, porém, de que todos os burros devem ter os mesmos dotes principais, fez-me ver que os que ficavam não seriam menos exemplares que esse. Por que se não investigará mais profundamente o moral do burro? Da abelha já se escreveu que é superior ao homem, e da formiga também, coletivamente falando, isto é, que as suas instituições políticas são superiores às nossas, mais *racionais*. Por que não sucederá o mesmo ao burro, que é maior?

Sexta-feira, passando pela Praça Quinze de Novembro, achei o animal já morto.

Dois meninos, parados, contemplavam o cadáver, espetáculo repugnante; mas a infância, como a ciência, é curiosa sem asco. De tarde já não havia cadáver nem nada. Assim passam os trabalhos desse mundo. Sem exagerar o mérito do finado, força é dizer que, se ele não inventou a pólvora, também não inventou a dinamite. Já é alguma coisa neste final de século. *Requiescat in pace*.

5 DE AGOSTO DE 1894

O PUNHAL DE MARTINHA

Quereis ver o que são destinos? Escutai. Ultrajada por Sexto Tarquínio, uma noite, Lucrécia resolve não sobreviver à desonra, mas primeiro denuncia ao marido e ao pai a aleivosia daquele hóspede, e pede-lhes que a vinguem. Eles juram vingá-la, e procuram tirá-la da aflição dizendo-lhe que só a alma é culpada, não o corpo, e que não há crime onde não houve aquiescência. A honesta moça fecha os ouvidos à consolação e ao raciocínio, e, sacando o punhal que trazia escondido, embebe-o no peito e morre. Esse punhal podia ter ficado no peito da heroína, sem que ninguém mais soubesse dele; mas, arrancado por Bruto, serviu de lábaro à revolução que fez baquear a realeza e passou o governo à aristocracia romana. Tanto bastou para que Tito Lívio lhe desse um lugar de honra na história, entre enérgicos discursos de vingança. O punhal ficou sendo clássico. Pelo duplo caráter de arma doméstica e pública, serve tanto a exaltar a virtude conjugal, como a dar força e luz à eloquência política.

Bem sei que Roma não é a Cachoeira, nem as gazetas dessa cidade baiana podem competir com historiadores de gênio. Mas é isso mesmo que deploro. Essa parcialidade dos tempos, que só recolhem, conservam e transmitem as ações encomendadas nos bons livros, é que me entristece, para não dizer que me indigna. Cachoeira não é Roma, mas o punhal de Lucrécia, por mais digno que seja dos encômios do mundo, não ocupa tanto lugar na história, que não fique um canto para o punhal de Martinha. Entretanto, vereis que esta pobre arma vai ser consumida pela ferrugem da obscuridade.

Martinha não é certamente Lucrécia. Parece-me até, se bem entendo uma expressão do jornal *A Ordem*, que é exatamente o contrário. "Martinha (diz ele) é uma rapariga franzina, moderna ainda, e muito conhecida nesta cidade, de onde é natural." Se é moça, se é natural da Cachoeira, onde é muito conhecida, que quer dizer *moderna*? Naturalmente quer dizer que faz parte da última leva de Citera. Esta condição, em vez de prejudicar o paralelo dos punhais, dá-lhe maior realce, como ides ver. Por outro lado, convém notar que, se há contrastes das pessoas, há uma coincidência de lugar: Martinha mora na Rua do Pagão, nome que faz lembrar a religião da esposa de Colatino. As circunstâncias dos dois atos são diversas. Martinha não deu hospedagem a nenhum moço de sangue régio ou de outra qualidade. Andava a passeio, à noite, um domingo do mês passado. O Sexto Tarquínio da localidade, cristãmente chamado João, com o sobrenome de Limeira, agrediu e insultou a moça, irritado naturalmente com os seus desdéns. Martinha recolheu-se à casa. Nova agressão, à porta. Martinha, indignada, mas ainda prudente, disse ao importuno: "Não se aproxime, que eu lhe furo". João Limeira aproximou-se, ela deu-lhe uma punhalada, que o matou instantaneamente.

Talvez esperásseis que ela se matasse a si própria. Esperaríeis o impossível, e mostraríeis que me não entendestes. A diferença das duas ações é justamente a que vai do suicídio ao homicídio. A romana confia a vingança ao marido e ao pai. A cachoeirense vinga-se por si própria, e, notai bem, vinga-se de uma simples intenção. As pessoas são desiguais, mas força é dizer que a ação da primeira não é mais corajosa que a da segunda, sendo que esta cede a tal ou qual subtileza de motivos, natural deste século complicado.

Isto posto, em que é que o punhal de Martinha é inferior ao de Lucrécia? Nem é inferior, mas até certo ponto é superior. Martinha não profere uma frase de Tito Lívio, não vai a João de Barros, alcunhado o Tito Lívio português, nem ao nosso João Francisco Lisboa, grande escritor de igual valia. Não quer sanefas literárias, não ensaia atitudes de tragédia, não faz daqueles gestos oratórios que a história antiga põe nos seus personagens. Não; ela diz simplesmente e incorretamente: "Não se aproxime que eu lhe furo". A palmatória dos gramáticos pode punir essa expressão; não importa, o *eu lhe furo* traz um valor natal e popular, que vale por todas as belas frases de Lucrécia. E depois, que tocante eufemismo! Furar por matar; não sei se Martinha inventou esta aplicação; mas, fosse ela ou outra a autora, é um achado do povo, que não manuseia tratados de retórica, e sabe às vezes mais que os retóricos de ofício.

Com tudo isso, arrojo de ação, defesa própria, simplicidade de palavra, Martinha não verá o seu punhal no mesmo feixe de armas que os tempos resguardam da ferrugem. O punhal de Carlota Corday, o de Ravaillac, o de Booth, todos esses e ainda outros farão cortejo ao punhal de Lucrécia, luzidos e prontos para a tribuna, para a dissertação, para a palestra. O de Martinha irá rio abaixo do esquecimento. Tais são as coisas deste mundo! Tal é a desigualdade dos destinos!

Se, ao menos, o punhal de Lucrécia tivesse existido, vá; mas tal alma, nem tal ação, nem tal injúria, existiram jamais, é tudo uma pura lenda, que a história meteu nos seus livros. A mentira usurpa assim a coroa da verdade, e o punhal de Martinha, que existiu e existe, não logrará ocupar um lugarzinho ao pé do de Lucrécia, pura ficção. Não quero mal às ficções, amo-as, acredito nelas, acho-as preferíveis às realidades; nem por isso deixo de filosofar sobre o destino das coisas tangíveis em comparação com as imaginárias. Grande sabedoria é inventar um pássaro sem asas, descrevê-lo, fazê-lo ver a todos, e acabar acreditando que não há pássaros com asas... Mas não falemos mais em Martinha.

16 DE SETEMBRO
DE 1894

Que boas que são as semanas pobres. As semanas ricas são ruidosas e enfeitadas, aborrecíveis, em suma. Uma semana pobre chega à porta do gabinete, humilde e medrosa:
— Meu caro senhor, eu pouco tenho que lhe dar. Trago as algibeiras vazias; quando muito, tenho aqui esta cabeça quebrada, a cabeça do Matias...
— Mas que quero eu mais, minha amiga? Uma cabeça é um mundo... Matias, que Matias?
— Matias, o leiloeiro que passava ontem pela Rua de São José, escorregou e caiu... Foi uma casca de banana.
— Mas há cascas de banana na Rua de São José?
— Onde é que não há cascas de bananas? Nem no céu, onde não se come outra fruta, com toda certeza, que é fruta celestial. Mate-me Deus com bananas. Gosto delas cruas, com queijo de Minas, assadas com açúcar, açúcar e canela... Dizem que é mui nutritiva.

Confirmo este parecer, e aí vamos, eu a semana pobre, papel abaixo, falando de mil coisas que se ligam à banana, desde a botânica até a política. Tudo sai da cabeça do Matias. Não há tempo nem espaço, há só eternidade e infinito, que nos levam consigo; vamos pegando aqui de uma flor, ali de uma pedra, uma estrela, um raio, os cabelos de Medusa, as pontas do Diabo, micróbios e beijos, todos os beijos que se têm consumido, até que damos por nós no fim do papel. São assim as semanas pobres.

 Mas as semanas ricas! Uma semana como esta que ontem acabou, farta de sucessos, de aventuras, de palavras, uma semana em que até o câmbio começou a esticar o pescoço pode ser boa para quem gostar de bulha e de acontecimentos. Para mim que amo o sossego e a paz é a pior de todas as visitas. As semanas ricas exigem várias cerimônias, algum serviço, muitas cortesias. Demais, são trapalhonas, despejam as algibeiras sem ordem e a gente não sabe por onde lhes pegue, tantas e tais são as coisas que trazem consigo. Não há tempo de fazer estilo com elas, nem abrir a porta à imaginação. Todo ele é pouco para acudir aos fatos.

 — Como é que V. Ex.ª pôde vir tão carregado assim, não me dirá?

 — Não é tudo.

 — Ainda há mais fatos?

 — Tenho-os ali fora, na carruagem; trouxe comigo os de maior melindre, e vou mandar trazer os outros pelo lacaio... Pedro!

 — Não se incomode V. Ex.ª; eu mando o José Rodrigues. José Rodrigues! Vá ali à carruagem desta senhora e traga os pacotes que lá achar. Vêm todos os pacotes?

 — Todos, menos o edifício da Fábrica das Chitas, que afinal recebeu o último piparote do tempo e caiu. Pelo resultado, podemos dizer que foi o dedo da Providência que o deitou abaixo; não matou ninguém. Imagine se o bonde que descia passasse no momento de cair o monstro, e que o homem que queria ir ver na casa arruinada a cadela que dava leite aos filhos houvesse chegado ao lugar onde estavam os cães. Que desastre, santo Deus! que terrível desastre!

— Terrível, minha senhora? Não nego que fosse feio, mas o mal seria muito menor que o bem. Perdão; não gesticule antes de ouvir até o fim... Repito que o bem compensaria o mal. Imagine que morria gente, que havia pernas esmigalhadas, ventres estripados, crânios arrebentados, lágrimas, gritos, viúvas, órfãos, angústias, desesperos... Era triste, mas que comoção pública! que assunto fértil para três dias! Recorde-se da Mortona.

— Que Mortona?

— Creio que houve um desastre deste nome; não me lembro bem, mas foi negócio em que se falou três dias. Nós precisamos de comoções públicas, são os banhos elétricos da cidade. Como duram pouco, devem ser fortes. Olhe o caso Mancinelli...

— A minha mana mais velha é que o trouxe consigo. Foi um suicídio, creio.

— Foi, um horrível suicídio que abalou a cidade em seus fundamentos. No dia da morte, cerca de mil pessoas foram ver o cadáver do triste empresário. Quando se deu o primeiro espetáculo a favor dos artistas, acudiram ao teatro dezessete pessoas, não contando os porteiros, que entram por ofício. Não há que admirar nessa diferença de algarismos; as comoções fortes são naturalmente curtas. Fortes e longas, seriam a mais horrível das nevroses. Foi uma pena não ter passado um bonde cheio de gente, na ocasião em que ruiu a Fábrica das Chitas; cheio de gente, isto é, de crianças sem mães, maridos sem esposas, viúvas costureiras, sem os filhos, e muitos passageiros, muitos pingentes, como dizem dos que vão pendurados nos estribos, incomodando os outros. Creia V. Ex.ª, uma vez que os homens já não compõem tragédias, é preciso que Deus as faça, para que este teatro do mundo varie de espetáculo. Tudo fandango, minha senhora! Seria demais.

— Como o senhor é perverso!

— Eu? Mas...

— Vamos aos outros sucessos destes sete dias; trago muitos.
— Perdão; quero primeiro lavar-me da pecha que me pôs. Eu perverso?
— Danado.
— Eu danado? Mas em que é que sou danado e perverso? Não lhe disse, note bem, que eu faria ruir o edifício da Fábrica das Chitas, quando passasse o bonde, mas que era bom que ele ruísse quando o bonde passasse. Há um abismo...
— Pois sim; vamos ao mais. Aqui estão dois fatos importantes.
— ... um grande abismo. Nem falo só pelos outros, mas também por mim. Não tenho dúvida em confessar que o espetáculo de uma perna alanhada, quebrada, ensanguentada, é muito mais interessante que o da simples calça que a veste. As calças, esses simples e banais canudos de pano, não dão comoção. As próprias calças femininas, quando comovem não é por serem calças...
— Vamos aos sucessos.
— ... mas por serem calças calçadas. É outro abismo. Repare que hoje só vejo abismos. Há uma chuva de abismos; a imagem não é boa, mas que há bom neste século, minha senhora, excluindo a ocupação do Egito? Dizem que se descobriu um elemento novo. Talvez seja falso, mas pode ser que não; tudo é relativo. O relativo é inimigo do absoluto; o absoluto, quando não é Deus, é (com licença) o tenor que canta as glórias divinas. Começo a variar, minha senhora; não me sinto bem...
— Então acabemos depressa; é tarde, preciso retirar-me.
— E... se é que não estou pior. O pior é inimigo do bom, dizem; mas os dicionários negam absolutamente essa proposição, e eu vou com eles...
— Oh! o senhor faz-me nervosa!

–... não só por serem dicionários, mas por serem livros grossos. Oh! V. Ex.ª não sabe o que são esses livros altos e de ponderação. Os dicionários, se não são eternos, deviam sê-lo. Uma só página, um só dicionário, eterno; era o ideal da sistematização. A sistematização é, para falar verdade...
– Não posso mais, adeus!
– José Rodrigues, fecha a porta; se esta senhora voltar, dize-lhe que saí. Ah!

4 DE NOVEMBRO DE 1894

É verdade trivial que, quando o rumor é grande, perdem-se naturalmente as vozes pequenas. Foi o que se deu esta semana.

A semana foi toda de combatividade, para falar como os frenologistas. Tudo esteve na tela da discussão, desde a luz esteárica até a demora dos processos, desde as carnes verdes até a liberdade de cabotagem. De algumas questões, como a da luz esteárica, sei apenas que, se a lesse, não estaria vivo. A das carnes verdes é propriamente de nós todos; mas a disposição em que me acho, de passar a vegetariano, desinteressa-me da solução, e tanto faz que haja monopólio, como liberdade. A *liberdade é um mistério*, escreveu Montaigne, e eu acrescento que o monopólio é outro mistério, e, se tudo são mistérios neste mundo, como no outro, fiquem-se com os seus mistérios, que eu me vou aos meus espinafres.

De resto, nos negócios que não interessam diretamente, não é meu costume perder o tempo que posso empregar em coisas de obrigação. É assim que aprovo e aprovarei sempre uma passagem que li na ata da reunião de comerciante, que se fez na Intendência Municipal, para tratar da crise de transporte. Orando, o Sr. Antônio Wernek observou que havia pouca gente na sala. Respondeu-lhe um dos presentes, em aparte: "Eu, se não fosse o pedido de um amigo, não estaria aqui". Digo que aprovo, mas com restrições, porque não há amigos que me arranquem de casa, para ir cuidar dos seus negócios. Os amigos têm outros fins, se não amigos, se não são mandados pelo diabo para tentar um homem que está quieto.

Não obstante a pequena concorrência, parece que o rumor do debate foi grande, pouco menor que o da questão de cabotagem na Câmara dos Deputados. Mas, para mim, em matéria de navegação, tudo é navegar, tudo é encomendar a alma a Deus e ao piloto. A melhor navegação é ainda a daquelas conchas cor de neve, com uma ondina dentro, olhos cor do céu, tranças de sol, toda um verso e toda no aconchego do gabinete. Mormente em dias de chuva, como os desta semana, é navegação excelente, e aqui a tive, em primeiro lugar com o nosso Coelho Neto, que aliás não falou em verso, nem trouxe daquelas figuras do Norte ou do Levante, ainda a musa costuma levá-lo, vestido, ora de névoas, ora de sol. Em segundo, não foi o Coelho Neto das *Baladilhas*, mas o dos *Bilhetes Postais* (dois livros em um ano), por antonomásia *Anselmo Ribas*. Páginas de *humour* e de fantasia, em que a imaginação e o sentimento se casam ainda uma vez, ante esse pretor de sua eleição. Derramados na imprensa, pareciam esquecidos; coligidos no livro, vê-se que deviam ser lembrados e relembrados. A segunda concha...

A segunda concha trouxe deveras uma ondina, uma senhora, e veio cheia de versos, os *Versos*, de Júlia Cortines. Esta poetisa de temperamento e de verdade disse-me coisas pensadas e sentidas, em uma linguagem inteiramente pessoal e forte. Que poetisa é esta? Lúcio de Mendonça é que apresenta o livro em um prefácio necessário, não só para dar-nos mais uma página vibrante de simpatia, mas ainda para convidar essa multidão de distraídos a deter-se um pouco a ler. Lede o livro; há nele uma vocação e uma alma, e não é sem razão que Júlia Cortines traduz à p. 94, um canto de Leopardi. A alma desta moça tem uma corda dorida de Leopardi. A dor é velha; o talento é que a faz nova, e aqui a achareis novíssima. Júlia Cortines vem sentar-se ao pé de Zalina Rolim, outra poetisa de verdade, que sabe rimar os seus sentimentos com arte fina, delicada e pura. O *Coração*, livro desta outra moça, terno, a espaços triste, mas é menos amargo que o daquela; não tem os mesmos desesperos...

Eia! foge, foge, poesia amiga, basta de recordar as horas de ontem e de anteontem. A culpa foi da Câmara dos Deputados, com a sua navegação de cabotagem, que me fez falar da tua concha eterna, para a qual tudo são mares largos e não há leis nem Constituições que vinguem. Anda, vai, que o cisne te leve água fora com as tuas hóspedes novas e nossas.

Voltemos ao que eu dizia do rumor grande, que faz morrer as vozes pequenas. Não ouviste decerto uma dessas vozes discretas, mas eloquentes; não leste a punição de três jóqueis. Um, por nome José Nogueira, não disputou a corrida com ânimo de ganhar; foi suspenso por três meses. Outro, H. Cousins, "atrapalhou a carreira ao cavalo Sílvio"; teve a multa de quinhentos mil-réis. Outro, finalmente. Horácio Perazzo foi suspenso por seis meses, porque além de não disputar a corrida com ânimo de ganhar, ofendeu com a espora uma égua.

Estes castigos encheram-me de espanto, não que os ache duros, nem injustos; creio que sejam merecidos, visto o delito, que é grave. Os capítulos da acusação são tais, que nenhum espírito reto achará defesa para eles. O meu assombro vem de que eu considerava o jóquei parte integrante do cavalo. Cuidei que, lançados na corrida, formavam uma só pessoa, moral e física, um lutador único. Não supunha que as duas vontades se dividissem, a ponto de uma correr com ânimo de ganhar a palma, e outra de a perder; menos ainda que o complemento humano de um cavalo embaraçava a marcha de outro cavalo, e muito menos que se lembrasse de ofender uma égua com a espora. Se os animais fossem cartas, em vez de cavalos, dir-se-ia que os homens furtavam no jogo.

Quinhentos mil-réis de multa! Pelas asas do Pégaso! devem ser ricos esses funcionários. Três e seis meses de suspensão! Como sustentarão agora as famílias, se as têm, ou a si mesmos, que também comem? Não irão empregar-se na Intendência Municipal, onde a demora dos ordenados faz presumir que os jóqueis do expediente andam suspensos por ações semelhantes. Não hão de ir puxar carroça. Vocação teatral não creio que possuam. Se são ricos, bem; mas, então, por que é que não fundaram, há dois ou três anos, uma sociedade bancária, ou de outra espécie, onde podiam agora atrapalhar a marcha dos outros cavalos, esporear as éguas alheias, e, em caso de necessidade, correr sem ânimo de ganhar a partida? Este último ponto não seria comum, antes raríssimo; mas basta que fosse possível. Nem é outra a regra cristã, que manda perder a terra para ganhar o céu. Sem contar que não haveria suspensões nem multas.

16 DE DEZEMBRO
DE 1894

Um telegrama de S. Petersburgo anunciou anteontem que a bailarina Labushka cometeu suicídio. Não traz a causa; mas, dizendo que ela era amante do finado imperador, fica entendido que se matou de saudade.

Que eu não tenha, ó alma eslava, ó Cleópatra sem Egito, que eu não tenha a lira de Byron para cantar aqui a tua melancólica aventura! Possuías o amor de um potentado. O telegrama diz que eras amante "declarada", isto é, aceita como as demais instituições do país. Sem protocolo, nem outras etiquetas, pela única lei de Eros, dançavas com ele a *redowa* da mocidade. Naturalmente eras a professora, por isso que eras bailarina de ofício; ele, discípulo, timbrava em não perder o compasso, e a Santa Rússia, que dizem ser imensa, era para vós ambos infinita.

Um dia, a morte, que também gosta de dançar, pegou no teu imperador e transferiu-o a outra Rússia, ainda mais infinita. A tristeza universal foi grande, porque era um homem bom e justo. Daqui mesmo, desta remota capital americana, vimos os grandiosos funerais e ouvimos as lamentações públicas. Não nos chegaram as tuas, porque há sempre um recanto surdo para as dores irregulares. Agora, porém, que tudo acabou, eis aí reboa o som de um tiro, que faltava para completar os funerais do autocrata.

Rival da morte, quiseste ir dançar com ele a *redowa* da eternidade.

Há aqui um mistério. Não é vulgar em bailarinas essa fidelidade verdadeiramente eterna. Muitas vezes choram; estanques as lágrimas, recolhem as recordações do morto, outras tantas lágrimas cristalizadas em diamantes, contam os títulos de dívida pública, estão certos; as sedas são ainda novas, todos os tapetes vieram da Pérsia ou da Turquia. Se há palacete, dado em dia de anos, as paredes, que viram o homem, passam a ver tão somente a sombra do homem, fixada nos ricos móveis do salão e do resto. Se não há palacete, há leiloeiros para vender a mobília. Como levá-la à velha hospedaria de outras terras, Belgrado ou Veneza, onde a meia viúva se abriga para descansar do morto, e de onde sai, às vezes, pelo braço de um marido, barão autêntico e mais autêntico mendigo?

Eis o que se dá no mundo da pirueta. O teu suicídio, porém, última homenagem, e (perdoem-me a exageração) a mais eloquente das milhares que recebeu a memória do imperador, o teu suicídio é um mistério. Grande mistério, que só o mundo eslavo é capaz de dar. Foi telegrama o que li? Foi alguma página de Dostoiévski? A conclusão última é que amavas. Sacrificaste uma aposentadoria grossa, a fama, a curiosidade pública, as memórias que podias escrever ou mandar escrever, e, antes delas, as entrevistas para os jornais, os interrogatórios que te fariam sobre os hábitos do imperador e os teus próprios hábitos, e quantos copos de chá bebias diariamente, as cores mais do teu gosto, as roupas mais do teu uso, quem foram teus pais, se tiveste algum tio, se esse tio era alto, se era coronel, se era reformado, quando se reformou, quem foi o ministro que assinou a reforma, etc., um rosário de notícias interessantes para o público de ambos os mundos. Tudo sacrificaste por um mistério.

Mistério nunca nos aborreceram; a prova é que folgamos agora diante de dois mistérios enormes, dois verdadeiros abismos (insondáveis). Sempre gostamos do inextrincável. Este país não detesta as questões simples, nem as soluções transparentes, mas não se pode dizer que as adore. A razão não está só na sedução do obscuro e do complexo, está ainda em que o obscuro e o complexo abrem a porta à controvérsia. Ora, a controvérsia, se não nasceu conosco, foi pelo fato inteiramente fortuito de haver nascido antes; se se não têm apressado em vir a este mundo, era nossa irmã gêmea; se temos de a deixar neste mundo, é porque ainda cá ficarão homens. Mas vamos aos nossos dois mistérios.

O primeiro deles anda já tão safado, que até me custa escrever o nome; é o câmbio. Está outra vez no "tapete da discussão". O segundo é recente, é novíssimo, começa a entrar no debate; é o bacilo vírgula. Os mistérios da religião não nos ascendem uns contra os outros; para crer neles basta a fé, e a fé não discute. Os do encilhamento aturdiram por alguns dias ou semanas; mas desde que se descobriu que o dinheiro caía do céu, o mistério perdeu a razão de ser. Quem, naquele tempo, pôs uma cesta, uma gamela, uma barrica, uma vasilha qualquer, ao luar ou às estrelas, e achou-se de manhã com cinco, dez, vinte mil contos, entendeu logo que só por falsificação é que fazemos dinheiro cá embaixo. Ouro puro e copioso é o que cai do eterno azul.

Eu, quando era pequenino, achei ainda uma usança da noite de São João. Era expor um copo cheio d'água ao sereno, e despejar dentro um ovo de galinha. De manhã ia-se ver a forma do ovo; se era navio, a pessoa tinha de embarcar; se era um casa, viria a ser proprietária, etc. Consultei uma vez o bom do santo; vi, claramente visto – vi um navio; tinha de embarcar. Ainda não embarquei, mas enquanto houver navios no mar, não perco a esperança. Por ocasião do encilhamento, a maior parte das pessoas, não podendo sacudir fora as crenças da meninice, não punham gamelas vazias ao sereno, mas um copo com água e ovo. De manhã, viam navios, e ainda agora não veem outra coisa. Por que não puseram gamelas? Vivam as gamelas! Ou, se é lícito citar versos, digamos com o cantor *d'Os timbiras*.

> .... *Paz aos Gamelas*
> *Renome e glória...*

Há quem queira filiar o câmbio aos costumes do encilhamento. A pessoa que me disse isto, provavelmente soube explicar-se; eu é que não soube entendê-la. É uma complicação de dinheiro que se ganha ou se perde, sem saber como, anonimamente, com resignação geral de baixistas e altistas. Um embrulho. Mas há de ser ilusão, por força. Quem se lembra daqueles belos dias do encilhamento sente que eles acabaram, como os belos dias de Aranjuez. Onde está agora o delírio? onde estão as imaginações? As estradas na lua, o anel de Saturno, a pele de ursos polares, onde vão todos esses sonhos deslumbrantes, que nos fizeram viver, pois que a vida *es sueño*, segundo o poeta?

Tais sonhos ainda são possíveis com o mistério do bacilo vírgula. Toda esta semana andou agitado esse bicho da terra tão pequeno, para citar outro poeta, o terceiro ou quarto que me vem ao bico da pena. Há dias assim; mas eu suponho que hoje esta afluência de lembranças poéticas é porque a poesia é também um mistério, e todos os mistérios são mais ou menos parentes uns dos outros. Suponho, não afirmo; depois do que tenho lido sobre o famoso bacilo, não afirmo nada; também não nego. Autoridades respeitáveis dizem que o bacilo mata, pelo modo asiático; outras também respeitáveis juram que o bacilo não mata.

Hippocrate dit oui, et Gallien dit non.

6 DE JANEIRO
DE 1895

Se a pedra de Sísifo não andasse já tão gasta, era boa ocasião de dar com ela na cabeça dos leitores, a propósito do ano que começa. Mas tanto tem rolado esta pedra, que não vale um dos paralelepípedos das nossas ruas. Melhor é dizer simplesmente que aí chegou um ano, que veio render o outro, montando guarda às nossas esperanças, à espera que venha rendê-lo outro ano, o de 1896, depois o de 1897, em seguida o de 1898, logo o de 1899, enfim o de 1900...

Que inveja que tenho ao cronista que houver de saudar desta mesma coluna o sol do século XX! Que belas coisas que ele há de dizer, erguendo-se na ponta dos pés, para crescer com o assunto, todo auroras e folhas, pampeiros e terremotos, anarquia e despotismo, coisas que não trará consigo o século XX, um século que se respeitará, que amará os homens, dando-lhes a paz, antes de tudo, e a ciência, que é ofício de pacíficos.

A doutrina microbiana, vencedora na patologia, será aplicada à política, e os povos curar-se-ão das revoluções e maus governos, dando-se-lhes um mau governo atenuado e logo depois uma injeção revolucionária. Terão assim uma pequena febre, suarão um tudo nada de sangue e no fim de três dias estarão curados para sempre. Chamfort, no século XVII, deu-nos a célebre definição da sociedade, que se compõe de duas classes, dizia ele, uma que tem mais apetite que jantares, outra que tem mais jantares que apetite.

Pois o século XX trará a equivalência dos jantares e dos apetites, em tal perfeição que a sociedade, para fugir à monotonia e dar mais sabor à comida, adotará um sistema de jejuns voluntários. Depois da fome, o amor. O amor deixará de ser esta coisa corrupta e supersticiosa; reduzido à função pública e obrigatória, ficará com todas as vantagens, sem nenhum dos ônus. O Estado alimentará as mulheres e educará os filhos, oriundos daquela sineta dos jesuítas do Paraguai, que o Senador Zacarias fez soar um dia no Senado, com grave escândalo dos anciãos colegas. Grave é um modo de dizer, o escândalo é outro. Não houve nada, a não ser o efeito explosivo da citação, caindo da boca de homem não menos austero que eminente.

Mas não roubemos o cronista do mês de janeiro de 1900. Ele, se lhe der na cabeça, que diga alguma palavra dos seus antecessores, boa ou má, que é também um modo de louvar ou descompor o século extinto. Venhamos ao presente.

O presente é a chuva que cai menos que em Petrópolis, onde parece que o dilúvio arrasou tudo, ou quase tudo, se devo crer nas notícias; mas eu creio em poucas coisas, leitor amigo. Creio em ti, e ainda assim é por um dever de cortesia, não sabendo quem sejas, nem se mereces algum crédito. Suponhamos que sim. Creio em teu avô, uma vez que és seu neto, e se já é morto; creio ainda mais nele que em ti. Vivam os mortos! Os mortos não nos levam os relógios. Ao contrário, deixam os relógios, e são os vivos que os levam, se não há cuidado com eles. Morram os vivos!

Podeis concluir daí a disposição em que estou. Francamente, se esta chuva que vai refrescando o verão, fosse, não digo um dilúvio universal, mas uma calamidade semelhante à de Petrópolis, eu aplaudiria d'alma, contanto que me ficasse o gosto do poeta, e pudesse ver da minha janela o naufrágio dos outros.

Hoje há aqui, na capital da União, grandes naufrágios de alguns salvamentos. Falo por metáfora, aludo às eleições. Recompõe-se a intendência, e os primeiros naufrágios estão já decretados, são os intendentes antigos. Com todo o respeito devido à lei, não entendi bem a razão que determinou a incompatibilidade dos intendentes que acabaram. Só se foi política, matéria estranha às minhas cogitações; mas indo só pelo juízo ordinário, não alcanço a incompatibilidade dos antigos intendentes. Se eram bons, e fossem eleitos, continuávamos a gozar das doçuras de uma boa legislatura municipal. Se não prestavam para nada, não seriam reeleitos; mas supondo que o fossem, quem pode impedir que o povo queira ser mal governado? É um direito anterior e superior a todas as leis. Assim se perde a liberdade. Hoje impedem-me de meter um pulha na intendência, amanhã proíbem-me andar com o meu colete de ramagens, depois de amanhã decreta-se o figurino municipal.

Entretanto (vede as inconsequências de um espírito reto!), entretanto, foi bom que se incompatibilizassem os intendentes; não incompatibilizados, era quase certo que seriam eleitos, um por um, ou todos ao mesmo tempo, e eu não teria o gosto de ver na intendência dois amigos particulares, um amigo velho, e um amigo moço, um pelo 2º distrito, outro pelo 3º, e não digo mais para não parecer que os recomendo. São do primeiro turno.

Mas deixemos a política e voltemo-nos para o acontecimento literário da semana, que foi a *Revista Brasileira*. É a terceira que com este título se inicia. O primeiro número agradou a toda gente que ama este gênero de publicações, e a aptidão especial do Sr. J. Veríssimo, diretor da *Revista*, é boa garantia dos que se lhe seguirem. Citando os nomes de Araripe Júnior, Afonso Arinos, Sílvio Romero, Medeiros e Albuquerque, Said Ali e Parlagreco, que assinam os trabalhos deste número, terei dito quanto baste para avaliá-lo. Oxalá que o meio corresponda à obra. Franceses, ingleses e alemães apoiam as suas publicações desta ordem, e, se quisermos ficar na América, é suficiente saber que, não hoje, mas há meio século, em 1840, uma revista para a qual entrou Poe, tinha apenas cinco mil assinantes, os quais subiram a 55 mil, ao fim de dois anos. Não paguem o talento, se querem; mas deem os cinco mil assinantes à *Revista Brasileira*. É ainda um dos melhores modos de imitar New York.

31 DE MARÇO DE 1895

CONTO DO VIGÁRIO

De quando em quando aparece-nos o conto do vigário. Tivemo-lo esta semana, bem contado, bem ouvido, bem vendido, porque os autores da composição puderam receber integralmente os lucros do editor.

O conto do vigário é o mais antigo gênero de ficção que se conhece. A rigor, pode crer-se que o discurso da serpente, induzindo Eva a comer o fruto proibido, foi o texto primitivo do conto. Mas, se há dúvida sobre isso, não a pode haver quanto ao caso de Jacó e seu sogro. Sabe-se que Jacó propôs a Labão que lhe desse todos os filhos das cabras que nascessem malhados. Labão concordou certo de que muitos trariam uma só cor; mas Jacó, que tinha plano feito, pegou de umas varas de plátano, raspou-as em parte, deixando-as assim brancas e verdes a um tempo, e, havendo-as posto nos tanques, as cabras concebiam com os olhos nas varas, e os filhos saíam malhados. A boa-fé de Labão foi assim embaçada pela finura do genro; mas não sei que há na alma humana que Labão é que faz sorrir, ao passo que Jacó passa por um varão arguto e hábil.

O nosso Labão desta semana foi um honesto fazendeiro do Chiaque, estando em uma rua desta cidade, viu aparecer um homem, que lhe perguntou por outra rua. Nem o fazendeiro, nem o outro desconhecido que ali apareceu também, tinha notícia da rua indicada. Grande aflição do primeiro homem recentemente chegado da Bahia, com vinte contos de réis de um tio dele, já falecido, que deixara dezesseis para os náufragos da *Terceira* e quatro para a pessoa que se encarregasse da entrega.

Quem é que, nestes ou em quaisquer tempos, perderia tão boa ocasião de ganhar depressa e sem cansaço quatro contos de réis? eu não, nem o leitor, nem o fazendeiro do Chiador, que se ofereceu ao desconhecido para ir com ele depositar na Casa Leitão, Largo de Santa Rita, os dezesseis contos, ficando-lhe os quatro de remuneração.

— Não é preciso que o acompanhe, respondeu o desconhecido; basta que o senhor leve o dinheiro, mas primeiro é melhor juntar a este o que traz aí consigo.

— Sim, senhor, anuiu o fazendeiro. Sacou do bolso o dinheiro que tinha (um conto e tanto), entregou-o ao desconhecido, e viu perfeitamente que este o juntou ao maço dos vinte; ação análoga à das varas de Jacó. O fazendeiro pegou do maço todo, despediu-se e guiou para o Largo de Santa Rita. Um homem de má-fé teria ficado com o dinheiro, sem curar dos náufragos da *Terceira*, nem da palavra dada. Em vez disso, que seria mais que deslealdade, o portador chegou à Casa do Leitão, e tratou de dar os dezesseis contos, ficando com os quatro de recompensa. Foi então que viu que todas as cabras eram malhadas. O seu próprio dinheiro, que era de uma só cor, como as ovelhas de Labão, tinha a pele variegada dos jornais velhos do costume.

A prova de que o primeiro movimento não é bom, é que o fazendeiro do Chiador correu logo à polícia; é o que fazem todos... Mas a polícia, não podendo ir à cata de uma sombra, nem adivinhar a cara e o nome de pessoas hábeis em fugir, como os heróis dos melodramas, não fez mais que distribuir o segundo milheiro do conto do vigário, mandando a notícia aos jornais. Eu, se algum dia os contistas me pegassem, trataria antes de recolher os exemplares da primeira edição.

Aos sapientes e pacientes recomendo a bela monografia que podem escrever estudando o conto do vigário pelos séculos atrás, as suas modificações segundo o tempo, a raça e o clima. A obra, para ser completa, deve ser imensa. É seguramente maior o número das tragédias, tanta é a gente que se tem estripado, esfaqueado, degolado, queimado, enforcado, debaixo deste belo sol, desde as batalhas de Josué até os combates das ruas de Lima, onde as autoridades sanitárias, segundo telegramas de ontem, esforçam-se grandemente por sanear a cidade "empestada pelos cadáveres que ficam apodrecidos ao ar livre". Lembrai-vos que eram mais de mil, e imaginai que o detestável fedor de gente morta não custa a vitória de um princípio. O conto é menos numeroso, e, seguramente, menos sublime; mas ainda assim ocupa lugar eminente nas obras de ficção. Nem é o tamanho que dá primazia à obra, é a feitura dela. O conto do vigário não é propriamente o de Voltaire, Boccacio ou Andersen, mas é conto, um conto especial, tão célebre como os outros, e mais lucrativo que nenhum.

14 DE ABRIL
DE 1895

Nada há pior que oscilar entre dois assuntos. A semana santa chama-me para as coisas sagradas, mas uma ideia que me veio do Amazonas chama-me para as profanas, e eu fico sem saber para onde me volte primeiro. Estou entre Jerusalém e Manaus; posso começar pela cidade mais remota, e ir depois à mais próxima; posso também fazer o contrário.

Havia um meio de combiná-las: era meter-me em uma das montarias ou igarités do Amazonas, com o meu amigo José Veríssimo, e deixar-me ir com ele, rio abaixo ou acima, ou pelos confluentes, à pesca do pirarucu, do peixe-boi, da tartaruga ou da infinidade de peixes que há no grande rio e na costa marítima. Não podia ter melhor companheiro; pitoresco e exato, erudito e imaginoso, dá-nos na monografia que acaba de publicar, sob o título *A Pesca na Amazônia*, um excelente livro para consulta e deleite. Como se trata do pescado amazônico e acabamos a semana santa, iria eu assim a Jerusalém e a Manaus, sem sair do meu gabinete. Mas o bom cristão acharia que não basta pescar, como S. Pedro, para ser bom cristão, e os amigos de ideias novas diriam que não há ideia nem novidade em moquear o peixe à maneira dos habitantes de Óbidos ou Rio Branco. Força é ir a Manaus e a Jerusalém.

Já que estou no Amazonas, começo por Manaus. As folhas chegadas ontem referem que naquela capital a Câmara dos Deputados dividiu-se em duas. Essa dualidade de câmaras de deputados e de senados tende a repetir-se, a multiplicar-se nos vários Estados deste país. Não são fenômenos passageiros; são situações novas, idênticas, perduráveis. Os olhos de pouca vista alcançam nisto um defeito e um mal, e não falta quem peça o conserto de um e a extirpação de outro. Não será consertar uma lei natural, isto é, violá-la? Não será extirpar uma vegetação espontânea, isto é, abrir caminho a outra?

Geralmente, as oposições não gostam dos governos. Partido vencido contesta a eleição do vencedor, e partido vencedor é simultaneamente vencido, e vice-versa. Tentam-se acordos, dividindo os deputados; mas ninguém aceita minorias. No antigo regímen iniciou-se uma representação de minorias, para dar nas câmaras um recanto ao partido que estava de baixo. Não pegou bem – ou porque a porcentagem era pequena – ou porque a planta não tinha força bastante. Continuou praticamente o sistema da lavra única.

Os fatos recentes vão revelando que estamos em vésperas de um direito novo. Sim, leitor atento, é certo que a luta nasce das rivalidades, as rivalidades da posse e a posse da unidade de governo e de representação. Se, em vez de uma câmara, tivermos duas, dois senados em vez de um, tudo coroado por duas administrações, ambos os partidos trabalharão para o benefício geral. Não me digam que tal governo não existe nos livros, nem em parte alguma. Sócrates – para não citar Taine e consortes – aconselhava ao legislador que, quando houvesse de legislar tivesse em vista a terra e os homens. Ora, os homens aqui amam o governo e a tribuna, gostam de propor, votar, discutir, atacar, defender e os demais verbos, e o partido que não folheia a gramática política acha naturalmente que já não há sintaxe; ao contrário, o que tem a gramática na mão julga a linguagem alheia absoluta ou corrupta. O que estamos vendo é a impressão em dois exemplares da mesma gramática. Virão breve os tempos messiânicos – melhores ainda que os de Israel, porque lá os lobos deviam dormir com os cordeiros, mas aqui os cordeiros dormirão com os cordeiros, à falta de lobos.

Enquanto não vêm esses tempos messiânicos, vamo-nos contentando com os da Escritura, e com a semana santa que passou. Assim passo eu de Manaus a Jerusalém.

Há meia dúzia de assuntos que não envelhecem nunca; mas há um só em que se pode ser banal, sem parecê-lo: é a tragédia do Gólgota. Tão divina é ela que a simples repetição é novidade. Essa coisa eterna e sublime não cansa de ser sublime e eterna. Os séculos passam sem esgotá-la, as línguas sem confundi-la, os homens sem corrompê-la. "O Evangelho fala ao meu coração", escrevia Rousseau; é bom que cada homem sinta este pedaço de Rousseau em si mesmo...

Entretanto, se eu adoro o belo *Sermão da montanha*, as parábolas de Jesus, os duros lances da semana divina, desde a entrada em Jerusalém até a morte no Calvário, e as mulheres que se abraçaram à cruz, e cuja distinção foi tão finamente feita por Lulu Sênior, quinta-feira, se tudo isso me faz sentir e pasmar, ainda me fica espaço na alma para ver e pasmar de outras coisas. Perdoe-me a grandeza do assunto uma reminiscência, aliás incompleta, pois não me lembra o nome do moralista, mas foi um moralista que disse ser a fidelidade dos namorados uma espécie de infidelidade relativa, que vai dos olhos aos cabelos, dos cabelos à boca, da boca aos braços, e assim passeia por todas as belezas da pessoa amada. Espiritualizemos a observação, e apliquemo-la ao Evangelho.

Assim é que, no meio das sublimidades do livro santo, há lances que me prendem a alma e despertam a atenção dos meus olhos terrenos. Não é amá-lo menos; é amá-lo em certas páginas. Grande é a morte de Jesus, divina é a sua paciência, infinito é o seu perdão. A fraqueza de Pilatos é enorme, a ferocidade dos algozes inexcedível...

Mas, não sendo primoroso o último ato dos discípulos, não deixa de ser intrutivo. Um, por trinta dinheiros, vendeu o Mestre; os outros, no momento da prisão, desapareceram, ninguém mais os viu. Um só deles, sem se declarar, meteu-se entre a multidão, e penetrou no pretório entre os soldados. Três vezes lhe perguntaram se também não andava com os discípulos de Cristo; respondeu que não, que nem o conhecia, e, à terceira vez, cantando o galo, lembrou-se da profecia de Cristo, e chorou. São Mateus, contando o ato deste discípulo, diz que ele entrara no pretório, com os soldados, "a ver em que parava o caso". Hoje diríamos, se o Evangelho fosse de hoje, "a ver em que paravam as modas". Tal é a mudança das línguas e dos tempos!

Este versículo do evangelista não vale o *Sermão da montanha*, mas, usando da teoria do moralista a que há pouco aludi, esta é a pontinha da orelha do Evangelho.

12 DE MAIO
DE 1895

No meio dos problemas que nos assoberbam e das paixões que nos agitam, era talvez ocasião de falar da escritura fonética. O fonetismo é um calmante. Há quem defenda convencidamente, mas ninguém se apaixona a tal ponto, que chegue a perder as estribeiras. É um princípio em flor, uma aurora, um esboço que se completará algum dia, daqui a um século, ou antes. A Academia Francesa, bastilha ortográfica, ruirá com estrondo; os direitos do som, como os do homem, serão proclamados a todo o universo. A revolução estará feita. A tuberculose continuará a matar, mas os remédios virão da *farmácia*. Talvez haja um período de transição e luta, em que as escolas se definam só pelo nome; e a *farmácia* e a *pharmácia* defendam o valor das suas drogas pela tabuleta. Ph contra f. Virá aí um problema de pacificação, como o que temos no sul, mas muito fácil; bastará restaurar por decreto a velha *botica*, vocábulo que só se pode escrever de um modo. Todos morrerão com a mesma tisana e pelo mesmo preço.

A América segue os passos da Europa, estudando estas matérias. Na do Norte, em New York, uma associação filológica propõe grandes alterações no inglês e no francês. No francês acha que é bonito ou fonético escrever *demagog*, em vez de *demagogue*, e propõe que se substitua *gazette* por *gazet*. Nós aqui poderíamos adotar já este processo, escrevendo *cacet* – em vez de *cacette*; a economia será grande, quer se trate de gente viva, quer propriamente de pau. Quanto ao inglês, a associação de New York converte o benefício em dólares, que é ainda mais fonético: "Milhões de dólares são gastos todos os anos em escritura e impressão de letras inúteis". Enfim leio no *Jornal do Comércio* que a associação propôs já ao Congresso uma lei que obrigue os tipógrafos a se conformarem com alterações que ela indicará ou já indicou.

O mal que vejo nessa lei, se vier, é um só: é que os partidos possam adotar cada um o seu sistema. A eleição alterará as feições do impresso. Mas também isto pode ser vantajoso no futuro; as folhas, os anais, as leis, as proclamações, e finalmente os versos e romances dirão pelo aspecto das palavras o período a que pertencem, auxiliando assim a história e a crítica.

As senhoras, enquanto não principia essa guerra de escritas, vivem em paz com ortografias e nações. Sabe-se que as herdeiras americanas fornecem duquesas às velhas famílias da Europa, casando com duques de verdade. Todas as nações daquele continente possuem belos exemplares da moça dos Estados Unidos. Há cerca de dois meses estavam para casar, ou já tinham casado, não sei que duque ou marquês da legação francesa com uma das belas herdeiras da América. Ora, como o amor tem uma só ortografia, pode a Associação Filológica de New York lutar com a Academia Francesa, para saber como se há de escrever *love* e *amour*; o jovem casal usará da única ortografia real e verdadeira.

Essa fascinação pela Europa é vezo de mulheres. Também há dois meses casou em Tóquio, Japão, um conde diplomata, encarregado de negócios da Áustria, com uma moça japonesa. Essa é fidalga; não foi pois o gosto do título que a levou ao consórcio; foi o amor, naturalmente, e logo o desejo da Europa. Era da religião búdica, fez-se católica romana. Não tardará que chegue a Viena, onde brilhará ao lado do esposo, por mais que matem as saudades de Tóquio.

As moças brasileiras também gostam da Europa. Já desde o princípio do século XVIII morriam por ela, recitando de coração este verso, ainda não composto:

"Eu nunca vi Lisboa e tenho pena."

Lisboa era então, para esta colônia, toda a Europa. Tinham pena de não conhecer Lisboa; mas, como ir até lá, se os pais não podiam deixar o negócio? As moças eram inventivas, entraram a padecer de vocação religiosa, queriam ser freiras. Como nesse tempo havia mais religião que hoje, ninguém podia ir contra a voz do céu, e as nossas patrícias saíam a rasgar "as salsas ondas do oceano", como então se dizia do mar, até desembarcar em Lisboa.

O governo ficou aterrado. Tal emigração despovoava a mais rica das suas colônias. Cogitou longamente, e expediu o alvará de 10 de março de 1732 "proibindo a ida das mulheres do Brasil para Portugal, com o pretexto de serem freiras". O pensamento do alvará era só político; mas teve também um efeito literário, conservando neste país uma das avós do meu leitor. Não bastando a proibição escrita, o alvará estabeleceu que fossem castigados os portadores de tão gracioso contrabando. Eis os seus termos: "O capitão ou mestre do navio pagará por cada mulher que trouxer dois mil cruzados, pagos da cadeia, onde ficará por tempo de dois meses".

Dois meses de prisão e dois mil cruzados de multa; eram duros; cessou o transporte. Nesse ato do governo da metrópole, o que mais me penetra a alma é a frase: *pagos da cadeia*. Quem seria o oficial de secretaria que achou tal frase, se é que não era algum chavão de leis? Nasceu para escritor, com certeza. Busquem-me aí outra mais simples, mais forte e mais elegante. Os governos modernos têm a linguagem frouxa, derramada, vaga principalmente, cheia de atenções e liberalismo. Qualquer lei moderna mais ou menos diria assim: "O capitão ou mestre de navio, logo que se verifique o delito de que trata o artigo tal, ficará incurso na pena de dois meses e na multa de oitocentos mil-réis por cada mulher que transportar, sendo a multa recolhida ao tesouro, etc." Comparai isto com a rudeza e concisão do alvará: *pagos da cadeia*. Quer dizer: primeiro é pegado o sujeito e metido na prisão, aí entrega os milhares de cruzados da multa, e depois fica ainda uns dois meses sossegado. Pagos da cadeia!

16 DE JUNHO DE 1895

O AUTO DE SI MESMO

Guimarães chama-se ele; ela Cristina. Tinham um filho, a quem puseram o nome de Abílio. Cansados de lhe dar maus-tratos, pegaram do filho, meteram-no dentro de um caixão e foram pô-lo em uma estrebaria, onde o pequeno passou três dias, sem comer nem beber, coberto de chagas, recebendo bicadas de galinhas, até que veio a falecer. Contava dois anos de idade. Sucedeu este caso em Porto Alegre, segundo as últimas folhas, que acrescentam terem sido os pais recolhidos à cadeia, e aberto o inquérito. A dor do pequeno foi naturalmente grandíssima, não só pela tenra idade, como porque bicada de galinha dói muito, mormente em cima de chaga aberta. Tudo isto, com fome e sede, fê-lo passar "um mau quarto de hora", como dizem os franceses, mas um quarto de hora de três dias; donde se pode inferir que o organismo do menino Abílio era apropriado aos tormentos. Se chegasse a homem, dava um lutador resistente; mas a prova de que não iria até lá, é que morreu.

Se não fosse Schopenhauer, é provável que eu não tratasse deste caso diminuto, simples notícia de gazetilha. Mas há na principal das obras daquele filósofo um capítulo destinado a explicar as causas transcendentes do amor. Ele, que não era modesto, afirma que esse estudo é uma pérola. A explicação é que dois namorados não se escolhem um ao outro pelas causas individuais que presumem, mas porque um ser, que só pode vir deles, os incita e conjuga. Apliquemos esta teoria ao caso Abílio.

Um dia Guimarães viu Cristina, e Cristina viu Guimarães. Os olhos de um e de outro trocaram-se, e o coração de ambos bateu fortemente. Guimarães achou em Cristina uma graça particular, alguma coisa que nenhuma outra mulher possuía. Cristina gostou da figura de Guimarães, reconhecendo que entre todos os homens era um homem único. E cada um disse consigo: "Bom consorte para mim!" O resto foi o namoro mais ou menos longo, o pedido da mão da moça, as formalidades, as bodas. Se havia sol ou chuva, quando eles casaram, não sei; mas, suponho um céu escuro e o vento minuano, valeram tanto como a mais fresca das brisas debaixo de um céu claro. Bem-aventurados os que se possuem, porque eles possuirão a terra. Assim pensaram eles. Mas o autor de tudo, segundo o nosso filósofo, foi unicamente Abílio. O menino, que ainda não era menino nem nada, disse consigo, logo que os dois se encontraram: "Guimarães há de ser meu pai e Cristina há de ser minha mãe; é preciso que nasça deles, levando comigo, em resumo, as qualidades que estão separadas nos dois". As entrevistas dos namorados era o futuro Abílio que as preparava; se eram difíceis, ele dava coragem a Guimarães para afrontar os riscos, e paciência a Cristina para esperá-lo. As cartas eram ditadas por ele. Abílio andava no pensamento de ambos, mascarado com o rosto dela, quando estava no dele, e com o dele, se era no pensamento dela. E fazia isso a um tempo, como pessoa que, não tendo figura própria, não sendo mais que uma ideia específica, podia viver inteiro em dois lugares, sem quebra da identidade nem da integridade. Falava nos sonhos de Cristina com a voz de Guimarães, e nos de Guimarães com a de Cristina, e ambos sentiam que nenhuma outra voz era tão doce, tão pura, tão deleitosa.

Enfim, nasceu Abílio. Não contam as folhas coisa alguma acerca dos primeiros dias daquele menino. Podiam ser bons. Há dias bons debaixo do sol. Também não se sabe quando começaram os castigos, – refiro-me aos castigos duros, os que abriram as primeiras chagas, não as pancadinhas do princípio, visto que todas as coisas têm um princípio, e muito provável é que nos primeiros tempos da criança os golpes fossem aplicados diminutivamente. Se chorava, é porque a lágrima é o suco da dor. Demais, é livre – mais livre ainda nas crianças que mamam, que nos homens que não mamam.

Chagado, encaixotado, foi levado à estrebaria, onde, por um desconcerto das coisas humanas, em vez de cavalos, havia galinhas. Sabeis já que estas, mariscando, comiam ou arrancavam somente pedaços da carne de Abílio. Aí, nesses três dias, podemos imaginar que Abílio, inclinado aos monólogos, recitasse este outro de sua invenção: "Quem mandou aqueles dois casarem-se para me trazerem a este mundo? Estava tão sossegado, tão fora dele, que bem podiam fazer-me o pequeno favor de me deixarem lá. Que mal lhes fiz eu antes, se não era nascido? Que banquete é este em que o convidado é que é comido?".

Nesse ponto do discurso é que o filósofo de Dantzig, se fosse vivo e estivesse em Porto Alegre, bradaria com a sua velha irritação: "Cala a boca, Abílio. Tu não só ignoras a verdade, mas até esqueces o passado. Que culpa podem ter essas duas criaturas humanas, se tu mesmo é que os ligaste? Não te lembras que, quando Guimarães passava e olhava para Cristina, e Cristina para ele, cada um cuidando de si, tu é que os fizeste atraídos e namorados? Foi a tua ânsia de vir a este mundo que os ligou sob a forma de paixão e de escolha pessoal. Eles cuidaram fazer o seu negócio, e fizeram o teu. Se te saiu mal o negócio, a culpa não é deles, mas tua, e não sei se tua somente... Sobre isto, é melhor que aproveites o tempo que ainda te sobrar das galinhas, para ler o trecho da minha grande obra, em que explico as coisas pelo miúdo. É uma pérola. Está no tomo II, livro IV, capítulo XLIV... Anda, Abílio, a verdade é verdade ainda à hora da morte. Não creias nos professores de filosofia, nem na peste de Hegel..."

E Abílio, entre duas bicadas:

– Será verdade o que dizes, Artur; mas é também verdade que, antes de cá vir, não me doía nada, e se eu soubesse que teria de acabar assim, às mãos dos meus próprios autores, não teria vindo cá. Ui! ai!

20 DE OUTUBRO
DE 1895

Vamos ter, no ano próximo, uma visita de grande importância. Não é Leão XIII, nem Bismarck, nem Crispi, nem a rainha de Madagáscar, nem o imperador da Alemanha, nem Verdi, nem o Marquês Ito, nem o Marechal Iamagata. Não é terremoto nem peste. Não é golpe de Estado nem câmbio a 27. Para que mais delongas? É Luísa Michel.

Li que um empresário americano contratou a diva da anarquia para fazer conferências nos Estados Unidos e na América do Sul. Há ideias que só podem nascer na cabeça de um norte-americano. Só a alma ianque é capaz de avaliar o que lhe renderá uma viagem de discurso daquela famosa mulher, que Paris rejeita e a quem Londres dá a hospedagem que distribui a todos, desde os Bourbons até os Barbès. De momento, não posso afirmar que Barbès estivesse em Londres; mas ponho-lhe aqui o nome, por se parecer com Bourbons e contrastar com eles nos princípios sociais e políticos. Assim se explicam muitos erros de data e de biografia: necessidades de estilo, equilíbrios de oração.

Desde que li a notícia da vinda de Luísa Michel ao Rio de Janeiro tenho estado a pensar no efeito do acontecimento. A primeira coisa que Luísa Michel verá, depois da nossa bela baía, é o cais Pharoux, atulhado de gente curiosa, muda, espantada. A multidão far-lhe-á alas, com dificuldade, porque todos quererão vê-la de perto, a cor dos olhos, o modo de andar, a mala. Metida na caleça com o empresário e o intérprete, irá para o Hotel dos Estrangeiros, onde terá aposentos cômodos e vastos. Os outros hóspedes, em vez de fugirem à companhia, quererão viver com ela, respirar o mesmo ar, ouvi-la falar de política, pedir-lhe notícias da comuna e outras instituições.

Dez minutos depois de alojada, receberá ela um cartão de pessoa que lhe deseja falar: é o nosso Luís de Castro que vai fazer a sua reportagem fluminense. Luísa Michel ficará admirada da correção com que o representante da *Gazeta de Notícias* fala francês. Perguntar-lhe-á se nasceu em França.

– Não, minha senhora, mas estive lá algum tempo; gosto de Paris, amo a língua francesa. Venho da parte da *Gazeta de Notícias* para ouvi-la sobre alguns pontos; a entrevista sairá impressa amanhã, com o seu retrato. Pelo meu cartão, terá visto que somos xarás: a senhora é Luísa, eu sou Luís. Vamos, porém, ao que importa...

Acabada a entrevista, chegará um empresário de teatro, que vem oferecer a Luísa Michel um camarote para a noite seguinte. Um poeta irá apresentar-lhe o último livro de versos: *Dilúvios Sociais*. Três moças pedirão à diva o favor de lhes declarar se vencerá o carneiro ou o leão.

– O carneiro, minhas senhoras; o carneiro é o povo, há de vencer, e o leão será esmagado.

– Então não devemos comprar no leão?

– Não comprem nem vendam. Que é comprar? Que é vender? Tudo é de todos. Oh! esqueçam essas locuções, que só exprimem ideias tirânicas.

Logo depois virá uma comissão do Instituto Histórico, dizendo-lhe francamente que não aceita os princípios que ela defende, mas, desejando recolher documentos e depoimentos para a história pátria, precisa saber até que ponto o anarquismo e o comunismo estão relacionados com esta parte da América. A diva responderá que por ora, além do caso Amapá, não há nada que se possa dizer verdadeiro comunismo aqui. Traz, porém, ideias destinadas a destruir e reconstituir a sociedade, e espera que o povo as recolha para o grande dia. A comissão diz que nada tem com a vitória futura, e retira-se.

É noite: a diva quer jantar; está a cair de fome; mas anuncia-se outra comissão, e por mais que o empresário lhe diga que fica para outro dia ou volte depois de jantar, a comissão insiste em falar com Luísa Michel. Não vem só felicitá-la, vem tratar de altos interesses da revolução; pede-lhe apenas quinze minutos. Luísa Michel manda que a comissão entre.

– Madama, dirá um dos cinco membros, o principal motivo que nos traz aqui é o mais grave para nós. Vimos pedir que V. Exª nos ampare e proteja com a palavra que Deus lhe deu. Sabemos que V. Exª vem fazer a revolução, e nós a queremos, nós a pedimos...

– Perdão, venho só pregar ideias.

– Ideias bastam. Desde que pregue as boas ideias revolucionárias, podemos considerar tudo feito. Madama, nós vimos pedir-lhe socorro contra os opressores que nos governam, que nos logram, que nos dominam, que nos empobrecem: os locatários. Somos representantes da União dos Proprietários. V. Exª há de ter visto algumas casas, ainda que poucas, com uma placa em que está o nome da associação que nos manda aqui.

Luísa Michel, com os olhos acesos, cheia de comoção, dirá que, tendo chegado agora mesmo, não teve tempo de olhar para as casas; pede à comissão que lhe conte tudo. Com que então os locatários?...

– São os senhores deste país, madama. Nós somos os servos; daí a nossa União.

– Na Europa é o contrário, observa; os locatários, os proletários, os refratários...

– Que diferença! Aqui somos nós que nos ligamos, e ainda assim poucos, porque a maior parte tem medo e retrai-se. O inquilino é tudo. O menor defeito do inquilino, madama, é não pagar em dia; há-os que não pagam nunca, outros que mofam do dono da casa. Isto é novo, data de poucos anos. Nós vivemos há muito, e não vimos coisa assim. Imagine V. Exª...
– Então os locatários são tudo?
– Tudo e mais alguma coisa.
Luísa Michel, dando um salto:
– Mas então a anarquia está feita, o comunismo está feito.
– Justamente, madama, é a anarquia...
– Santa anarquia, *caballero*, – interromperá a diva, dando este tratamento espanhol ao chefe da comissão, – santa, três vezes santa anarquia! Que me vindes pedir, vós outros, proprietários? que vos defenda os aluguéis? Mas que são aluguéis? Uma convenção precária, um instrumento de opressão, um abuso da força. Tolerado como a tortura, a fogueira e as prisões, os aluguéis têm de acabar como os demais suplícios. Vós estais quase no fim. Se vos ligais contra os locatários, é que a vossa perda é certa. O governo é dos inquilinos. Não são já os aristocratas que têm de ser enforcados: sereis vós:

Çà ira, çà ira, çà ira,
Les propriétaires à la lanterne!

Não entendendo mais que a última palavra, a comissão nem espera que o intérprete traduza todos os conceitos da grande anarquista; e, sem suspeitar que faz impudicamente um trocadilho ou coisa que o valha, jura que é falso, que os proprietários não põem lanternas nas casas, mas encanamentos de gás. Se o gás está caro, não é culpa deles, mas das contas belgas ou do gasto excessivo dos inquilinos. Há de ser engraçado se, além de perderem os aluguéis, tiverem de pagar o gás. E as penas d'água? as décimas? os consertos?

Luísa Michel aproveita uma pausa da comissão para soltar três vivas à anarquia e declarar ao empresário americano que embarcará no dia seguinte para ir pregar a outra parte. Não há que propagar neste país, onde os proprietários se acham em tão miserável e justa condição que já se unem contra os inquilinos; a obra aqui não precisava discursos. O empresário, indignado, saca do bolso o contrato e mostra-lho. Luísa Michel fuzila impropérios. Que são contratos?, pergunta. O mesmo que aluguéis, – uma espoliação. Irrita-se o empresário e ameaça. A comissão procura aquietá-lo com palavras inglesas: *Time is money, five o'clock*... O intérprete perde-se nas traduções. Eu, mais feliz que todos, acabo a semana.

29 DE DEZEMBRO DE 1895

À beira de um ano novo, e quase à beira de outro século, em que se ocupará esta triste semana? Pode ser que nem tu, nem eu, leitor amigo, vejamos a aurora do século próximo, nem talvez a do ano que vem. Para acabar o ano faltam 36 horas, e em tão pouco tempo morre-se com facilidade, ainda sem estar enfermo. Tudo é que os dias estejam contados.

A questão do suicídio não vem agora à tela. Este velho tema renasce como esse pobre Raul Pompeia, que deixou a vida inesperadamente, aos 32 anos de idade. Sobravam-lhe talentos, não lhe faltavam aplausos nem justiça aos seus notáveis méritos. Estava na idade em que se pode e se trabalha muito. A política, é certo, veio ao seu caminho para lhe dar aquele rijo abraço que faz do descuidado transeunte ou do adventício namorado um amante perpétuo. A figura é manca; não diz esta outra parte da verdade, – que Raul Pompeia não seguiu a política por sedução de um partido, mas por força de uma situação. Como a situação ia com o sentimento e o temperamento do homem, achou-se ele partidário exaltado e sincero, com as ilusões todas, – das quais se deve perder metade para fazer a viagem mais leve, – com as ilusões e os nervos.

Tal morte fez grande impressão. Daqueles mesmos que não comungavam com as suas ideias políticas, nenhum deixou de lhe fazer justiça à sinceridade. Eu conheci-o ainda no tempo das puras letras. Não o vi nas lutas abolicionistas de S. Paulo. Do *Ateneu*, que é o principal dos seus livros, ouvi alguns capítulos então inéditos, por iniciativa de um amigo comum. Raul era todo letras, todo poesia, todo Goncourts. Estes dois irmãos famosos tinham qualidades que se ajustavam aos talentos literários e psicológicos do nosso jovem patrício, que os adorava. Aquele livro era num eco do colégio, um feixe de reminiscências, que ele soubera evocar e traduzir na língua que lhe era familiar, tão vibrante e colorida, língua em que compôs os numerosos escritos da imprensa diária, nos quais o estilo respondia aos pensamentos.

A questão do suicídio não vem agora à tela. Este velho tema renasce sempre que um homem dá cabo de si, mas é logo enterrado com ele, para renascer com outro. Velha questão, velha dúvida. Não tornou agora à tela, porque o ato de Raul Pompeia incutiu em todos uma extraordinária sensação de assombro. A piedade veio realçar o ato, com aquela única lembrança do moribundo de dois minutos, pedindo à mãe que acudisse à irmã, vítima de uma crise nervosa. Que solução se dará ao velho tema? A melhor é ainda a do jovem Hamlet: *The rest is silence*.

Mas deixemos a morte. A vida chama-nos. Um amigo meu foi ao cemitério, trouxe de lá a sensação da tranquilidade, quase da atração do lugar, mas não como lugar de mortos, senão de vivos. Naturalmente achou naquele ajuntamento de casas brancas e sossegadas uma imagem de vila interior. A capital é o contrário. A vida ruidosa chama-nos, leitor amigo, com os seus mil contos de réis da loteria que correu ontem na Bahia.

A ideia da agência-geral, Casa Camões & C., de expor na véspera o cheque dos mil contos de réis para ser entregue ao possuidor do bilhete a quem sair aquela soma, foi quase genial. Não bastava dizer ou escrever que o prêmio é de mil contos e que havia de sair a alguém. A maior parte dos incrédulos que ali passavam – falo dos pobres – não acreditavam na possibilidade de que tais mil contos lhes saíssem a eles. Eram para eles uma soma vaga, incoercível, abstrata, que lhes fugiria sempre. A agência Camões & C. não esqueceu ainda *Os lusíadas*, decerto; há de lembrar-se da Ilha dos Amores, quando os fortes navegantes dão com as ninfas nuas, e deitam a correr atrás delas. Sabe muito melhor que eu, que os rapazes, à força de correr, dão com elas no chão. A vitória foi certa e igual e, sem que o poema traga a estatística dos moços e das moças, é sabido que ninguém perdeu na luta, tal qual sucede às loterias deste continente. Mas o pobre quando vê muita esmola, desconfia. Os mil contos eram uma só ninfa, que corria por todas as outras, e que ele não ousava crer que alcançasse, ainda recitando os afamados e doces versos da agência Camões & C.:

Oh! não me fujas! Assim nunca o breve
Tempo fuja da tua formosura!

Dizer versos é uma coisa, e receber mil contos de réis é outra. Às vezes excluem-se. Quando, porém, os mil contos se lhe põem diante dos olhos, sob a forma de um cheque, uma ordem de pagamento, o mais incrédulo entra e compra um bilhete; aos mais escrupulosos ficará até a sensação esquisita de estar cometendo um furto, tão certo lhes parece que o cheque vai atrás do bilhete, e que está ali, está na tesouraria do banco. A venda deve ter sido considerável.

De resto, quem é que, de um ou de outro modo, não expõe o seu cheque à porta? O próprio espiritismo, que se ocupa de altos problemas, fez do Sr. Abalo um cheque vivo, e ninguém ali entra sem a certeza de que verá a eternidade, ou definitivamente pela morte, ou provisoriamente pela loucura. Os que não têm certeza e ficam pasmados do prêmio que lhes cai nas mãos, imitam nisto os que compram bilhetes de loteria para fugir à perseguição dos vendedores, que trepam aos bondes, e os metem à cara da gente.

O inquérito aberto pela polícia, por ocasião de alguns prêmios saídos aos fregueses, é duas vezes inconstitucional: 1º, por atentar contra a liberdade religiosa; 2º, por ofender a liberdade profissional. Eu, irmão noviço, posso morrer sem crime de ninguém; é um modo de ir conversar outros espíritos e associar-me a algum que traga justamente a felicidade ao nosso país. Quanto a ti, irmão professo, não é claro que tanto podes curar por um sistema como por outro? Quem te impede de comerciar, ensinar piano, legislar, consertar pratos, defender ou acusar em juízo? Se a polícia examina os casos recentes de loucura mais ou menos varrida, produzidos pelas práticas do Sr. Abalo, não ataca só ao Sr. Abalo, mas ao meu cozinheiro também. Acaso é este responsável pelas indigestões que saem dos seus jantares? Que é a demência senão uma indigestão do cérebro?

E acabo "A Semana" sem dizer nada daquele cão que salvou o Sr. Estruc, na Praia do Flamengo, às cinco horas da manhã. A rigor, tudo está dito, uma vez que se sabe que os cães amam os donos, e o Sr. Estruc era dono deste. Nadava o dono longe da praia, sentiu perder as forças e gritou por socorro. O cão, que estava em terra e não tirava os olhos dele, percebeu a voz e o perigo, meteu-se no mar, chegou ao dono, segurou-o com os dentes e restituiu-o à terra e à vida. Toda a gente ficou abalada com o ato do cão, que uma folha disse ser "exemplo de nobreza", mas que eu atribuo ao puro sentimento de gratidão e de humanidade. Ao ler a notícia lembrei-me as muitas vezes que tenho visto donos de cães, metidos em bondes, serem seguidos por eles na rua, desde o Largo da Carioca até o fim de Botafogo ou das Laranjeiras, e disse comigo: Não haverá homem, que, sabendo andar, acuda aos pobres--diabos que vão botando a alma pela boca fora? Mas ocorreu-me que eles são tão amigos dos senhores, que morderiam a mão dos que quisessem suspender-lhes a carreira, acrescendo que os donos dos cães poderiam ver com maus olhos esse ato de generosidade.

17 DE MAIO
DE 1896

*E*ra no Bairro Carceler, às sete horas da noite.
A cidade estivera agitada por motivos de ordem técnica e politécnica. Outrossim, era a véspera da eleição de um senador para preencher a vaga do finado Aristides Lobo. Dois candidatos e dois partidos disputavam a palma com alma. Vá de rima, sempre é melhor que disputá-la a cacete, cabeça ou navalha, como se usava antigamente. A garrucha era empregada no interior. Um dia, apareceu a Lei Saraiva, destinada a fazer eleições sinceras e sossegadas. Estas passaram a ser de um só grau. Oh! ainda agora me não esqueceram os discursos que ouvi, nem os artigos que li por esses tempos atrás, pedindo a eleição direta! A eleição direta era a salvação pública. Muitos explicavam: direta e censitária. Eu, pobre rapaz sem experiência, ficava embasbacado quando ouvia dizer que todo o mal das eleições estava no método; mas, não tendo outra escola, acreditava que sim, e esperava a lei.

A lei chegou. Assisti às suas estreias, e ainda me lembro que na minha seção ouviam-se voar as moscas. Um dos eleitores veio a mim, e por sinais me fez compreender que estava entusiasmado com a diferença entre aquele sossego e os tumultos do outro método. Eu, também por sinais, achei que tinha razão, e contei-lhe algumas eleições antigas. Nisto o secretário começou a suspirar flebilmente os nomes dos eleitores. Presentes, posto que censitários, poucos. Os chamados iam na ponta dos pés até a urna, onde depositavam uma cédula, depois de examinada pelo presidente da mesa; em seguida assinavam silenciosamente os nomes na relação dos eleitores, saíam com as cautelas usadas em quarto de moribundo. A convicção é que se tinha achado a panaceia universal.

Mas, como ia dizendo, era no Bairro Carceler, às 7 horas da noite.

O Bairro Carceler estava quase solitário. Um ou outro homem passava, mulher nenhuma, rara loja aberta, e mal se ouviam os bondes que chegavam e partiam. Eu ia andando à procura do Hotel do Globo. Recordava coisas passadas, um incêndio, uma festa, a ponte das barcas um pouco adiante, a Praia Grande do outro lado, e a assembleia provincial, vulgarmente chamada salinha. A salinha acabou, e a Praia Grande ficou decapitada, passando a assembleia com outra feição a legislar em Petrópolis. Nem por isso perdeu as metáforas de outro tempo. Ainda agora, em Petrópolis, um orador devolveu a outro as injúrias que lhe ouvira; devolveu-as intactas, tal qual se costumava na antiga Praia Grande. As injúrias devolvidas intactas não ferem. Algumas vezes arredam-se com a ponta da bota, ou deixam-se cair no tapete da sala; mas a melhor fórmula é devolvê-las intactas. A ponta da bota é um gesto, a queda no tapete é desprezo, mas para injúrias menores. A última fórmula de desdém, a mais enérgica, é devolvê-las intactas. Quem inventou este modo de correspondência, está no céu.

Chego ao Hotel do Globo. Subo ao segundo andar, onde acho já alguns homens. São convivas do primeiro jantar mensal da *Revista Brasileira*. O principal de todos, José Veríssimo, chefe da *Revista* e do Ginásio Nacional, recebe-me, como a todos, com aquela afabilidade natural que os seus amigos nunca viram desmentida um só minuto.

Os demais convivas chegam, um a um, a literatura, a política, a medicina, a jurisprudência, a armada, a administração... Sabe-se já que alguns não podem vir, mas virão depois, nos outros meses.

Ao fim de poucos instantes, sentados à mesa, lembrou-me Platão; vi que o nosso chefe tratava não menos que de criar também uma República, mas com fundamentos práticos e reais. O Carceler podia ser comparado, por uma hora, ao Pireu. Em vez das exposições, definições e demonstrações do filósofo, víamos que os partidos podiam comer juntos, falar, pensar e rir, sem atributos, com iguais sentimentos de justiça. Homens vindos de todos os lados, – desde o que mantém nos seus escritos a confissão monárquica, até o que apostolou, em pleno império, o advento republicano – estavam ali plácidos e concordes, como se nada os separasse.

Uma surpresa aguardava os convivas, lembrança do anfitrião. O cardápio (como se diz em língua bárbara) vinha encabeçado por duas epígrafes, nunca escritas pelos autores, mas tão ajustadas ao modo de dizer e sentir, que eles as incluiriam nos seus livros. Não é dizer pouco, em relação à primeira, que atribui a Renan esta palavra: "Celebrando a Páscoa, disse o encantador profeta da Galileia: tolerai-vos uns aos outros; é o melhor caminho para chegardes a amar-vos..."

E todos se toleravam uns aos outros. Não se falou de política, a não ser alguma palavra sobre a fundação dos Estados, mas curta e leve. Também se não falou de mulheres. O mais do tempo foi dado às letras, às artes, à poesia, à filosofia. Comeu-se quase sem atenção. A comida era um pretexto. Assim voaram as horas, duas horas deleitosas e breves. Uma das obrigações do jantar era não haver brindes: não os houve. Ao deixar a mesa tornei a lembrar-me de Platão, que acaba o livro proclamando a imortalidade da alma; nós acabávamos de proclamar a imortalidade da *Revista*.

Cá fora esperava-nos a noite, felizmente tranquila, e fomos todos para casa, sem maus encontros, que andam agora frequentes. Há muito tiro, muita facada, muito roubo, e não chegando as mãos para os processos, alguns hão de ficar esperando. Ontem perguntei a um amigo o que havia acerca da morte de uma triste mulher; ouvi que a morte era certa, mas que, tendo o viúvo desistido da ação, ficou tudo em nada. Jurei aos meus deuses não beber mais remédio de botica. A impunidade é o colchão dos tempos; dormem-se aí sonos deleitosos. Casos há em que se podem roubar milhares de contos de réis... e acordar com eles na mão.

24 DE MAIO
DE 1896

A gente que andou esta semana pela rua do Ouvidor, mal terá advertido que, enquanto mirava as moças, se eram homens, ou as vitrinas, se eram moças, matava-se a ferro e fogo em Manhuaçu. Eis o telegrama de Juiz de Fora, 18: "Desde o dia 11, às 10 horas da manhã, está travado em Manhuaçu terrível combate, dia e noite, à carabina e dinamite, entre os partidários de Costa Matos e Serafim. O conflito nasceu de ter sido Costa Matos nomeado delegado de polícia, e, investido do cargo, haver mandado desarmar um empregado de Serafim. Tem havido mortes e ferimentos."

Há, pois, além de outros partidos deste mundo, um partido Serafim e um partido Costa Matos. Quem seja este César, nem este Pompeu, não é coisa que me tenha chegado aos ouvidos; mas devem ser homens de valor, desabusados, capazes de lutar em campo aberto e matar sem dó nem piedade. A causa do conflito parece pequena, vista aqui da rua do Ouvidor, entre três e cinco horas da tarde; mas ponha-se o leitor em Manhuaçu, penetre na alma de Serafim, encha-se da alma de Matos, e acabará reconhecendo que as causas valem muito ou pouco, segundo a zona e as pessoas. O que não daria aqui mais de uma troca de mofinas, dá carabina e dinamite em outras paragens.

Mas não é só em Manhuaçu que se morre a ferro e fogo. A cidade de Lençóis passou por igual ou maior desolação. Soube-se aqui, desde o dia 18, que um bando de clavinoteiros marchava ao assalto da cidade, não só para tomá-la, como para matar o coronel Felisberto Augusto de Sá, senador estadual, e o Dr. Francisco Caribé. O governo da Bahia mandou duzentas praças em socorro da cidade. Tarde haverá chegado o socorro, se chegou; o assalto deu-se a 17, entrando pela cidade os clavinoteiros capitaneados por José Montalvão. Escaparam Felisberto e Caribé, no meio de grande carnificina, que parece ter continuado.

Não se pense que, por ir escrevendo sem ponto de exclamação, deixo de sentir a dor dos mortos. É duro ler isto; mas é preciso pairar acima dos cadáveres. Tem-se discutido aqui sobre a lei da recapitulação abreviada. Se tal lei existe, Manhuaçu e Lençóis estão na fase do romantismo sangrento, quando a nossa capital já passou o naturalismo cru e entra no puro misticismo.

Tempo virá em que Manhuaçu e Lençóis vejam as suas notas de 100$ e 200$ andarem de Herodes para Pilatos, sem saber porque é que Herodes as condena, nem porque é que Pilatos lava as mãos. Ouvirão dizer que por serem falsas, – ou (resto de naturalismo) *falças* e até *farsas*. Terão os seus inquéritos, os seus bilhetes de camarote de teatro, e a perpétua escuridão do negócio, que é o pior. *Un pò più di luce*, como queria há anos um político italiano, não é mau. As comédias mais embrulhadas acabam entendidas; podem ser feitas sem talento, nem critério, mas os autores sabem que o público deseja ir para casa com as ideias claras, a fim de dormir tranquilo, e fazem casar os bêbados. As notas falsas de Lençóis e Manhuaçu não sairão do puro mistério. É a condição do gênero. Creio que disse mistério, em vez de ocultismo, que define melhor este gênero de recreação.

Verdade é que o tempo é sempre tempo, e não sei porque não sucederá na América o que acontece na

Europa. A morte da Malibran (releiam Musset) em quinze dias era notícia velha. *Sans doute il est trop tard...* Releiam os belos versos do poeta. Dentro de quinze dias, ninguém mais se lembra do camarote de teatro de Lençóis, nem do inquérito, nem do número 65.609, nem de nada de Manhuaçu. A vida é tão aborrecida, que não vale a pena atar as asas às melancolias de arribação. Voai, melancolias! voai, notas! ide para onde vos chamam os gozos fáceis e pagos...

Ia-me perdendo em suspiros. Ponhamos pé em terra, e deixemos Costa Matos contra Serafim, e Montalvão contra Felisberto. Viver é lutar, e morrer é acabar lutando, que é outro modo de viver. Não sei se me entendem. Eu não me entendo. Digo estas coisas assim, à laia de trocado engenhoso, para tapar o buraco de uma ideia. É o nosso ofício de pedreiros literários. A vantagem é que, enquanto trabalhamos de trolha, a ideia aparece, ou a memória evoca um simples fato, e a pena refaz o aço, e o escrito continua direito.

Para não ir mais longe, vamos ao Largo da Carioca. Li que um agente de polícia, entrando em um bonde no Largo da Lapa, descobriu certo número de gatunos entre os passageiros. Alguns preparavam-se contra um velho, e o agente preparou-se contra eles. No Largo da Carioca o velho pôde escapar à tentativa, mas o agente, auxiliado de uma praça, capturou alguns; a maior parte fugiu. Até aqui tudo é vulgar como um maçador de bonde. O resto não é raro nem original, mas é grandioso.

Cerca de quinhentas pessoas aglomeraram-se no Largo, em volta dos presos e dos agentes da força. O primeiro grito, o grito largo e enorme foi: *Não pode! Não pode!* Quando este grito sai do peito da multidão, é como a voz da liberdade de todos os séculos opressos. A primeira ideia de quinhentas pessoas juntas, ou menos, (cinquenta bastam) é que toda prisão é iníqua, todo agente da autoridade, um verdugo. Imagine-se o que aconteceria no Largo da Carioca, se o agente não tivesse ocasião de contar o que se passara e a qualidade das pessoas presas. A explicação abrandou os espíritos, e salvo alguns que, passando ao extremo oposto, gritaram: *Mata! Mata!*, todos se conformaram com a simples prisão. Os gatunos é que se não conformaram com a delegacia para onde os queriam levar. Iam ser conduzidos à 5ª delegacia e pediram a 6ª, por ser aquela onde haviam sido presos. Esta preocupação de observância regulamentar, em simples gatunos, faz descrer do vício.

Em todo caso, vemos que o vicioso, desde que não pode escapar à justiça, tem a virtude de reclamar pela lei. O virtuoso, antes de saber do vício, clama já contra a repressão. Não se defenda esse caso com o da mulher que, por suspeita de alienada, morreu de hemorragia no xadrez; porquanto, o da mulher é posterior, e não se sabe ainda se houve nele abuso, ou simples uso antigo. Costume faz lei, e quem padece de hemorragias não deve ter tempo de endoidecer.

Esquecia-me dizer que o bonde era elétrico. Se os gatunos eram gordos, não sei. Magros que fossem, era difícil que viessem comodamente, sendo de cinco pessoas por banco a lotação dos bondes elétricos; mas não pode haver melhor lotação para sacar uma carteira. Pela minha parte, tendo sonhado que a lotação era legal, aceitei-a, com a intenção de requerer ao conselho municipal que alterasse o contrato, embora indenizando a companhia. Mas afirmaram-me que, não só é ilegal, como até já foi a companhia interrogada sobre as cinco pessoas por banco, aproveitando-se a ocasião para indagar dos motivos por que continuam os comboios. Ou não houve resposta, ou foi satisfatória. Prefiro a primeira hipótese. Há ainda um lugar para a esperança.

31 DE MAIO
DE 1896

A fuga dos doidos do hospício é mais grave do que pode parecer à primeira vista. Não me envergonho de confessar que aprendi algo com ela, assim como que perdi uma das escoras da minha alma. Este resto de frase é obscuro, mas eu não estou agora para emendar frases nem palavras. O que for saindo saiu, e tanto melhor se entrar na cabeça do leitor.

Ou confiança nas leis, ou confiança nos homens, era convicção minha de que se podia viver tranquilo fora do Hospício dos Alienados. No bonde, na sala, na rua, onde quer que se me deparasse pessoa disposta a dizer histórias extravagantes e opiniões extraordinárias, era meu costume ouvi-la quieto. Uma ou outra vez sucedia-me arregalar os olhos, involuntariamente, e o interlocutor, supondo que era admiração, arregalava também os seus, e aumentava o desconcerto do discurso. Nunca me passou pela cabeça que fosse um demente. Todas as histórias são possíveis, todas as opiniões respeitáveis. Quando o interlocutor, para melhor incutir uma ideia ou um fato, me apertava muito o braço ou me puxava com força pela gola, longe de atribuir o gesto a simples loucura transitória, acreditava que era um modo particular de orar ou expor. O mais que fazia era persuadir-me depressa dos fatos e das opiniões, não só por ter os braços mui sensíveis, como porque não é com dois vinténs que um homem se veste neste tempo.

Assim vivia, e não vivia mal. A prova de que andava certo é que não me sucedia o menor desastre, salvo a perda da paciência; mas a paciência elabora-se com facilidade; – perde-se de manhã, já de noite se pode sair com dose nova. O mais corria naturalmente. Agora, porém, que fugiram doidos do hospício e que outros tentaram fazê-lo (e sabe Deus se a esta hora já o terão conseguido), perdi aquela antiga confiança que me fazia ouvir tranquilamente discursos e notícias. É o que acima chamei uma das escoras da minha alma. Caiu por terra o forte apoio. Uma vez que se foge do Hospício dos Alienados (e não acuso por isso a administração) onde acharei método para distinguir um louco de um homem de juízo? De ora avante, quando alguém vier dizer-me as coisas mais simples do mundo, ainda que me não arranque os botões, fico incerto se é pessoa que se governa, ou se apenas está num daqueles intervalos lúcidos, que permitem ligar as pontas da demência às da razão. Não posso deixar de desconfiar de todos.

A própria pessoa, – ou para dar mais claro exemplo, – o próprio leitor deve desconfiar de si. Certo que o tenho em boa conta, sei que é ilustrado, benévolo e paciente, mas depois dos sucessos desta semana, quem lhe afirma que não saiu ontem do hospício? A consciência de lá não haver entrado não prova nada; menos ainda a de ter vivido desde muitos anos, com sua mulher e seus filhos, como diz Lulu Sênior. É sabido que a demência dá ao enfermo a visão de um estado estranho e contrário à realidade. Que saiu esta madrugada de um baile? Mas os outros convidados, os próprios noivos que saberão de si? Podem ser seus companheiros da Praia Vermelha. Este é o meu terror. O juízo passou a ser uma probabilidade, uma eventualidade, uma hipótese.

Isto, quanto à segunda parte da minha confissão. Quanto à primeira, o que aprendi com a fuga dos infelizes do hospício, é ainda mais grave que a outra. O cálculo, o raciocínio, a arte com que procederam os conspiradores da fuga foram de tal ordem que diminuem em grande parte a vantagem de ter juízo. O ajuste foi perfeito. A manha de dar pontapés nas portas para abafar o rumor que fazia Serrão arrombando a janela do seu cubículo é uma obra-prima; não apresenta só a combinação de ações para o fim comum, revela a consciência de que, estando ali por doidos, os guardas os deixariam bater à vontade, e a obra da fuga iria ao cabo, sem a menor suspeita. Francamente, tenho lido, ouvido e suportado coisas muito menos lúcidas.

Outro episódio interessante foi a insistência de Serrão em ser submetido ao tribunal do júri, provando assim tal amor da absolvição e consequente liberdade, que faz entrar em dúvida se se trata de um doido ou de um simples réu. Não repito o mais, que está no domínio público e terá produzido sensações iguais às minhas. Deixo vacilante a alma do leitor. Homens tais não parecem artífices de primeira qualidade, espíritos capazes de levar a cabo as questões mais complicadas deste mundo?

Não quero tocar no caso de Paradeda Júnior, que lá vai mar em fora, por achá-lo tardio. Meio século antes, era um bom assunto de poema romântico. Quando, alto-mar, o infeliz revelasse, por impulsão repentina, o seu verdadeiro estado mental, a cena seria terrível, e a inspiração germânica, mais que qualquer outra, acharia aí uma bela página. O poema devia chamar-se *Der närrische Schiff*. Descrição do mar, do navio e do céu; a bordo, alegria e confiança. Uma noite, estando a lua em todo o esplendor, um dos passageiros contava a batalha de Leipzig ou recitava uns versos de Uhland. De repente, um salto, um grito, tumulto, sangue: o resto seria o que Deus inspirasse ao poeta. Mas, repito, o assunto é tardio.

De resto, toda esta semana foi de sangue, – ou por política, ou por desastre, ou por desforço pessoal. O acaso luta com o homem para fazer sangrar a gente pacata e temente a Deus. No caso de Santa Teresa, o cocheiro evadiu-se e começou o inquérito. Como os feridos não pedem indenização à companhia, tudo irá pelo melhor no melhor dos mundos possíveis. No caso da Copacabana, deu-se a mesma fuga, com a diferença que o autor do crime não é cocheiro; mas a fuga não é privilégio de ofício, e, demais, o criminoso já está preso. Em Manhuaçu continua a chover sangue, tanto que marchou para lá um batalhão daqui. O Comendador Ferreira Barbosa, (a esta hora assassinado) em carta que escreveu ao diretor da *Gazeta* e foi ontem publicada, conta minuciosamente o estado daquelas paragens. Os combates têm sido medonhos. Chegou a haver barricadas. Um anônimo declarou pelo *Jornal do Comércio* que, se a comarca de S. Francisco tornar à antiga província de Pernambuco, segundo propôs o Sr. Senador João Barbalho, não irá sem sangue. Sangue não tarda a escorrer do jovem Estado (peruano) do Loreto...

Enxuguemos a alma. Ouçamos, em vez de gemidos, notas de música. Um grupo de homens de boa vontade vai dar-nos música velha e nova, em concertos populares, a preço cômodo. Venham eles, venham continuar a obra do Clube Beethoven, que foi por tanto tempo o centro das harmonias clássicas e modernas. Tinha de acabar, acabou. Os *Concertos populares* também acabarão um dia, mas será tarde, muito tarde, se considerarmos a resolução dos fundadores, e mais a necessidade que há de arrancar a alma ao tumulto vulgar para a região serena e divina... Um abraço ao Dr. Luís de Castro.

Pela minha parte, proponho que, nos dias de concerto, a Companhia do Jardim Botânico, excepcionalmente, meta dez pessoas por banco nos bondes elétricos, em vez das cinco atuais. Creio que não haverá representação à prefeitura, pois todos nós amamos a música; mas dado que haja, o mais que pode suceder é que a prefeitura mande reduzir a lotação às quatro pessoas do contrato; em tal hipótese, a companhia pedirá, como agora, segundo acabo de ler, que a prefeitura reconsidere o despacho, – e as dez pessoas continuarão, como estão continuando as cinco. Há sempre erro em cumprir e requerer depois; o mais seguro é não cumprir e requerer. Quanto ao método, é muito melhor que tudo se passe assim, no silêncio do gabinete, que tumultuosamente na rua: *Não pode! não pode!*

16 DE AGOSTO
DE 1896

*E*sta semana é toda de poesia. Já a primeira linha é um verso, boa maneira de entrar em matéria. Assim que, podeis fugir daqui, filisteus de uma figa, e ir dizer entre vós, como aquele outro de Heine: "Temos hoje uma bela temperatura". O que sucedeu em prosa nestes sete dias merecia decerto algum lugar, se a poesia não fosse o primeiro dos negócios humanos ou se o espaço desse para tanto; mas não dá. Por exemplo, não pode conter tudo o que sugere a reunião dos presidentes de bancos de nossa praça. Chega, quando muito, para dizer que o remédio tão procurado para o mal financeiro, – e naturalmente econômico, – foi achado depois de tantas cogitações. Os diretores, acabada a reunião, voltaram aos seus respectivos bancos, e a taxa de câmbio subiu logo 1/8. A *Bruxa* espantou-se com isto e declarou não entender o câmbio. A poetisa Elvira Gama parecia havê-lo entendido, no soneto que ontem publicou aqui.

Doce câmbio....

Mas trata de amores, como se vê da segunda parte do verso:

... de seres atraídos,
Ligados pela ação de igual desejo.

Eu é que o entendi de vez. A primeira reunião fez subir um degrau, a segunda fará subir outro, e virão muitas outras até que o câmbio chegue ao patamar da escada. Aí convidá-lo-ão a descansar um pouco, e, uma vez entrado na sala, fechar-lhe-ão as portas e deixá-lo-ão bradar à vontade. – Estás a 27, responderão os diretores de banco, podes quebrar os trastes e a cabeça, estás a 27, não desces de 27.

Quanto à desavença entre a bancada mineira e a bancada paulista, outro assunto de prosa da semana, menos ainda pode caber aqui, ele e tudo o que sugere relativamente ao futuro. Digo só que aos homens políticos da nossa terra ouvi sempre este axioma: que os partidos são necessários ao governo de uma nação. Partidos, isto é, duas ou mais correntes de opinião organizadas, que vão a todas as partes do país. Na nossa federação esta necessidade é uma condição de unidade. A Câmara tem tantas bancadas quantos Estados; o próprio Rio de Janeiro, que por estar mais perto da capital cheira ainda a província, e o Distrito Federal, que constitucionalmente não é Estado, têm cada um a sua bancada particular. Ora, todas essas bancadas não só impedirão a formação dos partidos, mas podem chegar a destruir o único partido existente e fazer da Câmara uma constelação de sentimentos locais, uma arena de rivalidades estaduais. Quando muito, os Estados pequenos mergulharão nos grandes, e ficaremos com seis ou sete reinos, ducados e principados, dos quais mais de um quererá ser a Prússia.

Entro a devanear. Tudo porque não me deixei ir pela poesia adiante. Pois vamos a ela, e comecemos pelo quarto jantar da *Revista Brasileira*, a que não faltou poesia nem alegria. A alegria, quando tanta gente anda a tremer pelas falências no fim do mês, é prova de que a revista não tem entranhas ou só as tem para os seus banquetes. Ela pode responder, entretanto, que a única falência que teme deveras é a do espírito. No dia em que meia dúzia de homens não puderem trocar duas dúzias de ideias, tudo está acabado, os filisteus tomarão conta da cidade e do mundo e repetirão uns aos outros a mesma exclamação daquele de Heine; *Es ist heute eine schöne Witterung!* Mas enquanto o espírito não falir, a *Revista* comerá os seus jantares mensais até que venha o centésimo, que será de estrondo. Se eu me não achar entre os convivas, é que estarei morto; peço desde já aos sobreviventes que bebam à minha saúde.

A demais poesia da semana consistiu em três aniversários natalícios de poetas: o de Gonçalves Dias a 10, o de Magalhães e Carlos a 13. O único popular destes poetas é ainda o autor da "Canção do Exílio". Magalhães teve principalmente uma página popular, que todos os rapazes do meu tempo (e já não era a mesma geração) traziam de cor. O Carlos não chegou ao público. Mas são três nomes nacionais, e o maior deles tem a estátua que lhe deu a sua terra. Não indaguemos da imortalidade, Bocage, louvado por Filinto, improvisou uma ode entusiástica, fechada por esta célebre entonação: *Posteridade, és minha!* E ninguém já lia Filinto, quando Bocage ainda era devorado. O próprio Bocage, a despeito dos belos versos que deixou, está pedindo uma escolha dos sete volumes, – ou dos seis, para falar honestamente.

Justamente anteontem conversávamos alguns acerca da sobrevivência de livros e de autores franceses deste século. Entrávamos, em bom sentido, naquela falange de Musset:

Electeurs brevetés des morts et des vivants.

e não foi pequeno o nosso trabalho abatendo cabeças altivas. Nem Renan escapou, nem Taine; e, se não escapou

Taine, que valor pode ter a profecia dele sobre as novelas e contos de Mérimée? *Il est probable qu'en l'an 2000 on relira la* Partie de tric-trac, *pour savoir ce qu'il en coûte manquer une fois à l'honneur*. Taine não fez como os profetas hebreus, que afirmam sem demonstrar; ele analisa as causas da vitalidade das novelas de Mérimée, os elementos que serviram à composição, o método e a arte da composição. O tempo dirá se acertou; e pode suceder que o profeta acaba antes da profecia e que no ano 2000 ninguém leia a *História da literatura inglesa*, por mais admirável que seja este livro.

Mas no ano 2000 os contos de Mérimée terão século e meio. Que é século e meio! No mês findo, o poeta laureado de Inglaterra falou no centenário da morte de Burns, cuja estátua era inaugurada; parodiou um dito antigo, dizendo enfaticamente que não se pode julgar seguro o renome de um homem antes de cem anos depois dele morto. Concluiu que Burns chegara ao ponto donde não seria mais derribado. Não discuto opiniões de poetas nem de críticos, mas bem pode ser que seja verdadeira. Em tal caso, o autor de *Cármen* estará igualmente seguro, se o seu profeta acertou. Resta lembrar que a vida dos livros é vária como a dos homens. Uns morrem de vinte, outros de cinquenta, outros de cem anos, ou de 99, para não desmentir o poeta laureado. Muitos há que, passado o século, caem nas bibliotecas, onde a curiosidade os vai ver, e donde podem sair em parte para a história, em parte os florilégios. Ora, esse prolongamento da vida, curto ou longo, é um pequeno retalho de glória. A imortalidade é que é de poucos.

Não há muito, comemoramos o centenário de José Basílio, e ainda ontem encontrei o jovem de talento e gosto que iniciou essa homenagem. Hão de lembrar-se que não foi ruidosa; não teve o esplendor da de Burns, cuja sombra viu chegar, de todas as partes do mundo em que se fala a língua inglesa, presentes votivos e deputações especiais. O chefe do partido liberal presidia as festas, onde proferiu dois discursos. Cá também eram passados cem anos; mas, ou há menor expansão aqui em matéria de poesia, ou o autor do *Uruguai* caminha para as bibliotecas e para a devoção de poucos. Não sei se ao cabo de outro século haverá outro Magalhães que inicie uma celebração. Talvez já o poeta esteja unicamente nos florilégios com alguns dos mais belos versos que se têm escrito na nossa língua. É ainda uma sombra de glória. A moeda que achamos entre ruínas tem o preço da antiguidade; a do nosso poeta terá a da própria mão que lhe deu cunho. Se afinal se perder, haverá vivido.

23 DE AGOSTO
DE 1896

Contrastes da vida, que são as obras de imaginação ao pé de vós!

Vinha eu de um banco, aonde fora saber notícias do câmbio. Não tenho relações diretas com o câmbio; não saco sobre Londres, nem sobre qualquer outro ponto da terra, que é assaz vasta, e eu demasiado pequeno. Mas tudo o que compro caro, dizem-me que é culpa do câmbio. "Que quer o senhor que eu faça com este câmbio a 9?", perguntam-me. Em vão leio os jornais; o câmbio não sobe de 9. O que faz é variar; ora é $9_{1/8}$, ora $9_{1/4}$, ora $9_{3/8}$. Dorme-se com ele a $9_1{}^{5/16}$, acorda-se a $9_{3/4}$. Ao meio-dia está $9_{1/2}$. Um eterno vaivém na mesma eterna casa. Sucedeu o que se dá com tudo; habituei-me a esta triste especulação de 9, e dei de mão a todas as esperanças de ver o câmbio a 10.

De repente, ouço dizer na rua que o câmbio baixaria à casa dos 8. A princípio não acreditei; era uma invenção de mau gosto para assustar a gente, ou algum inimigo achara aquele meio de fazer mal. Mas tanto me repetiram a notícia, que resolvi ir às casas argentárias saber se realmente o câmbio descera a 8. Em caminho quis calcular o preço das calças e do pão, mas não achei nada, vi só que seria mais caro. Entrei no primeiro banco, à mão, e até agora não sei qual foi. Gente bastante: todos os olhos fitavam as tabelas. Vi um 8, acompanhado de pequenos algarismos, que a cegueira da comoção não me permitiu discernir. Que me importavam estes? Um quarto, um oitavo, três oitavos, tudo me era indiferente, uma vez que o fatal número 8 lá estava. Esse algarismo, que eu presumia nunca ver nas tabelas cambiais, ali me pareceu com os seus dois círculos, um por cima do outro. Pareceu-me um par de olhos tortos e irônicos.

Perguntei a um desconhecido se era verdade. Respondeu-me que era verdade. Quanto à causa, quando lhe perguntei por ela, respondeu-me com aquele gesto de ignorância, que consiste em fazer cair os cantos da boca. Se bem me lembro, acrescentou o gesto de abrir os braços com as mãos espalmadas, que é a mesma ignorância em itálico. Compreendi que não sabia a causa; mas o efeito ali estava, e todos os olhos em cima dele, sem a consternação nem o terror que deviam ter os meus. Saí; na Rua da Alfândega, esquina da da Candelária, havia alguma agitação, certo burburinho, mas não pude colher mais do que já sabia, isto é, que o câmbio baixara a 8. Um perverso, vendo-me apavorado, assegurava a outro que a queda a 7 não era impossível. Quis ir ao meu alfaiate para que me reduzisse a nova tabela ao preço que teria de pagar pelas calças, mas é certo que ninguém se apressa em receber uma notícia má. Que pode suceder?, disse comigo; chegarmos à arozoia; será a restauração da nossa idade pré-histórica, e um caminho para o Éden, *avant la lettre*.

Enquanto seguia na direção da Rua Primeiro de Março, ouvia falar do câmbio. Quase a dobrar a esquina, um homem lia a outro as cotações dos fundos. Tinham-se vendido ações do Banco Emissor de Pernambuco a mil e quinhentos; as debêntures da Leopoldina chegaram a obter seis mil setecentos e cinquenta; das ações da Melhoramentos do Maranhão havia ofertas a quatro mil e quinhentos, mas ninguém lhes pegava. Dobrei a esquina, entrei na Rua Primeiro de Março, em direção ao Carceler. Ia costeando as vitrinas de cambistas,

cheias de ouro, muita libra, muito franco, muito dólar, tudo empilhado, esperando os fregueses. Vinha de dentro um *fedor judaico* de entontecer, mas a vista das libras restituía o equilíbrio ao cérebro, e fazia-me parar, mirar, cobiçar...
— Vamos!, exclamei, olhando para o céu.
Que vi, então, leitor amigo? Na igreja da Cruz dos Militares, dentro do nicho de S. João, estavam três pombas. Uma pousava na cabeça do apóstolo, outra na cabeça da águia, outra no livro aberto. Esta parecia ler, mas não lia, porque abriu logo as asas e trepou à cabeça do apóstolo, desceu à cabeça da águia, e a que estava na cabeça da águia passou ao livro. Uma quarta pomba veio ter com elas. Então começaram todas a subir e a descer, ora parando por alguns segundos, e o santo quieto, deixando que elas lhe contornassem o pescoço e os emblemas, como se não tivesse outro ofício que esse de dar pouso às pombas.
Parei e disse comigo: Contrastes da vida, que são as obras da imaginação ao pé de vós? Nenhuma daquelas pombas pensa no câmbio, nem na baixa, nem no que há de vestir, nem no que há de comer. Eis ali a verdadeira gente cristã, eis o *Sermão da montanha*, a dois passos dos bancos, às próprias barbas destas casas de cambistas que me enchem de inveja. Talvez na alma de algum destes homens viva ainda a própria alma de um antigo que ouviu o discurso de Jesus, e não trocou por este o Deus de Abraão, de Isaac e de Jacó. Cuida das libras, como eu, que visto e me sustento pelo valor delas, mas eis aqui o que dizem as pombas, repetindo o *Sermão da montanha*: "Não andeis cuidadosos da vossa vida, que comereis, nem para o vosso corpo, que vestireis... Olhai para as aves do céu, que não semeiam, nem segam, nem fazem provimentos nos celeiros; e contudo, vosso pai celestial as sustenta... E por que andais vós solícitos pelo vestido? Considerai como crescem os lírios do campo; eles não trabalham nem fiam... Não andeis inquietos pelo dia de amanhã. Porque o dia de ama-

nhã a si mesmo trará o seu cuidado; ao de hoje basta a sua própria aflição". [S. Mateus.]

Realmente, não cuidavam de nada aquelas pombas. Onde é o ninho delas? Perto ou longe, gostam de vir aqui à águia de Patmos. Alguma vez irão ao apóstolo do outro nicho, S. Pedro, creio; mas S. João é que as namora, neste dia de câmbio baixo, como para fazer contraste com a besta do Apocalipse, a famosa besta de sete cabeças e dez cornos, – número fatídico – talvez a taxa do câmbio de amanhã [7/10].

Afinal deixei a contemplação das pombas e fui-me à farmácia, a uma das farmácias que há naquela rua. Ia comprar um remédio; pediram-me por ele quantia grossa. Como eu estranhasse o preço, replicou-me o farmacêutico: "Mas, que quer o senhor que eu faça com este câmbio a 8?" Como ao grande Gama, arrepiaram-se-me as carnes e o cabelo, mas só de ouvi-lo. A vista era boa, serena, quase risonha. Quis raciocinar, mas raciocínio é uma coisa e medicamento é outra; saí de lá com o remédio e um acréscimo de quinhentos réis no preço. Contaram-me que já não há tostões nas farmácias, nem tostões, menos ainda vinténs. Tudo custa mil-réis ou mil e quinhentos, dois mil-réis ou dois mil e quinhentos, e assim por diante. Para a contabilidade é, realmente, mais fácil; e pode ser que o próprio enfermo ganhe com isso – a confiança, metade da cura.

Na rua tornei a erguer os olhos às pombas. Só vi uma, pousada no livro. Que tens tu?, perguntei-lhe cá de baixo, por um modo sugestivo. Se é a besta de sete cabeças, não te importes que venha, contanto que não lhe cortes nenhuma. Já temos a de oito: menos de sete cabeças é nada. Pagarei nove mil-réis pelo remédio, mas antes nove que catorze, no dia em que a besta ficar descabeçada, porque então o mais barato é o melhor de todos os remédios. E a pomba, pelo mesmo processo sugestivo:

– Que tenho eu com remédios, homem de pouca fé? O ar e o mato são as minhas boticas.

Quis pedir socorro ao apóstolo; mas o mármore, – ou a vista me engana, ou o apóstolo gosta das suas pombas amigas, – o mármore sorriu e não voltou a cara para não desmentir o estatuário. Sorriu, e a pomba saltou-lhe à cabeça, para lhe tirar comida, pagar, ou para lhe dar um beijo.

6 DE SETEMBRO
DE 1896

Qualquer de nós teria organizado este mundo melhor do que saiu. A morte, por exemplo, bem podia ser tão somente a aposentadoria da vida, com prazo certo. Ninguém iria por moléstia ou desastre, mas por natural invalidez; a velhice, tornando a poesia incapaz, não a poria a cargo dos seus ou dos outros. Como isto andaria assim desde o princípio das coisas, ninguém sentiria dor nem temor, nem os que se fossem, nem os que ficassem. Podia ser uma cerimônia doméstica ou pública; entraria nos costumes uma refeição de despedida, frugal, não triste, em que os que iam morrer dissessem as saudades que levavam, fizessem recomendações, dessem conselhos, e se fossem alegres, contassem anedotas alegres. Muitas flores, não perpétuas, nem dessas outras de cores carregadas, mas claras e vivas, como de núpcias. E melhor seria não haver nada, além das despedidas verbais e amigas...

Bem sei o que se pode dizer contra isto; mas por agora importa-me somente sonhar alguma coisa que não seja a morte bruta, crua e terrível, que não quer saber se um homem é ainda preciso aos seus, nem se merece as torturas com que o aflige primeiro, antes de estrangulá-lo. Tal acaba de suceder ao nosso Alfredo Gonçalves, que foi anteontem levado à sepultura, após algum tempo de enfermidade dura e fatal. Para falar a linguagem da razão, se a morte havia de levá-lo anteontem, melhor faria se o levasse mais cedo. A linguagem do sentimento é outra: por mais que doa ver padecer, e por certo que seja o triste desenlace, o coração teima em não querer romper os últimos vínculos, e a esperança tenaz vai confortando os últimos desesperos. Não se compreende a necessidade da morte do pobre Alfredo, um rapaz afetuoso e bom, jovial e forte, que não fazia mal a ninguém, antes fazia bem a alguns e a muitos, porque é já benefício praticar um espírito agudo e um coração amigo.

Quando anteontem calcava a terra do cemitério, debaixo da chuva que caía, batido do vento que torcia as árvores, lembrou-me outra ocasião, já remota, em que ali fomos levar um irmão do Alfredo. Nunca me há de esquecer essa triste noite. A morte do Artur foi súbita e inesperada. Prestes a ser transportado para o coche fúnebre, pareceu a um amigo e médico que o óbito era aparente, um caso possível de catalepsia. Não se podia publicar essa esperança débil, em tal ocasião, quando todos estavam ali para conduzir um cadáver; calou-se a suspeita, e o féretro, mal fechado, foi levado ao cemitério... Não podeis imaginar a sensação que dava aos poucos que sabiam da ocorrência, aquele acompanhar o saimento de uma pessoa que podia estar viva. No cemitério, feita reservadamente a comunicação, foi o caixão deixado aberto em depósito, velado por cinco ou seis amigos. O estado do corpo era ainda o mesmo; os olhos, quando se lhes levantavam as pálpebras, pareciam ver. Os sinais definitivos da morte vieram muito mais tarde.

Saí antes deles, eram cerca de oito horas; não havia chuva, como anteontem, nem lua, mas a noite era clara, e as casas brancas da necrópole deixavam-se ver muito bem, com os seus ciprestes ao lado. Descendo por aqueles renques de sepulturas, cuidava na entrada da esperança em lugar onde as suas asas nunca tocaram o pó ínfimo e último. Cuidei também naqueles que porventura houvessem sido, em má hora, transferidos ao derradeiro leito sem ter pegado no sono e sem aquela final vigília.

Carlos Gomes não deixará esperanças dessas. "Talvez ao chegarem estas linhas ao Rio de Janeiro, já não exista o inspirado compositor, que entrou em agonia", diz uma carta do Pará, publicada ontem no *Jornal do Comércio*. Pois existe, está ainda na mesma agonia em que entrou, quando elas de lá saíram. Hão de lembrar-se que há muitos dias um telegrama do Pará disse a mesma coisa; foi antes dos protocolos italianos. Os protocolos vieram, agitaram, passaram, e o cabo não nos contou mais nada. O padecimento, assim longo, deve ser forte; a carta confirma esta dedução. Carlos Gomes continua a morrer. Até quando irá morrendo? A ciência dirá o que souber, mas ela também sabe que não pode crer em si mesma.

Não me acuseis de teimar neste chão melancólico. O livro da semana foi um obituário, e não terás lido outra coisa, fora daqui, senão mortes e mais mortes. Não falemos do chanceler da Rússia, nem de outro qualquer personagem, que a distância e a natureza do cargo podem despir de interesse para nós. Mas vede as matanças de cristãos e muçulmanos em Constantinopla. O cabo tem contado coisas de arrepiar. Na capital turca empregaram-se centenas de coveiros em abrir centenas de covas para enchê-las com centenas de cadáveres. Não nos dizem, é verdade, se na morte ao menos foram irmanados cristãos e maometanos, mas é provável que não. Ódio que acaba com a vida não é ódio, é sombra de ódio, é simples e reles antipatia. O verdadeiro é o que passa às outras gerações, o que vai buscar a segunda no próprio ventre da primeira, violando as mães a ferro e fogo. Isto é que é ódio. O provável é que os coveiros tenham separado os corpos, e será piedade, pois não sabemos se, ainda no caminho do outro mundo, o Corão não irá enticar com o Evangelho. Um telegrama de Londres diz que Istambul está sossegada; ainda bem, mas até quando?

Também começaram a matar nas Filipinas, a matar e a morrer pela independência, como em Cuba. A Espanha comove-se e dispõe a matar também, antes de morrer. É um império que continua a esboroar-se, pela lei das coisas, e que resiste. Assim vai o mundo esta semana; não é provável que vá diversamente na semana próxima.

E ainda não conto aquele gênero de morte que não está nas mãos dos homens, nem dentro deles, o que a natureza reserva no seio da terra para distribuí-la por atacado. Lá se foi mais uma cidade do Japão, comida por um terremoto, com a gente que tinha. Os terremotos japoneses, alguns meses antes, levaram cerca de dez mil pessoas. O cabo fala também dos tremores na Europa, mas por ora não houve ali nenhuma Lisboa que algum Pombal restaure, nem outra Pompeia, que possa dormir muitos séculos. Mortes, pode ser; a semana é de mortes.

20 DE SETEMBRO
DE 1896

Toda esta semana foi feita pelo telégrafo. Sem essa invenção, que põe o nosso século tão longe daqueles em que as notícias tinham de correr os riscos das tormentas e vir devagar como o tempo anda para os curiosos; sem essa invenção esta semana viveria do que lhe desse a cidade. Certamente, uma boa cidade como a nossa não deixa os filhos sem pão; fato ou boato, eles teriam algo que debicar. Mas, enfim, o telégrafo incumbiu-se do banquete.

A maior das notícias para nós, a única nacional, não preciso dizer que é a morte de Carlos Gomes. O telégrafo no-la deu, tão pronto se fecharam os olhos do artista e deu mais a notícia do efeito produzido em todo aquele povo do Pará, desde o chefe do Estado até o mais singelo cidadão. A triste nova era esperada – não sei se piedosamente desejada. Correu aos outros Estados, ao de S. Paulo, à velha cidade de Campinas. A terra de Carlos Gomes deseja possuir os restos queridos de seu filho, e os pede; S. Paulo transmite o desejo ao Pará, que promete devolvê-los. Não atenteis somente para a linguagem dos dois Estados, um dos quais reconhece implicitamente ao outro o direito de guardar Carlos Gomes, pois que ele aí morreu, e o outro acha justo restituí-lo àquele onde ele viu a luz. Atentai, mais que tudo, para esse sentimento de unidade nacional, que a política pode alterar ou afrouxar, mas que a arte afirma e confirma, sem restrição de espécie alguma, sem desacordos, sem contrastes de opinião. A dor aqui é brasileira. Quando se fez a eleição do presidente da República, o Pará deu o voto a um filho seu, certo embora de que lhe não caberia o governo da União; divergiu de S. Paulo. A república da arte é anterior às nossas constituições e superior às nossas competências. O que o Pará fez pelo ilustre paulista mostra a todos nós que há um só paraense e um só paulista, que é este Brasil.

Agora que ele é morto, em plena glória, acode-me aquela noite da primeira representação da *Joana de Flandres*, e a ovação que lhe fizeram os rapazes do tempo, acompanhados de alguns homens maduros, certamente, mas os principais eram rapazes, que são sempre os clarins do entusiasmo. Ia à frente de todos Salvador de Mendonça, que era o profeta daquele caipira de gênio. Vínhamos da Ópera Nacional, uma instituição que durou pouco e foi muito criticada, mas que, se mereceu acaso o que se disse dela, tudo haverá resgatado por haver aberto as portas ao jovem maestro de Campinas. Tinha uma subvenção a Ópera Nacional; dava-nos partituras italianas e zarzuelas, vertidas em português, e compunha-se de senhoras que não duvidavam passar da sociedade ao palco, para auxiliar aquela obra. Cantava o fundador, D. José Amat, cantava o Ribas, cantavam outros. Nem foi só Carlos Gomes que ali ensaiou os primeiros voos; outros o fizeram também, ainda que só ele pôde dar o surto grande e arrojado...

Aí estou eu a repetir coisas que sabeis – uns por as haverdes lido, outros por vos lembrardes delas; mas é que há certas memórias que são como pedaços da gente, em que não podemos tocar sem algum gozo e dor, mistura de que se fazem saudades. Aquela noite acabou por uma aurora, que foi dar em outro dia, claro como o da véspera, ou mais claro talvez; e porque esse dia se fechou em noite, novamente se abriu em madrugada e sol, tudo com uma uniformidade de pasmar. Afinal tudo passa, e só a terra é firme: é um velho estribilho do *Eclesiastes*, de que os rapazes mofam, com muita razão, pois ninguém é rapaz senão para ler e viver o *Cântico dos cânticos*, em que tudo é eterno. Também nós ríamos muito dos que então recordavam o tempo em que foram cavalos da Candiani, e riam então dos que falavam de outras festas do tempo de Pedro I. É assim que se vão soldando os anéis de um século.

Ao contrário, a história parece querer dessoldar alguns dos seus anéis e deitá-los ao mar – ao Mar Negro, se é certo o que nos anuncia o mesmo telégrafo, portador de boas e más novas. Não trato da deposição do sultão, conquanto o espetáculo deva ser interessante; eu, se dependesse de uma subscrição universal, daria o meu óbulo para vê-lo realizado com todas as cerimônias, tal qual *O doente imaginário*. A diferença entre a peça francesa e a peça turca é que o *homem doente* parece deveras, – semilouco, dizem os telegramas.

As deposições da nossa terra não digo que sejam chochas, mas são lúgubres de simplicidade. O teatro de Sergipe está agora alugado para esta espécie de mágicas; não há quinze dias deu espetáculo, e já anuncia (ao dizer do *País*) nova representação. As mágicas desse teatro pequeno, mas elegante, compõem-se em geral de duas partes – uma que é propriamente a deposição, outra que é a reposição. Poucos personagens: o deposto, o substituto, coros de amigos. Ao fundo, a cidade em festas. Este ceticismo de Aracaju, rasgando as luvas com aplausos a ambos os tenores, não revela da parte daquela capital a firmeza necessária de opinião. Tudo, porém, acharia compensação na majestade do espetáculo; infelizmente este é pobre e simples; meia dúzia de homens saem de uma porta, entram por outra, e está acabado. É uma empresa de poucos meios.

Que abismo entre Aracaju e Istambul! Que diferença entre as duas portas sergipenses e a Sublime Porta! Lá são as potências que depõem, presididas pelo pontífice do islamismo, tudo abençoado por Alá e por Maomé, que é o profeta de Alá. Nas ruas, sangue, muito sangue derramado, sangue de ódio e de fanatismo. Ouvem-se rugidos da Ilha de Creta e da Macedônia. Na plateia, o mundo inteiro. Mas o principal não é isso. O principal espetáculo, o espetáculo único é o desmembramento da Turquia, também noticiado pelo telégrafo. Esse é que, se se fizer, dará a este século um ocaso muito parecido com a aurora. Os alfaiates levarão muito tempo a medir e cortar a bela fazenda turca para compor o terno que a civilização ocidental tem de vestir: e, porque as medidas políticas diferem das comuns, vê-lo-emos talvez brigar por dois centímetros. As tesouras brandidas; e, primeiro que se acomodem, haverá muito olho furado. O desfecho é previsto; alguém ficará com pano de menos, mas a Turquia estará acabada, e a história terá dessoldado alguns elos que já andavam frouxos, se é que isto não é continuar a mesma cadeia.

Pode suceder que nada haja, assim como não voará o castelo de Balmoral, com a Rainha Vitória e o Czar Nicolau dentro. Esta outra comunicação telegráfica desde logo me pareceu fantástica; cheira a imaginação de repórter ou de chancelaria. Nem é crível que tal tragédia se represente às barbas da sombra de Shakespeare, sem que este seja consultado quando menos para lhe pôr a poesia que os relatórios policiais não têm.

Enfim, melhor que atentados, deposições e desmembramentos, é a notícia que nos trouxe o telégrafo, ainda o telégrafo, sempre o telégrafo. Porfírio Díaz abriu o congresso mexicano, apresentando-lhe a mensagem em que anuncia a redução dos impostos. Estas duas palavras raramente andam juntas; saudemos tão doce consórcio. Só um amor verdadeiro as poderia unir. Que tenham muitos filhos é o meu mais ardente desejo.

22 DE NOVEMBRO
DE 1896

A natureza tem segredos grandes e inopináveis. Não me refiro especialmente ao de anteontem, no Cassino Fluminense, onde algumas senhoras e homens de sociedade nos deram ópera, comédia e pantomima, com tal propriedade, graça e talento, que encantaram o salão repleto. Não é a primeira vez que a comissão do Coração de Jesus ajunta ali a flor da cidade. Aos esforços das senhoras que a compõem correspondem os convidados, – e desta vez apesar do tempo, que era execrável, – e aos convidados, em cujo número se contava agora o Sr. vice-presidente da República, corresponderam os que se incumbiram de dizer, cantar ou gesticular alguma coisa. Outros contarão por menor e por nomes o que fizeram os improvisados artistas. A mim nem me cabe esta nota de passagem, em verdade menos viva que a do meu espírito; mas, pois que saiu, aí fica.

Não, o inopinável e grande da natureza, a que me quero referir, é outro. Um dos maiores sabe-se que é o suicídio, que nos parece absurdo, quando a vida é a necessidade comum; mas considerando que é a mesma vida que leva o homem a eliminá-la, – *propter vitam*, – tudo afinal se explica na pessoa que pega em si, e dá um talho, bebe uma droga ou se deita de alto a baixo na rua ou no mar.

As crianças pareciam isentas dessa vertigem; mas há ainda poucas semanas deram os jornais notícia de uma criaturinha de doze anos que acabou com a existência, – uns dizem que por pancadas recebidas, outros que por nada. Tivemos agora um caso mais particular: um fazendeiro rio-grandense deu um tiro na cabeça e desapareceu do número dos vivos. O telegrama nota que era homem de idade, – o que exclui qualquer paixão amorosa, conquanto as cãs não sejam inimigas das moças; podem ser invejosas, mas inveja não é inimizade. E há vários modos de amar as moças, – o modo conjuntivo e o modo extático; ora, o segundo é de todas as fases deste mundo. Além de idoso, o suicida era rico, isto é, aquele bem que a sabedoria filosófica reputa o segundo da terra, ele o possuía em grau bastante para não padecer nos últimos da vida, ou antes para vivê-los à farta, entre os confortos do corpo e da boca. Não tinha moléstia alguma; nenhuma paixão política o atormentava. Qual a causa então do suicídio?

A causa foi a convicção que esse homem tinha de ser pobre. O telegrama chama-lhe mania, eu digo convicção. Qualquer, porém, que seja o nome, a verdade é que o fazendeiro rio-grandense, largamente proprietário, acreditava ser pobre, e daí o terror natural que traz a pobreza a uma pessoa que trabalhou por ser rica, viu chegar o dinheiro, crescer, multiplicar-se, e por fim começou a vê-lo desaparecer aos poucos, a mais e mais depressa, e totalmente. Note-se bem que não foi a ambição de possuir mais dinheiro que o levou à morte, – razão de si misteriosa, mas menos que a outra; foi a convicção de não ter nada.

Não abaneis a cabeça. A vossa incredulidade vem de que a fazenda do homem, os seus cavalos, as suas bolivianas, as suas letras e apólices valiam realmente o que querem que valham; mas não fostes vós que vos matastes, foi ele e nada disso era vosso, mas do suicida. As causas têm o valor do aspecto, e o aspecto depende da retina. Ora, a retina daquele homem achou que os bens tão invejados de outros eram coisa nenhuma, e prevendo o pão alheio, a cama da rua, o travesseiro de pedra ou de lodo, preferiu ir buscar a outros climas melhor vida ou nenhuma, segundo a fé que tivesse.

O avesso deste caso é bem conhecido naquele cidadão de Atenas que não tinha nem possuía uma dracma, um pobre-diabo convencido de que todos os navios que entravam no Pireu eram dele; não precisou mais para ser feliz. Ia ao porto, mirava os navios e não podia conter o júbilo que traz uma riqueza tão extraordinária. Todos os navios! Todos os navios eram seus! Não se lhe escureciam os olhos e todavia mal podia suportar a vista de tantas propriedades. Nenhum navio estranho; nenhum que se pudesse dizer de algum rico negociante ateniense. Esse opulento de barcos e ilusões comia de empréstimo ou de favor; mas não tinha tempo para distinguir entre o que lhe dava uma esmola e o seu criado. Daí veio que chegou ao fim da vida e morreu naturalmente e orgulhosamente.

Os dois casos, por avessos que pareçam um ao outro, são o mesmo e único. A ilusão matou um, a ilusão conservou o outro; no fundo, há só a convicção que ordena os atos. Assim é que um pobretão, crendo ser rico, não padece miséria alguma, e um opulento, crendo ser pobre, dá cabo da vida para fugir à mendicidade. Tudo é reflexo da consciência.

Não mofeis de mim, se achais aí um ar de sermão ou filosofia. O meu fim não é só contar os atos ou comentá-los; onde houver uma lição útil é meu gosto e dever tirá-la e divulgá-la como um presente aos leitores; é o que faço aqui. A lição que tirar pode ter a existência do cavalo do pampa ou a do navio do Pireu; toda a questão é que valha por uma realidade, aos olhos do fazendeiro do sul e do cidadão de Atenas.

A lição é que não peçais nunca dinheiro grosso aos deuses, senão com a cláusula expressa de saber que é dinheiro grosso. Sem ela, os bens são menos que as flores de um dia. Tudo vale pela consciência. Nós não temos outra prova do mundo que nos cerca senão a que resulta do reflexo dele em nós: é a filosofia verdadeira. Todo Rothschild and Sons, nossos credores, valeriam menos que os nossos criados, se não possuíssem a certeza luminosa de que são muito ricos. Wanderbilt seria nada; Jay Gould um triste cocheiro de tílburi sem possuir sequer o carro nem o cavalo, a não ser a convicção dos seus bens.

Passai das riquezas materiais às intelectuais: é a mesma coisa. Se o mestre-escola da tua rua imaginar que não sabe vernáculo nem latim, em vão lhe provarás que ele escreve como Vieira ou Cícero, ele perderá as noites e os sonos em cima dos livros, comerá as unhas em vez de pão, encanecerá ou encalvecerá, e morrerá sem crer que mal distingue o verbo do advérbio. Ao contrário, se o teu copeiro acreditar que escreveu *Os lusíadas*, lerá com orgulho (se souber ler) as estâncias do poeta; repeti-las-á de cor, interrogará o teu rosto, os teus gestos, as tuas meias-palavras, ficará por horas diante dos mostradores mirando os exemplares do poema exposto. Só meterá em processo os editores se não supuser que ele é o próprio Camões: tendo essa persuasão, não fará mais que ler aquele nome tão bem visto de todos, abençoá-lo em si mesmo; ouvi-lo aos outros, acordado e dormindo.

Que diferença achais entre o mestre-escola e o seu copeiro? Consciência pura. Os frívolos, crentes de que a verdade é o que todos aceitam, dirão que é mania de ambos, como o telegrama mandou dizer do fazendeiro do sul, como os antigos diriam do cidadão de Atenas. A verdade, porém, é o que deveis saber, uma impressão interior. O povo, que diz as coisas por modo simples e expressivo, inventou aquele adágio: Quem o feio ama, bonito lhe parece.

Logo, qual é a verdade estética? É a que ele vê, não a que lhe demonstrais.

A conclusão é que o que parece desmentir a natureza de parte de um homem que se elimina por supor que empobreceu, não é mais que a sua própria confirmação. Já não possuía nada o suicida. A contabilidade interior usa regras às vezes diversas da exterior, diversas e contrárias, vinte com vinte podem somar quarenta, mas também podem somar cinco ou três, e até um, por mais absurdo que este total pareça; a alma é que é tudo, amigo meu, e não é Bezout que faz a verdade das verdades. Assim, e pela última vez, repito que vos não limiteis a pedir bens simples, mas também a consciência deles. Se eles não puderem vir, venha ao menos a consciência. Antes um navio no Pireu que cem cavalos no pampa.

29 DE NOVEMBRO DE 1896

GUITARRA FIM DE SÉCULO

> *Gastibelza, l'homme à la carabine, chantait ainsi.*
> V. Hugo

Abdul-Hamid, padixá da Turquia.
    Servo de Alá,
Ao relembrar como outrora gemia
    Gastibelzá
Soltou a voz solitária e plangente
    Cantando assim: –
"Verei morrer este eterno doente?
    Penso que sim.
"Ó meu harém! ó sagradas mesquitas
    Meu céu azul!
Terra de tantas mulheres bonitas,
    Minha Istambul!
Ó Dardanelos! ó Bósforo! ó gente
    Síria, alepim! –
Verei morrer este eterno doente?
    Penso que sim.

"Ouço de um lado bradar o Evangelho,
    De outro o Corão,
Ambos à força daquele ódio velho,
    Velha paixão,
E sinto em risco o meu trono luzente,
    Todo cetim. –
Verei morrer este eterno doente?
    Penso que sim.

"Gladstone, certo feroz paladino,
    Cristão e inglês,
Em discurso chamou-me assassino,
    Há mais de um mês;
Ninguém puniu esse dito insolente
    De tal mastim. –
Verei morrer este eterno doente?
    Penso que sim.

"Chamou-me ainda não sei se maluco,
    Ele que já
Vai pela idade de mole e caduco,
    Velho paxá,
Ele que quis rebelar toda a gente
    Da verde Erim, –
Verei morrer este eterno doente?
    Penso que sim.

"Ah! se eu, em vez de gostar da sultana
    E outras hanuns,
Trocar quisesse esta Porta Otomana
    Pelos Comuns,
Dar-me-iam, dizem, o trato excelente
    Que dão ao chim. –
Verei morrer este eterno doente?
    Penso que sim.

"Querem que faça reformas no império,
    Voto, eleição,
Que inda mais alto que o nosso mistério
    Ponha o cristão,
Que dê à cruz o papel do crescente,
    Como em Dublim. –
Verei morrer este eterno doente?
    Penso que sim.

"Que tempo aquele em que bons aliados
    Bretão, francês,
Defender vinham dos golpes danados
    O nosso fez!
Então a velha questão do Oriente
    Tinha outro fim. –
Verei morrer este eterno doente?
    Penso que sim.

"Então a gente da ruiva Moscóvia,
    Imperiais
Da Bessarábia, Sibéria, Varsóvia,
    Odessa e o mais,
Não conseguiam meter o seu dente
    No meu capim. –
Verei morrer este eterno doente?
    Penso que sim.

"Hoje meditam levar-me aos pedaços
    Tudo o que sou,
Cabeça, pernas, costelas e braços,
    Paris, Moscou,
A rica Londres, Viena a potente,
    Roma a Berlim. –
Verei morrer este eterno doente?
    Penso que sim.

"Oh! desculpai-me se nesta lamúria,
          Se neste andar,
Preciso às vezes entrar na Ligúria
          Para rimar.
Para rimar um mandão do Ocidente
          Com mandarim. –
Verei morrer este eterno doente?
          Penso que sim.

"Constantinopla rimar com manopla,
          Bem, sim, senhor;
Porém que a dura exigência da copla
          Torne uma flor
Igual à erva mofina e cadente
          De um mau jardim... –
Verei morrer este eterno doente?
          Penso que sim.

"Pois eu rimei *Maomé* com *verdade*,
          Mas hoje, ao ver
Que nem me fica esta velha cidade,
          Sinto perder
A fé que tinha de príncipe e crente
          Até o fim. –
Verei morrer este eterno doente?
          Penso que sim.

"Donzelas frescas, matronas gorduchas,
          Com *feredjehs*,
Moças calçadas de lindas babuchas
          Nos finos pés,
Mastigam doces com gesto indolente
          No meu festim. –
Verei morrer este eterno doente?
          Penso que sim.

"Onde irão elas comer os confeitos
      Que ora aqui têm?
Quem lhes dará esses sonos perfeitos
      Do meu harém?
Onde acharão o sabor excelente
      De um alfenim? –
Verei morrer este eterno doente?
      Penso que sim.

"E eu, onde irei, se me deitam abaixo?
      Onde irei eu,
Servo de Alá, sem bastão nem penacho?
      Tal o judeu
Errante, irei, sem parar, tristemente,
      De Ohio a Pequim. –
Verei morrer este eterno doente?
      Penso que sim.

"Ver-me-ão à noite, com lua ou sem lua.
      Seguir atrás
Da costureira que passa na rua,
      Honesta, em paz,
Pedir-lhe um beijo de amor por um pente
      De ouro ou marfim. –
Verei morrer este eterno doente?
      Penso que sim.

"Comerei só, sem eunucos escuros,
      Em *restaurant*,
Talvez bebendo dos vinhos impuros
      Que veda Islã;
Esposo de uma senhora somente
      Assim, assim. –
Verei morrer este eterno doente?
      Penso que sim.

"Penso que sim. Virão logo rasgá-lo,
   Como urubus
Sobre o cadáver de um pobre cavalo,
   Nações de truz.
Farão de cada pedaço jacente
   Uma Tonquim. –
Verei morrer este eterno doente?
   Penso que sim.

"Penso que sim; mas, pensando mais fundo,
   Bem pode ser
Que ele inda fique algum tempo no mundo;
   Tudo é fazer
Com que elas briguem na festa esplendente
   Antes do fim. –
Verei viver este eterno doente?
   Talvez que sim."

31 DE JANEIRO
DE 1897

Os direitos da imaginação e da poesia hão de sempre achar inimiga uma sociedade industrial e burguesa. Em nome deles protesto contra a perseguição que se está fazendo à gente de Antônio Conselheiro. Este homem fundou uma seita a que se não sabe o nome nem a doutrina. Já este mistério é poesia. Contam-se muitas anedotas, diz-se que o chefe manda matar gente, e ainda agora fez assassinar famílias numerosas porque o não queriam acompanhar. É uma repetição do *crê ou morre*; mas a vocação de Maomé era conhecida. De Antônio Conselheiro ignoramos se teve alguma entrevista com o anjo Gabriel, se escreveu algum livro, nem sequer se sabe escrever. Não se lhe conhecem discursos. Diz-se que tem consigo milhares de fanáticos. Também eu o disse aqui, há dois ou três anos, quando eles não passavam de mil ou mil e tantos. Se na última batalha é certo haverem morrido novecentos deles e o resto não se despega de tal apóstolo, é que algum vínculo moral e fortíssimo os prende até a morte. Que vínculo é esse?

No tempo em que falei aqui destes fanáticos, existia no mesmo sertão da Bahia o bando dos clavinoteiros. O nome de clavinoteiros dá antes ideia de salteadores que de religiosos; mas se no *Corão* está escrito que "o alfanje é a chave do céu e do inferno", bem pode ser que o clavinote seja a gazua, e para entrar no céu tanto importará uma como outra; a questão é entrar. Não obstante, tenho para mim que esse bando desapareceu de todo; parte estará dando origem a desfalques em cofres públicos ou particulares, parte, à volta das urnas eleitorais. O certo é que ninguém mais falou dele. De Antônio Conselheiro e seus fanáticos nunca se fez silêncio absoluto. Poucos acreditavam, muitos riam, quase todos passavam adiante, porque os jornais são numerosos e a viagem dos bondes é curta; casos há, como os de Santa Teresa, em que é curtíssima. Mas, em suma, falava-se deles. Eram matéria de crônicas sem motivo.

Entre as anedotas que se contam de Antônio Conselheiro, figura a de se dar ele por uma encarnação de Cristo, acudir ao nome de Bom Jesus e haver eleito doze confidentes principais, número igual ao dos apóstolos. O correspondente da *Gazeta de Notícias* mandou ontem notícias telegráficas, cheias de interesse, que toda gente leu, e por isso não as ponho aqui; mas, em primeiro lugar, escreve da capital da Bahia, e, depois, não se funda em testemunhas de vista, mas de outiva; deu-se honesta pressa em mandar as novas para cá, tão minuciosas e graves, que chamaram naturalmente a atenção pública. Outras folhas também as deram; mas serão todas verdadeiras? Eis a questão. O número dos sequazes do Conselheiro sobe já a dez mil, não contando os lavradores e comerciantes que o ajudam com gêneros e dinheiro.

Dado que tudo seja exato, não basta para conhecer uma doutrina. Diz-se que é um místico, mas é tão fácil supô-lo que não adianta nada dizê-lo. Nenhum jornal mandou ninguém aos Canudos. Um repórter paciente e sagaz, meio fotógrafo ou desenhista, para trazer as feições do Conselheiro e dos principais subchefes, podia ir ao centro da seita nova e colher a verdade inteira sobre ela. Seria uma proeza americana. Seria uma empresa quase igual à remoção do Bendegó, que devemos ao esforço e direção de um patrício tenaz. Uma comissão não poderia ir; as comissões geralmente divergem logo na data da primeira conferência, e é duvidoso que esta desembarcasse na Bahia sem três opiniões (pelo menos) acerca do Juazeiro.

Não se sabendo a verdadeira doutrina da seita, resta-nos a imaginação para descobri-la e a poesia para floreá-la. Estas têm direitos anteriores a toda organização civil e política. A imaginação de Eva fê-la escutar sem nojo um animal tão imundo como a cobra, e a poesia de Adão é que o levou a amar aquela tonta que lhe fez perder o paraíso terrestre.

Que vínculo é esse, repito, que prende tão fortemente os fanáticos ao Conselheiro? Imaginação, cavalo de asas, sacode as crinas e dispara por aí afora; o espaço é infinito. Tu, poesia, trepa-lhe aos flancos, que o espaço, além de infinito, é azul. Ide, voai, em busca da estrela de ouro que se esconde além, e mostrai-nos em que é que consiste a doutrina deste homem. Não vos fieis no telegrama da *Gazeta*, que diz estarem com ele quatro classes de fanáticos, e só uma delas sincera. Primeiro que tudo, quase não há grupo a que se não agregue certo número de homens interessados e empulhadores; e, se vos contentais com uma velha chapa, a perfeição não é deste mundo. Depois, se há crentes verdadeiros, é que acreditam em alguma coisa. Essa coisa é que é o mistério. Tão atrativa é ela que um homem, não suspeito de conselheirista, foi com a senhora visitar o apóstolo, deixando-lhe de esmola quinhentos mil-réis, e ela, quatrocentos mil. Esta notícia é sintomática. Se um pai de família, capitalista ou fazendeiro, pega em si e na esposa e vai dar pelas próprias mãos algum auxílio pecuniário ao Conselheiro, que já possui uns cem contos de réis, é que a palavra deste passa além das fileiras de combate.

Não trato, porém, de conselheiristas ou não conselheiristas; trato de *conselheirismo*, e por causa dele é que protesto e torno a protestar contra a perseguição que se está fazendo à seita. Vamos perder um assunto vago, remoto, fecundo e pavoroso. Aquele homem que reforça as trincheiras envenenando os rios é um Maomé forrado de um Borgia. Vede que acaba de despir o burel e o bastão pelas armas; a imagem do bastão e do burel dá-lhe um caráter hierático. Enfim, deve exercer uma fascinação grande para incutir a sua doutrina em uns e a esperança da riqueza em outros. Chego a imaginar que o elegem para a Câmara dos Deputados, e que ele aí chega, como aquele francês muçulmano, que ora figura na Câmara de Paris, com turbante e burnu. Estou a ver entrar o Conselheiro, deixando o bastão onde outros deixam o guarda-chuva e sentando o burel onde outros pousam as calças. Estou a vê-lo erguer-se e propor indenização para os seus dez mil homens dos Canudos...

A perseguição faz-nos perder isto; acabará por derribar o apóstolo, destruir a seita e matar os fanáticos. A paz tornará ao sertão, e com ela a monotonia. A monotonia virá também à nossa alma. Que nos ficará depois da vitória da lei? A nossa memória, flor de 48 horas, não terá para regalo a água fresca da poesia e da imaginação, pois seria profaná-las com desastres elétricos de Santa Teresa, roubos, contrabandos e outras anedotas sucedidas nas quinta-feiras[1] para se esquecerem nos sábados.

---

1 Está assim na *Gazeta de Notícias*. Dois outros exemplos desse plural insólito podem ser vistos em *Esaú e Jacó*, Garnier, p. 100 e 101; na p. 300 encontra-se o normal – quintas-feiras. No seu livro *Alguns Escritos*, Mário de Alencar, fino sabedor da língua, emprega também quinta-feiras (p. 37).

7 DE FEVEREIRO
DE 1897

A semana é de mulheres. Não falo daquelas finas damas elegantes que dançaram em Petrópolis por amor de uma obra de caridade. Para falar delas não faltarão nunca penas excelentes. Quisera dizer penas de alguma ave graciosa, a fim de emparelhar com a de águia que vai servir para assinar o tratado de arbitramento entre os Estados Unidos e a Inglaterra. Mas se o nome de pena ficou ao pedacinho de metal que ora usamos, direi às damas de Petrópolis que também haverá um coração para adornar as que escreverem delas, como houve um para enfeitar a pena de águia diplomática. Diferem os dois corações em ser este de ouro, cravejado de brilhantes. E são ingleses! e são anglo-americanos! E dizem-se homens práticos e duros! Em meio de tanta dureza e tanta prática, lá acharam uma nesga azul de poesia, um raio de simbolismo e uma expressão de sentimento que se confunde com a dos namorados.

Nós, que não somos práticos e temos uma nota de meiguice no coração, tão alegres que enchemos as ruas de confetes cinco ou seis semanas antes do Carnaval, nós não proporíamos aquele coração de ouro com brilhantes para assinar o tratado. Não é porque as nossas finanças estão antes para o simples aço de Birmingham, mas por não cair em ternura pública, neste fim de século, e um pouco por medo da troça. Nós temos da seriedade uma ideia que se confunde com a de sequidão. Ministro que em tal pensasse cuidaria ouvir, alta noite, por baixo das janelas, ao som do violão, aqueles célebres versos de Laurindo:

> *Coração, por que palpitas?*
> *Coração por que te agitas?*

Os ingleses e os anglo-americanos, esses são capazes de achar uma nota de poesia nas mulheres de soldados que se foram despedir de seus amigos do 7º batalhão, quando este embarcou para a Bahia, quarta-feira. Foram despedir-se à praia, como as esposas de *Os lusíadas* e até as fizeram lembrar aos que não esqueceram este e os demais versos: "Qual em cabelo: Ó doce e amado esposo!" As diferenças são grandes; umas eram consortes dos barões assinalados que saíram a romper o mar "que geração alguma não abriu", estas cá são tristes sócias dos soldados, e não podiam ir com eles, como de costume. Queriam acompanhá-los até a Bahia, até o sertão, até os Canudos, onde o Major Febrônio não entrou, por motivos constantes de um documento público. Dizem que choravam muitas; dizem que outras declaravam que iriam em breve juntar-se a eles, tendo vivido com eles e querendo morrer com eles. Delas não poucas os vieram acompanhando de Santa Catarina e nada conheciam da cidade, mas bradavam com a mesma alma que buscariam meios de chegar até onde chegasse a expedição.

Talvez tudo isso vos pareça reles e chato. Deus meu, não são as lástimas de Dido, nem a meia dúzia de linhas da notícia podem pedir meças aos versos do poeta. Os soldados do 7º batalhão não são Eneias; vão à cata de um iluminado e seus fanáticos, empresa menos para glória que para trabalhos duros. Assim é; mas é também certo, pelo que dizem as gazetas, que as tais mulheres padeciam deveras. Ora, a dor, por mais rasteira que doa, não perde o seu ofício de doer. Essas amigas de quartel não elevam o espírito, mas pode ser que contriste ouvi-las, como entristece ver as feridas dos mendigos que andam na rua ou residem nas calçadas, corredores e portas.

Entre parênteses, não excluo do número dos mendigos aqueles mesmos que têm carro, porquanto as suas despesas são relativamente grandes. Há dias, alguém que lê os jornais de fio a pavio deu com um anúncio de um homem que se oferecia para puxar carro de mendigo; donde concluía esta senhora (é uma senhora) que há homens mais mendigos que os próprios mendigos. Chegou ao ponto de crer que a carreira do mendigo é próspera, uma vez que a dos seus criados é atrativa. Não vou tão longe; eu creio que antes ser diretor de banco, – ainda de banco que não pague dividendos. Tem outro asseio, outra compostura, outra respeitabilidade, e durante o exercício governa o mercado, ou faz que governa, que é a mesma coisa.

Pobres amigas de quartel! Não direi, para fazer poesia, que fostes misturar as vossas lágrimas amargas com o mar, que é também amargo; faria apenas um trocadilho, sem grande sentido, pois não é o sal que dói. Também não quero notar que a aflição é a rasoura da gala e do molambo. Não; eu sou mais humano; eu peço para vós uma esperança, – a esperança máxima, que é o esquecimento. Se não houverdes dinheiro para embarcar, pedi ao menos o esquecimento, e este caluniado amigo dos homens pode ser que venha sentar-se à beira das velhas tábuas que vos servem de leito. Se ele vier, não o mandeis embora; há casos em que ele não é preciso, e entretanto fica e faz prosperar um sentimento novo. No nosso pode ser necessário. Enquanto o sócio perde uma perna cumprindo o seu dever, a sócia deslembrada perde a saudade, que dói mais que ferro no corpo, e tudo se acomoda.

Lágrimas parecem-se com féretros. Quando algum destes passa, rico ou pobre, acompanhado ou sozinho, todos tiram o chapéu sem interromper a conversação, que tanto pode ser da expedição dos Canudos como do naufrágio da Laje. Por isso, descobre-te ao ver passar aquelas outras lágrimas humildes e desesperadas que verteram as esposas e filhos dos operários que naufragaram na fortaleza. Também estas correram à praia, umas pelos pais, outras pelos maridos, todas por defuntos, dos quais só alguns apareceram; a maior parte, se não ficou ali no seio das águas, foi levada por estas, barra fora, à descoberta de um mundo mais que velho.

Era uso dos operários irem às manhãs e tornarem às tardes; mas o mar tem surpresas, e as suas águas não amam só as vítimas ilustres. Também lhes servem as obscuras, sem que aliás precisem de umas nem de outras; mas é por amor dos homens que elas os matam. Assim ficam eles avisados a se não arriscarem mais sem grandes cautelas. Em caso de desespero, não trabalhem. O trabalho é honesto, mas há outras ocupações pouco menos honestas e muito mais lucrativas.

14 DE FEVEREIRO
DE 1897

Conheci ontem o que é celebridade. Estava comprando gazetas a um homem que as vende na calçada da Rua de S. José, esquina do Largo da Carioca, quando vi chegar uma mulher simples e dizer ao vendedor com voz descansada:

– Me dá uma folha que traz o retrato desse homem que briga lá fora.

– Quem?

– Me esqueceu o nome dele.

Leitor obtuso, se não percebeste que "esse homem que briga lá fora" é nada menos que o nosso Antônio Conselheiro, crê-me que és ainda mais obtuso do que pareces. A mulher provavelmente não sabe ler, ouviu falar da seita dos Canudos, com muito pormenor misterioso, muita auréola, muita lenda, disseram-lhe que algum jornal dera o retrato do Messias do sertão, e foi comprá-lo, ignorando que nas ruas só se vendem as folhas do dia. Não sabe o nome do Messias; é "esse homem que briga lá fora". A celebridade, caro e tapado leitor, é isto mesmo. O nome de Antônio Conselheiro acabará por entrar na memória desta mulher anônima, e não sairá mais. Ela levava uma pequena, naturalmente filha; um dia contará a história à filha, depois à neta, à porta da estalagem, ou no quarto em que residirem.

Esta é a celebridade. Outra prova é o eco de New York e de Londres onde o nome de Antônio Conselheiro fez baixar os nossos fundos. O efeito é triste, mas vê se tu, leitor, sem fanatismo, vê se és capaz de fazer baixar o menor dos títulos. Habitante da cidade, podes ser conhecido de toda a Rua do Ouvidor e seus arrabaldes, cansar os chapéus, as mãos, as bocas dos outros em saudações e elogios; com tudo isso, com o teu nome nas folhas ou nas esquinas de uma rua, não chegarás ao poder daquele homenzinho, que passeia pelo sertão, uma vila, uma pequena cidade, a que só falta uma folha, um teatro, um clube, uma polícia e sete ou oito roletas, para entrar nos almanaques.

Um dia, anos depois de extinta a seita e a gente dos Canudos, Coelho Neto, contador de coisas do sertão, talvez nos dê algum quadro daquela vida, fazendo-se cronista imaginoso e magnífico deste episódio que não tem nada fim de século. Se leste o *Sertão*, primeiro livro da "Coleção Alva", que ele nos deu agora, concordarás comigo. Coelho Neto ama o sertão, como já amou o Oriente, e tem na palheta as cores próprias – de cada paisagem. Possui o senso da vida exterior. Dá-nos a floresta, com os seus rumores e silêncios, com os seus bichos e rios, e pinta-nos um caboclo que, por menos que os olhos estejam acostumados a ele, reconhecerão que é um caboclo.

Este livro do *Sertão* tem as exuberâncias do estilo do autor, a minuciosidade das formas, das coisas e dos momentos, o numeroso rol das características de uma cena ou de um quadro. Não se contenta com duas pinceladas breves e fortes; o colorido é longo, vigoroso e paciente, recamado de frases como aquela do céu quente "donde caía uma paz cansada", e de imagens como esta: "A vida banzeira, apenas alegrada pelo som da voz de Felicinha, de um timbre fresco e sonoro de mocidade, deriva como um rio lodoso e pesado de águas grossas, à beira do qual cantava uma ave jucunda". A natureza está presente a tudo nestas páginas. Quando Cabiúna morre ("Cega", 280) e estão a fazer-lhe o caixão, à noite, são as águas, é o farfalhar das ramas fora que vem consolar os tristes de casa pela perda daquele "esposo fecundante das meigas virgens, patrono humano da floração dos campos, reparador dos flagelos do sol e das borrascas". ("Cega" é uma das mais aprimoradas novelas do livro. "Praga" terá algures demasiado arrojo, mas compensa o que houver nela excessivo pela vibração extraordinária dos quadros.

Estes não são alegres nem graciosos, mas a gente orça ali pela natureza da praga, que é o cólera. Agora, se quereis a morte jovial, tendes *Firmo, o vaqueiro*, um octogenário que "não deixa cair um verso no chão", e morre cantando e ouvindo cantar ao som da viola. "Os Velhos" foram dados aqui. "Tapera" saiu na *Revista Brasileira*.

Os costumes são rudes e simples, agora amorosos, agora trágicos, as falas adequadas às pessoas, e as ideias não sobem da celebração natural do matuto. Histórias sertanejas dão acaso não sei que gosto de ir descansar, alguns dias, da polidez encantadora e alguma vez enganadora das cidades. Varela sabia o ritmo particular desse sentimento; Gonçalves Dias, com andar por essas Europas fora, também o conhecia; e, para só falar de um prosador e de um vivo, Taunay dá vontade de acompanhar o Dr. Cirino e Pereira por aquela longa estrada que vai de Sant'Ana de Paranaíba a Camapuama, até o leito da graciosa Nocência. Se achardes no *Sertão* muito sertão, lembrai-vos que ele é infinito, e a vida ali não tem esta variedade que não nos faz ver que as casas são as mesmas, e os homens não são outros. Os que parecem outros um dia é que estavam escondidos em si mesmos.

Ora bem, quando acabar esta seita dos Canudos, talvez haja nela um livro sobre o fanatismo sertanejo e a figura do Messias. Outro Coelho Neto, se tiver igual talento, pode dar--nos daqui a um século um capítulo interessante, estudando o fervor dos bárbaros e a preguiça dos civilizados, que os deixaram crescer tanto, quando era mais fácil tê-los dissolvido com uma patrulha, desde que o simples frade não fez nada. Quem sabe? Talvez então algum devoto, relíquia dos Canudos, celebre o centenário desta finada seita.

Para isso, basta celebrar o centenário da cabeleira do apóstolo, como agora, pelo que diz o *Jornal do Comércio*, comemoraram em Londres o centenário da invenção do chapéu alto. Chapéus e cabelos são amigos velhos. Foi a 15 de janeiro último. Não conhecendo a história deste complemento masculino, nada posso dizer das circunstâncias em que ele apareceu no dia 15 de janeiro de 1797. Ou foi exposto à venda naquela data, ou apontou na rua, ou algum membro do parlamento entrou com ele no recinto dos debates, à maneira britânica. Fosse como fosse, os ingleses celebraram esse dia histórico da chapelaria humana. Sabeis o que Macaulay disse da morte de um rei e da morte de um rato. Aplicando o conceito ao presente caso, direi que a concepção de um chapeleiro no ventre de sua mãe é, em absoluto, mais interessante que a fabricação de um chapéu; mas, hipótese haverá em que a fabricação de um chapéu seja mais interessante que a concepção do chapeleiro. Este não passará do chapéu comum e trabalhará para uma geração apenas; aquele será novo e ficará para muitas gerações.

Com efeito, lá vai um século, e ainda não acabou o chapéu alto. O chapéu baixo e o chapéu mole fazem-lhe concorrência por todos os feitios, e, às vezes, parecem vencê-lo. Um fazendeiro, vindo há muitos anos a esta capital, na semana em que certa chapelaria da Rua de S. José abriu ao público as suas seis ou sete portas, ficou pasmado de vê-las todas, de alto a baixo, cobertas de chapéus compridos. Tempo depois, voltando e indo ver a casa, achou-lhe as mesmas seis ou sete portas cobertas de chapéus curtos. Cuidou que a vitória destes era decidida, mas sabeis que se enganou. O chapéu alto durará ainda e durará por muitas dúzias de anos. Quando ninguém já o trouxer de passeio ou de visita, servirá nas cerimônias públicas. Eu ainda alcancei o porteiro do Senado, nos dias de abertura e de encerramento da assembleia geral, vestindo calção, meia e capa de seda preta, sapato raso com fivela, e espadim à cinta. Por fim, acabou o vestuário do porteiro. O mesmo sucederá ao chapéu alto; mas por enquanto há quem celebre o seu primeiro século de existência. Tem-se dito muito mal deste chapéu. Chamam-lhe *cartola, chaminé*, e não tarda *canudo*, para rebaixá-lo até a cabeleira hirsuta de Antônio Conselheiro. No Carnaval, muita gente o não tolera, e os mais audazes saem à rua de chapéu baixo, não tanto para poupar o alto, como para resguardar a cabeça, sem a qual não há chapéu alto nem baixo.

4 DE NOVEMBRO
DE 1897

Entre tais e tão tristes casos da semana, como o terremoto de Venezuela, a queda do Banco Rural e a morte do sineiro da Glória, o que mais me comoveu foi o do sineiro.
Conheci dois sineiros na infância, aliás três, – o *Sineiro de S. Paulo*, drama que se representava no Teatro S. Pedro, – o sineiro da *Notre Dame de Paris*, aquele que fazia um só corpo, ele e o sino, e voavam juntos em plena Idade Média, e um terceiro, que não digo, por ser caso particular. A este, quando tornei a vê-lo, era caduco. Ora, o da Glória parece ter lançado a barra adiante de todos.
Ouvi muita vez repicarem, ouvi dobrarem os sinos da Glória, mas estava longe absolutamente de saber quem era o autor de ambas as falas. Um dia cheguei a crer que andasse nisso eletricidade. Esta força misteriosa há de acabar por entrar na igreja e já entrou, creio eu, em forma de luz. O gás também já ali se estabeleceu. A igreja é que vai abrindo a porta às novidades, desde que a abriu à cantora de sociedade ou de teatro, para dar aos solos a voz de soprano, quando nós a tínhamos trazida por D. João VI, sem despir-lhe as calças. Conheci uma dessas vozes, pessoa velha, pálida e desbarbada; cantando, parecia moça.
O sineiro da Glória é que não era moço. Era um escravo, doado em 1853 àquela igreja, com a condição de a

servir dois anos. Os dois anos acabaram em 1855, e o escravo ficou livre, mas continuou o ofício. Contem bem os anos, 45, quase meio século, durante os quais este homem governou uma torre. A torre era dele, dali regia a paróquia e contemplava o mundo.

Em vão passavam as gerações, ele não passava. Chamava-se João. Noivos casavam, ele repicava às bodas; crianças nasciam, ele repicava ao batizado; pais e mães morriam, ele dobrava aos funerais. Acompanhou a história da cidade. Veio a febre amarela, o cólera-mórbus, e João dobrando. Os partidos subiam ou caíam, João dobrava ou repicava, sem saber deles. Um dia começou a Guerra do Paraguai, e durou cinco anos; João repicava e dobrava, dobrava e repicava pelos mortos e pelas vitórias. Quando se decretou o ventre livre das escravas, João é que repicou. Quando se fez a abolição completa, quem repicou foi João. Um dia proclamou-se a República, João repicou por ela, e repicaria pelo Império, se o Império tornasse.

Não lhe atribuas inconsistência de opiniões; era o ofício. João não sabia de mortos nem de vivos; a sua obrigação de 1853 era servir à Glória, tocando os sinos, e tocar os sinos, para servir à Glória, alegremente ou tristemente, conforme a ordem. Pode ser até que, na maioria dos casos, só viesse a saber do acontecimento depois do dobre ou do repique.

Pois foi esse homem que morreu esta semana, com oitenta anos de idade. O menos que lhe podiam dar era um dobre de finados, mas deram-lhe mais; a Irmandade do Sacramento foi buscá-lo à casa do vigário Molina para a igreja, rezou-se-lhe um responso e levaram-no para o cemitério, onde nunca jamais tocará sino de nenhuma espécie; ao menos, que se ouça deste mundo.

Repito, foi o que mais me comoveu dos três casos. Porque a queda do Banco Rural, em si mesma, não vale mais que a de outro qualquer banco. E depois não há bancos eternos. Todo banco nasce virtualmente quebrado; é o seu destino, mais ano, menos ano. O que nos deu a ilusão do contrário foi o finado Banco do Brasil, uma espécie de sineiro da Glória, que repicou por todos os vivos, desde Itaboraí até Dias de Carvalho, e sobreviveu ao Lima, ao "Lima do Banco". Isto é que fez crer a muitos que o Banco do Brasil era eterno. Vimos que não foi. O da República já não trazia o mesmo aspecto; por isso mesmo durou menos.

Ao Rural também eu conheci moço; e, pela cara, parecia sadio e robusto. Posso até contar uma anedota, que ali se deu há trinta anos e responde ao discurso do Sr. Júlio Otoni. Ninguém me contou; eu mesmo vi com estes olhos que a terra há de comer, eu vi o que ali se passou há tanto tempo. Não digo que fosse novo, mas para mim era novíssimo.

Estava eu ali, ao balcão do fundo, conversando. Não tratava de dinheiro, como podem supor, posto fosse de letras, mas não há só letras bancárias; também as há literárias, e era destas que eu tratava. Que o lugar não fosse propício, creio; mas, aos vinte anos, quem é que escolhe lugar para dizer bem de Camões?

Era dia de assembleia geral de acionistas, para se lhes dar conta da gestão do ano ou do semestre, não me lembra. A assembleia era no sobrado. A pessoa com quem eu falava tinha de assistir à sessão, mas, não havendo ainda número, bastava esperar cá embaixo. De resto, a hora estava a pingar. E nós falávamos de letras e de artes, da última comédia e da ópera recente. Ninguém entrava de fora, a não ser para trazer ou levar algum papel, cá de baixo. De repente, enquanto eu e o outro conversávamos, entra um homem lento, aborrecido ou zangado, e sobe as escadas como se fossem as do patíbulo. Era um acionista. Subiu, desapareceu. Íamos continuar, quando o porteiro desceu apressadamente.

— Sr. secretário! Sr. secretário!
— Já há maioria?
— Agora mesmo. Metade e mais um. Venha depressa, antes que algum saia, e não possa haver sessão.

O secretário correu aos papéis, pegou deles, tornou, voou, subiu, chegou, abriu-se a sessão. Tratava-se de prestar contas aos acionistas sobre o modo por que tinham sidos geridos os seus dinheiros, e era preciso espreitá-los, agarrá--los, fechar a porta para que não saíssem, e ler-lhes à viva força o que se havia passado. Imaginei logo que não eram acionistas de verdade; e, falando nisto a alguém, à porta da rua, ouvi-lhe esta explicação, que nunca me esqueceu:

– O acionista, disse-me um amigo que passava, é um substantivo masculino, que exprime "possuidor de ações" e, por extensão, credor dos dividendos. Quem diz ações diz dividendos. Que a diretoria administre, vá, mas que lhe tome o tempo em prestar-lhe contas, é demais. Preste dividendos; são as contas vivas. Não há banco mau se dá dividendos. Aqui onde me vê, sou também acionista de vários bancos, e faço com eles o que faço com o júri, não vou lá, não me amolo.

– Mas, se os dividendos falharem?
– É outra coisa, então cuida-se de saber o que há.

Pessoa de hoje, a quem contei este caso antigo, afirmou-me que a pessoa que me falou, há trinta anos, à porta do Rural, não fez mais que afirmar um princípio, e que os princípios são eternos. A prova é que aquele ainda agora o seria, se não fosse o incidente da corrida e dos cheques há dois meses.

– Então, parece-lhe...?
– Parece-me.

Quanto ao terceiro caso triste da mesma, o terremoto de Venezuela, quando eu penso que podia ter acontecido aqui, e, se aqui acontecesse, é provável que eu não tivesse agora a pena na mão, confesso que lastimo aquelas pobres vítimas. Antes uma revolução. Venezuela tem vertido sangue nas revoluções, mas sai-se com glória para um ou outro lado, e alguém vence, que é o principal; mas este morrer certo, fugindo-lhes o chão debaixo dos pés, ou engolindo-os a todos, ah!... Antes uma, antes dez revoluções, com trezentos mil diabos! As revoluções servem sempre aos vencedores, mas um terremoto não serve a ninguém. Ninguém vai ser presidente de ruínas. É só trapalhada, confusão e morte inglória. Não, meus amigos. Nem terremotos nem bancos quebrados. Vivam os sineiros de oitenta anos, e um só, perpétuo e único badalo!

11 DE NOVEMBRO
DE 1897

*E*u gosto de catar o mínimo e o escondido. Onde ninguém mete o nariz, aí entra o meu, com a curiosidade estreita e aguda que descobre o encoberto. Daí vem que, enquanto o telégrafo nos dava notícias tão graves como a taxa francesa sobre a falta de filhos e o suicídio do chefe de polícia paraguaio, coisas que entram pelos olhos, eu apertei os meus para ver coisas miúdas, coisas que escapam ao maior número, coisas de míopes. A vantagem dos míopes é enxergar onde as grandes vistas não pegam.

Não nego que o imposto sobre a falta de filhos e o celibato podia dar de si uma página luminosa, sem aliás tocar na estatística. Só a parte cívica. Só a parte moral. Dava para elogio e para descompostura. A grandeza da pátria, da indústria e dos exércitos faria o elogio. O regímen de opressão inspirava a descompostura, visto que obriga a casar para não pagar a taxa; casado, obriga a fazer filhos, para não pagar a taxa; feitos os filhos, obriga a criá-los e educá--los, com o que afinal se paga uma grande taxa. Tudo taxas. Quanto ao suicídio do chefe de polícia, são palavras tão contrárias umas às outras que não há crer nelas. Um chefe de polícia exerce funções essencialmente vitais e alheias à melancolia e ao desespero. Antes de se demitir da vida, era natural demitir-se do cargo, e o segundo decreto bastaria acaso para evitar o primeiro.

Deixei taxas e mortes e fui à casa de um leiloeiro, que ia vender objetos empenhados e não resgatados. Permitam-me um trocadilho. Fui ver o martelo bater no prego. Não é lá muito engraçado, mas é natural, exato e evangélico. Está autorizado por Jesus Cristo: *Tu es Petrus*, etc. Mal comparando, o meu ainda é melhor. O da Escritura está um pouco forçado, ao passo que o meu, – o martelo batendo no prego, – é tão natural que nem se concebe dizer de outro modo. Portanto, edificarei a crônica sobre aquele prego, no som daquele martelo.

Havia lá broches, relógios, pulseiras, anéis, botões, o repertório do costume. Havia também um livro de missa, elegante e escrupulosamente dito *para* missa, a fim de evitar confusão de sentido. Valha-me Deus! até nos leilões persegue-nos a gramática. Era de tartaruga, guarnecido de prata. Quer dizer que, além do valor espiritual, tinha aquele que propriamente o levou ao prego. Foi uma mulher que recorreu a esse modo de obter dinheiro. Abriu mão da salvação da alma, para salvar o corpo, a menos que não tivesse decorado as orações antes de vender o manual delas. Pobre desconhecida! Mas também (e é aqui que eu vejo o dedo de Deus), mas também quem é que lhe mandou comprar um livro de tartaruga com ornamentações de prata? Deus não pede tanto; bastava uma encadernação simples e forte, que durasse, e feia para não tentar a ninguém. Deus veria a beleza dela.

Mas vamos ao que me põe a pena na mão; deixemos o livro e os artigos do costume. Os leilões desta espécie são de uma monotonia desesperadora. Não saem de cinco ou seis artigos. Raro virá um binóculo. Neste apareceu um, e um despertador também, que servia a acordar o dono para o trabalho. Houve mais uns cinco ou seis chapéus de sol, sem indicação do cabo... Deus meu! Quanto teriam recebido os donos por eles, além de algum magro tostão? Ríamos da miséria. É um derivativo e uma compensação. Eu, se fosse ela, preferia fazer rir a fazer chorar.

O lote inesperado, o lote escondido, um dos últimos do catálogo, perto dos chapéus de sol, que vieram no fim, foi uma espada. Uma espada, senhores, sem outra indicação; não fala dos copos, nem se eram de ouro. É que era uma espada pobre. Não obstante, quem diabo a teria ido pendurar do prego? Que se pendurem chapéus de sol, um despertador, um binóculo, um livro *de* missa ou *para* missa, vá. O sol mata os micróbios, a gente acorda sem máquina, não é urgente chamar à vista as pessoas dos outros camarotes, e afinal o coração também é livro de missa. Mas uma espada!

Há dois tempos na vida de uma espada, o presente e o passado. Em nenhum deles se compreende que ela fosse parar ao prego. Como iria lá ter uma espada que pode ser a cada instante intimada a comparecer ao serviço? Não é mister que haja guerra; uma parada, uma revista, um passeio, um exercício, uma comissão, a simples apresentação ao ministro da guerra basta para que a espada se ponha à cinta e se desnude, se for caso disso. Eventualmente, pode ser útil em defender a vida ao dono. Também pode servir para que este se mate, como Bruto.

Quanto ao passado, posto que em tal hipótese a espada não tenha já préstimos, é certo que tem valor histórico. Pode ter sido empregada na destruição do despotismo Rosas ou López, ou na repressão da revolta, ou na guerra de Canudos, ou talvez na fundação da República, em que não houve sangue, é verdade, mas a sua presença terá bastado para evitar conflitos.

As crônicas antigas contam de barões e cavaleiros já velhos, alguns cegos, que mandavam vir a espada para mirá-la, ou só apalpá-la, quando queriam recordar as ações de glória, e guardá-la outra vez. Não ignoro que tais heróis tinham castelo e cozinha, e o triste reformado que levou esta outra espada ao prego pode não ter cozinha nem teto. Perfeitamente. Mas ainda assim é impossível que a alma dele não padecesse ao separar-se da espada.

Antes de empenhar, devia ir ter a alguém que lhe desse um prato de sopa. "Cidadão, estou sem comer há dois dias e tenho de pagar a conta da botica, que não quisera desfazer-me desta espada, que batalhou pela glória e pela liberdade..." É impossível que acabasse o discurso. O boticário perdoaria a conta, e duas ou três mãos se lhe meteriam pelas algibeiras dentro, com fins honestos. E o triste reformado iria alegremente pendurar a espada de outro prego, o prego da memória e da saudade.

Catei, catei, catei, sem dar por explicação que bastasse. Mas eu já disse que é faculdade minha entrar por explicações miúdas. Vi casualmente uma estatística de S. Paulo, os imigrantes do ano passado, e achei milhares de pessoas desembarcadas em Santos ou idas daqui pela Estrada de Ferro Central. A gente italiana era a mais numerosa. Vinha depois a espanhola, a inglesa, a francesa, a portuguesa, a alemã, a própria turca, uns 45 turcos. Enfim, um grego. Bateu-me o coração, e eu disse comigo; o grego é que levou a espada ao prego.

E aqui vão as razões da suspeita ou descoberta. Antes de mais nada, sendo grego não era nenhum brasileiro, – ou *nacional*, como dizem as notícias da polícia. Já me ficava essa dor de menos. Depois, o grego era um, e eu corria menor risco do que supondo algum das outras colônias, que podiam vir acima de mim, em desforço do patrício. Em terceiro lugar, o grego é o mais pobre dos imigrantes. Lá mesmo na terra é paupérrimo. Em quarto lugar, talvez fosse também poeta, e podia ficar-lhe assim uma canção pronta, com estribilho:

Levei a minha espada ao prego.
Eu cá sou grego.

Finalmente, não lhe custaria empenhar a espada, que talvez fosse turca. About refere de um general, Hadji-Petros, governador de Lâmia, que se deixou levar dos encantos de uma moça fácil de Atenas, e foi demitido do cargo. Logo requereu à rainha pedindo a reintegração: "Digo a Vossa Majestade pela minha honra de soldado que, se eu sou amante dessa mulher, não é por paixão, é por interesse; ela é rica, eu sou pobre, e tenho filhos, tenho uma posição na sociedade, etc.". Vê-se que empenhar a espada é costume grego e velho.

Agora que vou acabar a crônica, ocorre-me se a espada do leilão não será acaso alguma espada de teatro, empenhada pelo contrarregra, a quem a empresa não tivesse pago os ordenados. O pobre-diabo recorreu a esse meio para almoçar um dia. Se tal foi, façam de conta que não escrevi nada, e vão almoçar também, que é tempo.

BIOGRAFIA DE
MACHADO DE ASSIS

A biografia de Machado de Assis pode interessar particularmente àqueles que leram suas crônicas, quem sabe para completar um pouco mais a imagem do homem de quem se aproximaram com uma intimidade um tanto protocolar, através das opiniões e comentários que ele ali foi fazendo em torno da vida fluminense no tempo de D. Pedro II, cujo reinado durou de 1840 a 1889, e da passagem para a República. No entanto, para o leitor dos romances anteriores e posteriores ao *Memórias póstumas de Brás Cubas*, de 1881, essa biografia já deve ter sido um campo de pesquisa, na busca de ajuda para responder à questão crítica que a todos intriga, qual seja, a da grande virada que foi a maturidade literária do romancista, então com 42 anos: tendo nascido em 1839, no Rio de Janeiro, era exatamente essa a idade que tinha quando publicou o *Memórias póstumas*, primeiro dos romances da sua segunda fase. Mas se para o leitor das crônicas, pelo menos a princípio, a biografia pode ser sobretudo uma curiosidade, ela logo acrescentará dados que tornam ainda mais complexa a figura ímpar que foi Machado de Assis como letrado do nosso século XIX, e que as crônicas já tinham revelado. Ao mesmo tempo, a biografia deixará bem claro que tem seus limites na tarefa de dar conta de tudo o que se escondia por detrás da afabilidade do escritor no trato com seus pares e com a sociedade do seu tempo. O que o leitor poderá tentar completar com o conjunto armado pelas crônicas e pela sua obra narrativa.[1]

Articulando uma experiência individual com a vida social, institucional e política de tempo, a biografia pode apenas indicar em que circunstâncias aquele nosso meio foi capaz de acolher um mulatinho de talento e de elegê-lo, depois, como um mestre, observadas algumas regras da sociabilidade provinciana, de um modo que não foi possível a Cruz e Souza (1861-1898) e nem, mais tarde, a Lima Barreto (1881-1922). E indicar também como a aprendizagem do escritor pôde ter resultados que foram muito além de uma simples adesão aos caminhos que cimentaram sua ascensão social. Do ponto de vista das regras, esse escritor, que vai trabalhar na burocracia federal, terá uma vida pessoal metódica, seguindo à risca o modelo de comportamento previsto pelas sólidas relações de amizade que entabulou, e que o tornaram conhecido e apreciado no circuito das Letras. Em 1865 foi sócio-fundador da Arcádia Fluminense, onde se realizavam saraus com leituras de poesias; em 1886 participou do Conservatório Dramático; em 1888 recebeu a comenda imperial da Ordem da Rosa até fundar, em 1897, a Academia Brasileira de Letras, de modelo francês, além de frequentar a livraria Garnier com regularidade, depois de encerradas as reuniões da *Revista Brasileira*. Quando morreu, em setembro de 1908, Machado de Assis estava cercado pelos amigos Euclides da Cunha, José Veríssimo e Coelho Neto, entre outros. Naquele momen-

---

1. Sobre a vida de Machado de Assis cf. Lucia Miguel Pereira, *Machado de Assis* (Estudo crítico e biográfico). Belo Horizonte: Ed. Itatiaia/Ed. da Universidade de São Paulo, 1988, 6ª edição (a primeira edição é de 1936) e Jean-Michel Massa, *A juventude de Machado de Assis*. Rio de Janeiro: Civilização Brasileira, 1971.

to, era o Diretor-Geral de Contabilidade do Ministério da Viação e Obras Públicas.

O processo de formação longamente constituído inclui, com peso decisivo, a infância passada na grande chácara onde os avós tinham sido escravos. O menino era filho de pai pardo e mãe branca, portuguesa, que morreu cedo, ambos vivendo como agregados naquela mesma Quinta do Livramento, isto é, como dependentes da viúva de um Brigadeiro e Senador do Império, que foi madrinha de Machado de Assis. Quando em 1851 (há dúvidas quanto à data) morreu o pai, pintor e gravador, eles já moravam em São Cristóvão, e o menino mestiço, epiléptico e gago, ajudou a madrasta mulata a vender doces – ela que lhe tinha ensinado as primeiras letras, antes mesmo da escola pública onde cursou o primário. Aos quinze anos era aprendiz de tipógrafo e, logo depois, começa a frequentar a Livraria de Francisco de Paula Brito, também mulato de origem pobre, que editava uma pequena revista, *Marmota Fluminense*.

No Rio de Janeiro imperial dos fins dos anos 1850, o jovem tipógrafo, já trabalhando na Imprensa Nacional, escreve as primeiras poesias além de um artigo, em 1859, "A odisseia econômica do Sr. Ministro da Fazenda", que revelava um jovem liberal, a favor de medidas que já antecipavam o Encilhamento, cujas consequências, no entanto, serão depois duramente criticadas pelo cronista. Por esse tempo – os anos 1860 – o jovem Machado vive intensamente a vida teatral da cidade, com as companhias portuguesas dando certo ar europeu ao tosco cenário nacional, entre elas a de Furtado e Lucinda Coelho, aos quais fará referência na "História de quinze dias", em 1876. Quando escreve o romance *Ressurreição* (1872), o primeiro dos quatro romances sobre moças de excepcionais qualidades mas pobres, agregadas de famílias ricas, já tinha iniciado sua carreira burocrática como oficial da Secretaria da Agricultura, e já estava casado com a portuguesa Carolina Augusta

Xavier de Novais, irmã do poeta e amigo Faustino Xavier de Morais. O casamento foi em 1869.

Enquanto crescia sua incorporação à vida social e letrada da capital, e quanto maior a distinção do escritor que agora lia francês e inglês, mais se escancara sua visão cética e irônica sobre os acontecimentos históricos e políticos do país e sobre suas elites, como mostram as crônicas, cimentando a atitude sem precedentes do escritor maduro: a exposição, sem meias palavras e impiedosa de personagens que, afinal, pertenciam ao mesmo estrato social que já era também o seu e de seus amigos. Relações nada simples entre forma literária e experiência, que deram a Machado um lugar ao mesmo tempo sacralizado e problemático no panteão das letras nacionais, como bem mostra a fortuna crítica daquela obra madura entre os seus contemporâneos – Sílvio Romero, Araripe Júnior, José Veríssimo, para ficar com os mais conhecidos.

O seu testamento foi simples, já que não tinha querido investir, em bens imóveis, o salário mais do que razoável. Tendo já morrido a mulher Carolina, que parece ter sido seu grande esteio vida afora, e sem filhos, deixa à sobrinha dela algumas apólices, uma conta na Caixa Econômica, os móveis da casa e a biblioteca. Deixa também o *Memorial de Aires*, o último romance, escrito depois da morte da mulher, ao qual a crítica tem-se referido como uma espécie de testamento literário. O romance foi publicado no ano de sua morte.

Salete de Almeida Cara é professora do Programa de Pós-Graduação em Literatura Comparada de Literaturas de Língua Portuguesa na Universidade de São Paulo. Seus trabalhos mais recentes sobre literatura e crítica literária do século XIX são: "Singularidades nas cousas literárias do Brasil", publicado inicialmente como prefácio em *Machado de Assis (estudo comparativo de Literatura Brasileira)*, de Sílvio Romero (Ed. da Unicamp) e, recentemente, em *Autores brasileiros* (Ed. Imago), além dos ensaios "Autoridade letrada: uma 'contabilidade interior'?" (Nupebraf-IEA) e "Machado de Assis nos anos 70: a preparação do romance realista", ainda inédito.

BIBLIOGRAFIA

Queda que as mulheres têm para os tolos. Rio de Janeiro: Tipografia Paula Brito, 1861.
Desencantos. Rio de Janeiro: Paula Brito, 1861.
Teatro (O caminho da porta, O protocolo). Rio de Janeiro: Tip. do Diário do Rio de Janeiro, 1863.
Quase ministro. Rio de Janeiro: Tip. da Escola, 1864.
Crisálidas. Rio de Janeiro: Garnier, 1864.
Os deuses da casaca. Rio de Janeiro: Instituto Artístico, 1866.
Falenas. Rio de Janeiro: Garnier, 1869.
Contos fluminenses. Rio de Janeiro: Garnier, 1869.
Ressurreição. Rio de Janeiro: Garnier, 1872.
Histórias da meia-noite. Rio de Janeiro: Garnier, 1873.
A mão e a luva. Rio de Janeiro: Gomes de Oliveira, 1874.
Americanas. Rio de Janeiro: Garnier, 1875.
Helena. Rio de Janeiro: Garnier, 1876.
Iaiá Garcia. Rio de Janeiro: G. Viana & Cia., 1878.
Memórias póstumas de Brás Cubas. Rio de Janeiro: Tip. Nacional, 1881.
Tu, só tu, puro amor... Rio de Janeiro: Lombaerts & Cia., 1881.
Papéis avulsos. Rio de Janeiro: Lombaerts & Cia., 1882.
Histórias sem data. Rio de Janeiro: Garnier, 1884.
Quincas Borba. Rio de Janeiro: Garnier, 1891.
Várias histórias. Rio de Janeiro: Laemmert, 1896.
Dom Casmurro. Rio de Janeiro: Garnier, 1899.

Páginas recolhidas. Rio de Janeiro: Garnier, 1899.
Poesias completas. Rio de Janeiro: Garnier, 1901.
Esaú e Jacó. Rio de Janeiro: Garnier, 1904.
Relíquias de Casa Velha. Rio de Janeiro: Garnier, 1906.
Memorial de Aires. Rio de Janeiro: Garnier, 1908.
Outras relíquias. Seleção de Mário de Alencar. Rio de Janeiro: Garnier, 1910.
Teatro. Organização de Mário de Alencar. Rio de Janeiro: Garnier, 1910.
A Semana. Organização de Mário de Alencar. Rio de Janeiro: Garnier, 1910.
Cartas de Machado de Assis e Euclides da Cunha. Coligadas por Renato Travassos. Rio de Janeiro: Waissman, Reis & Cia., 1931.
Correspondência de Machado de Assis. Coligada e anotada por Fernando Néri. Rio de Janeiro: Américo Bedeschi, 1932.
Novas relíquias. Organização de Fernando Néri. Rio de Janeiro: Guanabara, 1932.
Obras completas. Rio de Janeiro: W. M. Jackson, 1937.
Páginas esquecidas. Organização de Elói Pontes. Rio de Janeiro: Casa Mandarino, 1939.
Casa velha. Introdução de Lúcia Miguel Pereira. São Paulo: Martins, 1944.
Contos esquecidos. Organização e prefácio de R. Magalhães Júnior. Rio de Janeiro: Civilização Brasileira, 1956.
Contos avulsos. Organização e prefácio de R. Magalhães Júnior. Rio de Janeiro: Civilização Brasileira, 1956.
Contos recolhidos. Organização e prefácio de R. Magalhães Júnior. Rio de Janeiro: Civilização Brasileira, 1956.
Contos esparsos. Organização e prefácio de R. Magalhães Júnior. Rio de Janeiro: Civilização Brasileira, 1956.
Diálogos e reflexões de um relojoeiro. Organização e prefácio de R. Magalhães Júnior. Rio de Janeiro: Civilização Brasileira, 1956.

Prosa e poesia. Prefácio e notas de J. Galante de Sousa. Rio de Janeiro: Civilização Brasileira, 1957.

Contos e crônicas. Organização e prefácio de R. Magalhães Júnior. Rio de Janeiro: Civilização Brasileira, 1958.

Crônicas de Lélio. Organização e prefácio de R. Magalhães Júnior. Rio de Janeiro: Civilização Brasileira, 1958.

Obra completa. Organização de Afrânio Coutinho. Rio de Janeiro: Aguilar, 1959.

Crônicas. Seleção e prefácio de Eugênio Gomes. Rio de Janeiro: Agir, 1963. (Coleção Nossos Clássicos).

Dispersos. Organização e introdução de Jean-Michel Massa. Rio de Janeiro: MEC/INL, 1965.

Contos. 2. ed. Seleção e prefácio de Eugênio Gomes. Rio de Janeiro: Agir, 1967. (Coleção Nossos Clássicos).

Edições críticas de obras de Machado de Assis. Rio de Janeiro: Civilização Brasileira/INL, 1975.

Bons dias! Introdução e notas de John Gledson. São Paulo: Hucitec/Ed. da Unicamp, 1990.

A Semana – Crônicas 1892-1893. Edição, introdução e notas de John Gledson. São Paulo: Hucitec, 1996.

Terpsícore. Apresentação de Davi Arigucci Júnior. São Paulo: Boitempo Editorial, 1996.

Balas de estalo. Introdução e notas de Heloisa Helena Paiva de Luca. São Paulo: AnnaBlume, 1998.

ÍNDICE

Prefácio 7

AQUARELAS (1859)

Os fanqueiros literários 21
O parasita 25
O empregado público aposentado 35
O folhetinista 39

HISTÓRIA DE QUINZE DIAS (1876)

1º de julho de 1876 45
1º de agosto de 1876 53
15 de agosto de 1876 59
1º de outubro de 1876 65

NOTAS SEMANAIS (1878)

16 de junho de 1878 73
7 de julho de 1878 81
4 de agosto de 1878 90

BALAS DE ESTALO (1883-1886)

15 de julho de 1883	95
2 de setembro de 1883	99
12 de setembro de 1883	102
8 de janeiro de 1884	106
20 de julho de 1884	111
4 de agosto de 1884	114
23 de agosto de 1884	117
5 de setembro de 1884	120
22 de setembro de 1884	123
9 de janeiro de 1885	126
13 de janeiro de 1885	129
17 de agosto de 1885	133
3 de março de 1886	136

BONS DIAS! (1888-1889)

27 de abril de 1888	141
4 de maio de 1888	144
11 de maio de 1888	147
19 de maio de 1888	150
20-21 de maio de 1888 (imprensa fluminense)	153
1º de junho de 1888...	157
26 de junho de 1888	160
26 de agosto de 1888	163
6 de outubro de 1888	166
25 de novembro de 1888	169
17 de dezembro de 1888	172
23 de fevereiro de 1889	176
14 de junho de 1889	179

29 de junho de 1889 182
22 de agosto de 1889 185

A SEMANA (1892-1900)

24 de abril de 1892 191
31 de julho de 1892 195
14 de agosto de 1892 199
28 de agosto de 1892 203
2 de outubro de 1892 206
9 de outubro de 1892 210
16 de outubro de 1892 213
23 de outubro de 1892 217
13 de novembro de 1892 221
20 de novembro de 1892 225
27 de novembro de 1892 229
4 de dezembro de 1892 233
8 de janeiro de 1893 237
29 de janeiro de 1893 241
12 de fevereiro de 1893 245
9 de abril de 1893 249
21 de maio de 1893 253
11 de junho de 1893 256
2 de julho de 1893 260
16 de julho de 1893 263
6 de agosto de 1893 267
27 de agosto de 1893 271
8 de outubro de 1893 276
1º de abril de 1894 280
8 de abril de 1894 284

5 de agosto de 1894 (O punhal de Martinha) 288
16 de setembro de 1894 292
4 de novembro de 1894 297
16 de dezembro de 1894 301
6 de janeiro de 1895 305
31 de março de 1895 (Conto do vigário) 309
14 de abril de 1895 312
12 de maio de 1895 316
16 de junho de 1895 (O auto de si mesmo) 320
20 de outubro de 1895 324
29 de dezembro de 1895 329
17 de maio de 1896 334
24 de maio de 1896 338
31 de maio de 1896 342
16 de agosto de 1896 347
23 de agosto de 1896 352
6 de setembro de 1896 357
20 de setembro de 1896 361
22 de novembro de 1896 365
29 de novembro de 1896 (Guitarra fim de século) 370
31 de janeiro de 1897 376
7 de fevereiro de 1897 380
14 de fevereiro de 1897 384
4 de novembro de 1897 389
11 de novembro de 1897 394

Biografia de Machado de Assis 399

Bibliografia 405

COLEÇÃO MELHORES CRÔNICAS

Artur Azevedo
Seleção e prefácio de Orna Messer Levin e Larissa de Oliveira Neves

Euclides da Cunha
Seleção e prefácio de Marco Lucchesi

Luís Martins
Seleção e prefácio de Ana Luisa Martins

Maria Julieta Drummond de Andrade
Seleção e prefácio de Marcos Pasche

Rubem Braga
Seleção e prefácio de Carlos Ribeiro

Marina Colasanti
Seleção e prefácio de Marisa Lajolo

Machado de Assis
Seleção e prefácio de Salete de Almeida Cara

José de Alencar
Seleção e prefácio de João Roberto Faria

Manuel Bandeira
Seleção e prefácio de Eduardo Coelho

Affonso Romano de Sant'Anna
Seleção e prefácio de Letícia Malard

José Castello
Seleção e prefácio de Leyla Perrone-Moisés

Marques Rebelo
Seleção e prefácio de Renato Cordeiro Gomes

Cecília Meireles
Seleção e prefácio de Leodegário A. de Azevedo Filho

Lêdo Ivo
Seleção e prefácio de Gilberto Mendonça Teles

Ignácio de Loyola Brandão
Seleção e prefácio de Cecilia Almeida Salles

Moacyr Scliar
Seleção e prefácio de Luís Augusto Fischer

Zuenir Ventura
Seleção e prefácio de José Carlos de Azeredo

Rachel de Queiroz
Seleção e prefácio de Heloisa Buarque de Hollanda

Ferreira Gullar
Seleção e prefácio de Augusto Sérgio Bastos

Lima Barreto
Seleção e prefácio de Beatriz Resende

Olavo Bilac
Seleção e prefácio de Ubiratan Machado

Roberto Drummond
Seleção e prefácio de Carlos Herculano Lopes

Sérgio Milliet
Seleção e prefácio de Regina Campos

Ivan Angelo
Seleção e prefácio de Humberto Werneck

Austregésilo de Athayde
Seleção e prefácio de Murilo Melo Filho

Humberto de Campos
Seleção e prefácio de Gilberto Araújo

João do Rio
Seleção e prefácio de Edmundo Bouças e Fred Góes

Coelho Neto
Seleção e prefácio de Ubiratan Machado

Josué Montello
Seleção e prefácio de Flávia Vieira da Silva do Amparo

Gustavo Corção
Seleção e prefácio de Luiz Paulo Horta

Marcos Rey
Seleção e prefácio de Anna Maria Martins

Álvaro Moreyra
Seleção e prefácio de Mario Moreyra

Odylo Costa Filho
Seleção e prefácio de Cecilia Costa

Raul Pompeia
Seleção e prefácio de Claudio Murilo Leal

*Rodoldo Konder**

*França Júnior**

*Antonio Torres**

*Elsie Lessa**

*PRELO

"E na própria obra está a prova de seu minucioso interesse por tudo o que relatam os jornais da semana e por tudo o que vai acontecendo nos momentos do mundo. Está ali, travestida, a prova do interesse, a prova do *engagement machadiano*; mas logo, paradoxalmente, o autor nos dá também a prova, não de um desinteresse, mas de um desapego. Os fatos são sérios, mas não podem ser levados a sério com aquele estilo solene e grave que falta, felizmente, ao escriba de cousas miúdas. A atualidade merece atenção curiosa, mas não merece todo o empenho da alma míope que vê coisas maiores nas coisas menores. E é por isso que até hoje tem atualidade as crônicas de Machado, e é por isso que envelhecem depressa as crônicas que se submetem aos prestígios da atualidade."

Gustavo Corção

"Não há dúvida de que o tom dominante destas crônicas é pessimista: seria surpreendente que fossem outra coisa, e não só pela natureza e caráter do seu autor. Os acontecimentos que acompanham, seja na esfera política, seja na econômica ou até na militar não são feitos para otimistas. Mas seria um erro concluir disto que não são mais do que a reação de um homem amargurado à mudança de regime, e assim reduzir sua validez como comentário ao momento histórico."

John Gledson

"Na obra machadiana, a crônica não é um *texto-ponte* para outros, os 'maiores'. É a solda capaz de unir uma produção literária de mais de quarenta anos. Qualquer estudo sobre sua obra passará, necessariamente, por esse exercício cotidiano de tornar o heterogêneo da historicidade cúmplice pela mediação da arte."

Sonia Brayner

"Uma das razões, aliás, do incrível desencontro entre a nossa tradição crítica e o romancista esteve, com exceções sabidas, na falta de instrumento propriamente *literário* para parafrasear e analisar uma experiência tão intricada e turva, difícil, entre outras razões, por ser pouco lisonjeira para nós. (...) A incrível estabilidade das relações — ou injustiças — de base no país contribuiu de modo decisivo para conferir alguma coisa irrisória às datas magnas que registram as mudanças em nossa política. (...) O próprio Machado foi se dando conta disso e acabou fixando a *irrelevância* das datas políticas como sendo o dado decisivo do nosso ritmo histórico, num bom exemplo de dialética entre experiência social e forma."

Roberto Schwarz